DAIVA
VAITKEVIČIŪTĖ

DAIVA
VAITKEVIČIŪTĖ

Monikai
reikia
meilės

Panevėžys

Magilė

UDK 888.2-3
Va-122

ISBN 9986-956-25-0

Jie nesupranta, kad dabar, kai meilė pigi ir prieinama, be mistikos, – reikia didžiulės drąsos ginti jos tyrumui.

Tove Jansson, „Laiškas dievaičiui"

Seniai nebuvau mačiusi tokio ramaus vasaros ryto. Sėdėjau plentu lekiančiame automobilyje. Pro mano akis be garso slydo javų laukai. Saulėje sublizgėdavo vienkiemių langai ir kūdros, žiūrinčios į vaiskų liepos dangų. Pievas ir ganyklas su galvijų bandomis užgoždavo miškas, o už jo, žiūrėk, sumirguliuoja jaukaus kaimelio stogai.

Sūpavimas lyg švelni letena glostė mano kūną, gramzdino į miegą. Galima sakyti, buvau mirtinai nusikamavusi po dar vienos bemiegės nakties. Savaitėmis laukiu jo, savojo Vitoldo, mintyse jam atsiduodama begales kartų.

Aš jį myliu. Netgi labai. Esu verkusi iš ilgesio, liejusi ašaras, kai jo automobilis tarsi mano jausmų katafalkas nutoldavo gatve, kuri žiemą vasarą pilkavo už mano miegamojo lango, gatve, kurioje dar tvyrojo nakties šešėliai ir toks stiprus išsiskyrimo jausmas.

Penkias dienas per savaitę viens kito nematome. Argi tai menkas pagrindas, kad visą naktį mylėtumėmės kaip padūkę?

Taip ir buvo.

Truputis vyno.

Blyškus nuogumas.

Malonus nuovargis, regis, visi slanksteliai sveiki, nors jo rankos geležį lengvai perlenktų. Tačiau su manimi Vitoldas būna švelnus. Jau beveik žino visas mano erogenines zonas, sako, kad tomis akimirkomis mano veidas keičiasi. Ir stebėdamas tą nuostabią kaitą jis įeina į mane. Norėtųsi net susikeikti – toks tas jausmas.

Taigi.

Bet dažnai toji sąlyčio akimirka užklumpa netikėčiausiose situacijose: virtuvėje prie žaliuzėmis uždengto lango, svetainėje ant žalio kaip samanos kilimo ar vonioje, kur aš skubu prieš ir po pasimylėjimo. Taip jau atsitinka. Vėliau sunku būna ir patikėti, kad mus užvaldo tokia stipri aistra, verčianti iš kojų lyg kokius imtynininkus. Nors kas čia nuostabaus – jauni žmonės. Mūsų draugystė tęsiasi ketveri metai. Nuo mokyklos laikų.

Be to, juk sakiau – aš myliu Vitoldą, o jis mane. Tenkina kiekvieną mano užgaidą. Štai kad ir tokią kaip šįryt – nuvežti mane pas aiškiaregę. Laukiau šitos dienos tris mėnesius. Anksčiau – niekaip... Garsas apie Galaukės aiškiaregę sklinda po visą Žemaitiją. Eina iš lūpų į lūpas. Perspėja apie nelaimes, pavogtus daiktus padeda surasti ir, žinoma, – nupasakoja ateitį ar visokius ten meilės reikaliukus, o kas daugiau gali jaudinti, kelti nerimą ir smalsumą vos per dvidešimt perkopusiai panelei? Juk dar treji ketveri metai, na, penkeri – ir prasidės kalbos apie liūdną senmergės lemtį.

Jeigu toji aiškiaregė tokia jau visa matanti, tegu pasako, kas manęs laukia. Kaip susiklostys mano širdies reikalai? Kokius išbandymus man ruošia likimas? Gal gresia kokia nelaimė?

Girdėjau, kaip vienąkart kažkokia kaimo ragana prisakė jaunuoliui nesiartinti prie vandens vasaros pabaigoje, bet jo būta tokio nenuoramos, kad ėmė ir nepaklausė. Nusiyrė ežero bangomis, o jos kitą dieną išnešė pamėlusį kūną. Brrr... Ne, geriau tokių dalykų neklausinėti. Svarbiausia – kada mes pagaliau su Vitoldu susituoksime? Tiek metų kartu, bet nuojauta apie vestuves kažin kodėl silpna.

Na, gana. Ji viską pasakys, jei iš tikro tokia kieta, kaip žmonės kalba.

– Katyte, prabusk!

Aš nemiegojau. Atsilošusi sėdynėje stebėjau kraštovaizdį. Veidu buvau pasisukusi į mašinos langą, pajutau, kaip greitis mažėja. Vitoldas vairuoja atsargiai – jokių staigių posūkių ir stabdymų – ir žadina mane tyliu nevyrišku balsu. Yra sakęs, kad, stebint mano nekalčiausiai suglaustas kojas, jo vaizduotė įgauna naktinį pagreitį ir mane nesunkiai įsivaizduoja nepadoriausia poza. Begėdis.

Pajuntu prisilietimą. Paglosto kelius, paskui skruostą. Jo pirštai kvepia muilu. Kiek virpa. Greitai susijaudina, ir galvoju – trūkumas tai ar pranašumas? Bundančio ryto šviesoje tokie virpėjimai išduoda jo silpnumą. Jei kelionės tikslas nebūtų čia pat, ko gero, imtų dalintis prisiminimais apie praėjusią naktį. Vėl išgirstu:

– Prabusk, katyte...

Automobilis pakrypsta. Posūkis, lengvas krestelėjimas, kryptelėjimas. Lauko keliukas, kaip ir sakė Silva. Ji mano draugė. Su ja smagu. Žino daug paskalų ir intymių smulkmenų, regis, net iš Popiežiaus gyvenimo. Ji ir priskiedė man apie šitą Žemaitijos užkampyje gyvenančią aiškiaregę, atveriančią žmonėms likimo paslaptis.

Ar ištekėsiu už Vitoldo?

Dirstelėjau į jį, palinkusį prie vairo, ir nesulaikiau šypsenos. Rūpestingas žvilgsnis pro grakščių akinukų stiklus. Akiniuotis! Sunku pasakyti, ar akiniai jam tinka, visuomet tuo abejoju. Bet štai visa kita – glotniai sušukuoti plaukai, švariai nuskustas veidas – sakyte sakė, kad tik prieš valandą jis išėjo iš vonios. Iš mano buto vonios. Marškiniai užsagstyti iki paskutinės sagos. Tai aš jį to išmokiau. Bandau įkalti į galvą paprastą tiesą – būsimi teisininkai turi atrodyti tvarkingai. Neįsivaizduoju, kad jo balsas niūrioje teismo salėje galėtų aidėti rūsčiai, kad jame gali įsikūnyti Temidė, juk lovoje jis visai nepanašus į statulą, nors kelis kartus buvau užrišusi raištį ant akių.

Man nepatiko. Jam irgi. Vaizdas labiau jaudina nei aklomis užčiuopiamas kūnas.

*

– Atvažiavome pas tavo raganą, – nukreipė jis žvilgsnį nuo mano kojų į kelią. – Pažiūrėk, kokia trobelė. Trūksta vištos kojelės ir juodo katino.

Pažvelgiau pro langą. Ievos, kiek toliau pabėgėję jauni ąžuoliukai ir už jų medine tvora apjuosta sodyba. Gilumoje – medinių rąstų namas. Pajuodęs nuo laiko, tačiau baltomis langinėmis. Ir langai nušveisti, net spindi nuo dangaus žydrumos. Kieme nematyti jokių vienkiemiams įprastų žemės ūkio rakandų, tik kelios vištos tarsi dėl grožio oriai luteno daržinės pakraštyje, kur gelsvavo žvyro lopinėlis.

Namelis, kuris užkliuvo Vitoldui, buvo toks, kaip ir nupasakojo Silva. Suręstas iš lentų, mažytis kaip koplyčia, tarytumei laikinumo simbolis šimtametės žemaitiškos trobos fone. Du langai ir akinamai baltos užuolaidėlės. Tai štai kur garsioji aiškiaregė įmina likimo paslaptis...

Prisipažinsiu, visuomet skeptiškai vertinau populiarius burtus. Tai lyg žaidimas. Ramunės žiedas. Myli – nemyli. Bet Silva ir mirusį įkalbės ant kito šono apsiversti. Žinoma, ji amžinai suvargusi nuo savo meilių, kas mėnesį meilužių vardai keičiasi, tačiau Galaukės ragana jai išklojo tokių dalykėlių, kad mane suėmė pagunda patikėti aiškiaregei savo delną.

Vos automobilis sustojo skalda išpiltoje aikštelėje, prie mūsų atskubėjo visai ne kaimiškai apsirengęs vyras. Vilkėjo truputį didoką švarką, bet švarūs balti marškiniai jam suteikė solidumo. Pasisveikino ir paprašė pasakyti numerį. Man buvo paskirtas 168-asis.

– Jūsų laikas – aštuntą, tad, panele, gausite palaukti penkiolika minučių, – tarsi atsiprašydamas linktelėjo aiškiaregės pagalbininkas ir, kiek Silva išsiaiškino, rodos, sutuoktinis. – Ponia Mingailė laikosi grafiko.

Jokia ji Mingailė. Silva sakė, kad tikrasis jos vardas Jadvyga, tačiau patys žmonės, plaukiantys čia iš viso pasviečio ir mėgstantys mistifikuoti paprastus reiškinius, pasičiupo pavardę Mingailienė, sutrumpino, ir štai jums vardas, kuriuo noriai pagavo vadintis ir pati antgamtinių paslapčių žinovė.

Palikau Vitoldą automobilyje. Nepatinka man atsainus jo požiūris.

Vakar net sunervino. Kai ilsėjomės pirmą kartą pasimylėję, jis ėmė šaipytis iš mano sumanymo apsilankyti pas aiškiaregę. Juokais būrė iš mano delno, priskaičiavo krūvas vaikučių, todėl ir susinervinau. Norėjau kūdikio, o jis – nežinau, vos kas, sukdavo kalbą šalin. Universitetas, vėliau karjera ir paskiausiai – šeima.

Ketveri metai girdžiu tą patį. Noriu išgirsti ką nors kita. Praregėti, pamatyti, kada baigsis pasimatymai savaitgaliais ir kiekvieną naktį mes sutiksime šeimyniniame guolyje.

Saugodama batelių kulniukus, žingsniavau per aštrius akmenukus. Miškelis liko šone, ir prieš mane atsivėrė laukų platybė. Kiek akis užmatė, po giliu dangumi driekėsi pievos, dailiais rėžiais žaliuojantys daržai, nedrąsiais guotais išsibarstę beržynėliai, ir visa tai bėgo iš mano akiračio į padūmavusį tolį, kuriame skendėjo neryškį horizonto linija. Didingas vaizdas. Tikra galulaukė.

Panašus erdvės įspūdis žvelgiant nuo Medvėgalio kalno mane buvo pavergęs, kai buvau dar mokinukė su kasytėmis. Vitoldas, paslapčia nudžiovęs tėvų automobilį, vaizdavo subrendusį vyrą. Ir mes, bučiuodamiesi prie kiekvieno pakelės krūmo, nusitrenkėme iki piliakalnio, taip neva suteikdami savo pasimatymui ne vien kūniško malonumo, bet ir kultūrinės bei pažintinės prasmės. Argi nebuvome juokingi?

– *Ponečka*, jūsų jau laukia. Prašom...

Vizito pas aiškiaregę valanda kainuoja 10 litų. Irgi juokinga. Bet 168... Dar liepa tik įpusėjo, o tokia eilė! Per mėnesį susidaro padori sumelė.

Argi verta žemę rausti, kai sekasi naršyti ploniausius likimo siūlus?

Prieš pasukdama į kiemą, iš kurio be paliovos sklido šuniuko amsėjimas, pasakiau Vitoldui, kad nepatingėtų nueiti iki aikštelės pakraščio, iš kur atsiveria Žemaitijos platybės. Mistinis vaizdas... Vartė laikraštį, bet turėjo išgirsti. Vos laisva minutė – čiumpa laikraštį. Politika man – nuobodžiausias dalykas pasaulyje. Demagogija. Visada laimi auksaburniai. Mano Vitas ne toks, jis viską vertina teisiniu požiūriu ir ne vieną politiką, būtų jo valia, sodintų už grotų.

– Užeikite! – pasigirdo iš namelio.

Kelios laiptų pakopos. Stabteliu. Pro mano kojas šasteli katinas. Rainas, o letenėlės tarsi plaktoje grietinėlėje pamirkytos. Buvo metas, kai tariausi, jog vargšės mano kojos pernelyg plonos, tada mūvėdavau baltas kojines. Be to, jos tiko prie mokyklinės uniformos, bet dabar, kai visi vyrai kreizėja nuo manekeniškų standartų, paauglės tragedijos liko vien prisiminimuose.

Kas kita apatinis trikotažas.

Pavyzdžiui, man atrodo, kad balta liemenėlė optiškai didina krūtinę, tą patį sako ir Vitoldas, sako ir netiki, jog to nepastebi kiti vyrai. Tegu netiki, bet jis man vienintelis, ir gal esu paskutinė kvailė, kaip įrodinėja Silva, sukiodama pigų auksinį žiedelį ant piršto, kurį padovanojo jos eilinis meilužis, tačiau aš didžiuojuosi, kad man visai nesunku būti ištikimai savo vaikinui.

*

Įveikiu laiptus. Namelio vidus toks pat kuklus kaip ir jo išorė. Stalas, prie jo iš dviejų obliuotų lentų sukaltas suolas, platesniam užpakaliui gal būtų ir nepatogu, bet man kaip tik. Atsisėdu ir sukryžiuoju kojas. Moteris, palinkusi prie stalo, atsigręžia veidu į mane. Nieko ypatinga jame neįžvelgiu. Raudonskruostė, trykštanti sveikata. Laukų oras ir kaimiškas maistas daro savo. Ir toji palaidinukė su obuoliukais greičiausiai nenauja, iš *labdaryno*. Juodų plaukų sruoga vis slepia žvilgsnį. Pasisveikiname. Ji pastumia man švarų popieriaus lapą ir rašiklį nukramtytu galiuku, o man jau juokas – iš apmaudo, kai nusibūrė į lankas, apgraužė...

– O ko jūs visą laiką šypsotės? – pasižiūri ji bejausmėmis pilkšvomis akutėmis ir rodo į popieriaus lapą. – Parašykite savo vardą. Va ant šito popieriuko. Taip man bus lengviau įeiti į jūsų informacinį lauką.

Rašau – MONIKA... Aiškiaregė mikliai man iš panosės pačiumpa lapą ir pirštų galiukais liečia užrašą popieriuje. Užsimerkia. Akių vokai virpčioja. Laikrodis rodo lygiai aštuntą ryto. Darbo valandos tiksi. Ant staliuko kuklioje vazelėje lauko gėlių puokštė. Rugiagėles, stamantrią it vaikiška kuoka bijūno galvelę dar atskiriu, bet kiti žiedai lyg nematyti. Gimiau kaime, bet mieste vyrai nusiteikę dovanoti rožes, kartais lelijas, rečiau – anturius. Porą kartų esu gavusi rožių tiesiog gatvėje. Eini, privažiuoja automobilis. Labas, gerai atrodai, čia tau...

– Vis šypsotės ir šypsotės... Manote, visa tai nerimta?

Nuoširdžiai gūžtelėjau pečiais – lyg tikiu ir netikiu, nieko su savimi negaliu padaryti. Jos apskritame veide šmėstelėjo sarkastiška šypsenėlė.

– Mergelikė man nematyta, pirmąkart?..

Linktelėjau.

– Visada taip, – ji paėmė mano delną. – Ištieskite pirštus, atsipalaiduokite... Jei turite diktofoną, aš nedraudžiu, galite įsijungti.

Diktofoną? Nepagalvojau. Bet kažin ar dėl to verta graužtis.

– O kaip mano vardas? Kokia ten informacija?

Juokingiau pastarasis žodis niekada neskambėjo kaip dabar.

– Daug informacijos, daug įvykių, panele, jūsų laukia.

O aš iškart už akių:

– Gerų ar blogų?

– Visokių. Todėl kortų negalėsiu mesti. Susisuks galvelė. Imsite skubinti įvykius, ir bijau pasakyti, į gera ar į bloga viskas išeis... Na ką, pasižiūrėsime, kaip jūs gyvenate.

Ji priglaudė mano delną prie stalo, suspaudė tarsi stebėdamasi, kas čia per daiktas, ir paleido iš gniaužtų. Stengiausi atsipalaiduoti, įsivaizdavau, kad tai ne mano ranka. Buvau tikra, kad ji ims burti iš delno linijų, bet ji pasielgė keistokai – užsimerkė ir delną liesdama vėsiais pirštų galiukais vos pastebimai ėmė linguoti kėdėje. Jos žodžiai irgi, banga po bangos, ėmė plaukti rytmečio tyloje:

– Namai... Jau įėjau. Tamsu, matyt, prieškambaris. O čia... Ten dar durys, bet pažiūrėsime, kas čia. Žaluma, gėlės, baldai, ir, atrodo, minkšti, turbūt svetainė. O ten... O Jėzau, panelė kokia netvarkinga – kaip išmėtyti drabužiai... Didelė lova, ir šviesos trūksta. Aha, užuolaidos... Miegamasis čia. O koks vaizdas iš virtuvės? Nematau, bet tuoj pasistiebsiu... Matau – gatvė, kitapus stotelė ir turbūt parduotuvė. Aukštai gyvenate, koks penktas aukštas, jei neklystu...

Nemaloniai įsitempiau. *Tip top*, taip ir yra. Nejau Silva papasakojo?..

– Šiaip jaukus butas, bet energija nekokia. Man ten šalta.

Taip tarusi, ji atsimerkė. Žvelgė į mane ramiai. Lyg nieko tokio stulbinamo nebūtų pasakiusi.

– Gyveni viena, be vyro ir be tėvų, – neabejodama tarė. – Dievuli tu mano, nuo ketvirtos klasės viena... Ir kaip tu, tokia maža daili mergytė, viena tarp keturių sienų?

Ji ne klausė, o stebėjosi. Jos balse pasigirdo užuojauta. Vėl pasinėrė į transą, bet tylėjo, tik trūkčiojantys antakiai lyg sakė, kad slaptos jos galios verčia mano praeities puslapius vieną po kito. O manyje jau virsnojo tūžmas – ko ji braunasi ten, kur man nesinori grįžti? Sugadinta, pavogta vaikystė, nuo jos bėgu ir bėgu kaip nuo košmaro. Užuojauta? Atsiprašant į užpakalį tegu susikiša visus tuos oi oi ojojoi! Nenoriu prisiminti tų laikų!

– O šitie!.. – krūptelėjo ji. – Beširdžiai, galvose – tik turtai ir jokios šilumos sieloje... Dievuli brangus, kokių žmonių esama.

– Jūs čia apie mano tėvus?

Nemėgau, kad kas juos smerktų ar aptarinėtų jų poelgius. Jie nesuprato, ką daro. Jie troško man tik gero, tačiau nedavė meilės. Tik tiek. Ragana vėl įsispitrėjo į mane, žvilgsnis buvo liūdnas.

– Ne, – sukrutėjo jos lūpos, – aš ne apie tėvus. Auklė tavoji, tas plytų namas, stora moteris ir jos vaikai, o tu savame kampe... Anksti išmokai būti stipri, labai anksti...

Ak, taip!.. Kol gimdytojai paskubomis įrenginėjo per valdiškos įstaigos malonę gautą butą, o mokslo metai jau buvo prasidėję, man teko kurį laiką pagyventi pas svetimus žmones. Tėvai tuomet gyveno kaime, negalėjo atitrūkti nuo ūkio, o bute privalėjo krebždėti gyvybė. Kitaip – vienas kitas pavydaus kaimyno skundas, ir butas, kaip negyvenamas, vėl būtų perėjęs įstaigos žinion.

Patraukiau ranką, pareikšdama, kad nieko nebenoriu girdėti apie praeitį. Nieko! Deginau ją akimis, manyje budo kažkas panašaus į neapykantą, kad štai kaip svogūnėlį ima lupti lukštas po lukšto ir braunasi prie dalykų, kuriuos įnirtingai stengiausi išmesti iš savo atminties. O ji viską kloja. Negailestingai. O mokykla? Negi nemato, kaip man ten puikiai sekėsi, kaip mane vertino draugai, o ir aš stengiausi būti nesavanaudė, ir geras vardas man buvo brangiau už viską! Šimtus bernų niekieno netrukdoma galėjau perleisti per savo miegamąjį, per savo gražų, bet viduje išdraskytą kūną, tačiau neprisileidau tokių pagundų nė iš tolo. Vitoldas gelbėjo mano sielą, ir aš visa siela buvau tik jo.

Ji vėl, sakydama, kad žvilgtels į ateitį, paėmė mano delną.

– Turi vaikiuką, turi...

– Vaiką?! – apstulbau aš.

– Kavalierių, o ne vaiką. Matau, mokosi, daug pasieks, bet ne tau jis skirtas, ne tau. Ponų vaikas, o tu paprasta mergelikė. Geros širdies. Nesutinkat. Tu moteris, galinti keisti likimus, o jam viskas kaip ant stalo sudėliota. Šalia tavęs matau du vyrus. Jaunesnis ir senesnis. Tas senesnis daug valdžios turės ir bus labai turtingas, bet turtai negeros šviesos apgaubti. Nebūsi su juo laiminga... O tas jaunesnis... *Nu*, gražus pažiūrėti, aha... Mylės tave, vaikel, jau taip mylės, geriau neklausk... Bet karšto būdo ir daug pavojų jo laukia. Netgi mirtis, bet per plauką pavyks jos išvengti. Labai stiprios jėgos norės jus išskirti, bet Dievas myli tave, mergele, daug laimės su juo turėsi...

– Su tuo seniu ar su jaunu?

– Su jaunu, *ponečka*. Senojo valdiški namai laukia. Išskirs jus...

– Na ir ačiū Dievui.

Žinau aš tas pasakėles! Pikų berniukas, *čirvų* dama... Panašiai ir Silva vapaliojo, kai kartą pasišovė išmesti kortas pagal kažkokią čigonišką kombinaciją. Klasikinė šarlatanų maldelė. Šįkart atsargiai truktelėjau ranką. Tam, kad ištraukčiau iš rankinuko Vitoldo nuotrauką. Silva tvirtino, kad iš nuotraukos apie žmogų daug pasako. Padėjau ją prieš aiškiaregę, nė neužsimindama, kad tai mano širdies išrinktasis, širdies, kuri dabar plakė tolygiai ir nesibaimino jokių pranašysčių.

– Apie jį geriau papasakokite, kas per žmogus.

Ji tylomis ėmėsi darbo. Nagiukais subrūkšniavo Vitoldo kaklą, skruostus, galop kaktą. Suniokojo nuotrauką, kad gaila ir žiūrėti. Nieko, jų pilnas albumas...

– Na, ką aš tau galiu pasakyti? Atkaklaus būdo, šalto proto, nemėgstantis rizikuoti žmogus.

Taip, būtent! Tokio vyro man ir reikia.

– Bet jis *styčnas*, – ir pamačiusi, kad tokio senovinio žemaitiško žodžio nesuprantu, paaiškino: – Na, kitaip tariant, ką jau įsidėjo į *kramę*, to ir kirviu neišmuši. Tai va, mergelike, jam rūpi turtinga žmona, iš poniškos šeimos. Dėl jokios moters iš jo ašarų nesulauksi... Užblokuotas ir pasiaukojimo laukas. Nekentės dėl kito. Jausmų srity irgi ribotas. Širdis nieko nešneka, vadinasi, be meilės sau leis dieneles ir bus patenkintas. Nėra koks klastūnas ar visaip bandantis apgauti žmones, bet apsukrumo jam netrūksta. Daug pasieks, ir pinigai jį lydės...

– O... o norėjau sužinoti, – ir užsikirtau, nesumodama, kaip paklausti, – turi jis ten, Vilniuje, kokią merginą, atviriau kalbant – meilužę?.. Ar jis neprasideda su kitomis?

Aiškiaregės veide atsirado kažkas panašaus į šypseną. Matyt, tiesiai reikėjo klausti.

– Šalia jo matau dvi moteris. Jaunutė, gražutė, ir kita – iš pažiūros šiaip sau ir gerokai vyresnė. Bet jis iš tų, kurie nespjauna į kiekvieną sutiktą moterį, tik su laiku striuka, kažkuo labai užsiėmęs, gal mokosi arba dirba atsakingą darbą. Na, vienu žodžiu, tokiems ir sekasi gyvenime. Pinigai mėgsta bejausmius žmones. O jis kaip tik toks.

Vitoldas bejausmis? Nusišnekėjo! Ir tos dvi moterys – nesąmonė. Suprasčiau iš karto.

Silva pasakojo, kaip lovoje neištikimi vyrai išsiduoda ir glamonėdami, ir ūmai suskatę eksperimentuoti. Be to, mikroflora, tokia moteriška subtilybė, kai vyras eina nuo moters prie moters, jos pusiausvyra neišvengiamai pažeidžiama ir gali atsirasti pagrįstų įtarimų. Bet dabar taip galvoti apie Vitoldą buvo šlykštu.

Jis ištikimas ir myli mane. Myli. Kodėl to nesako? Juk jaučiu visa širdimi. O kas ta jaunutė? Aišku, aš! Bet irgi tyli... Vyresnė? Juokinga, jis niekuomet vyresnėmis nesižavėjo ir mano žurnaluose į tokių moterų atvaizdus, kad ir kokios jos ten saldžios ir gundančios atrodė, vos akį užmesdavo, ir viskas.

Būrėja nebežiūrėjo į nuotrauką, ji buvo nebereikalinga, ir netgi mano rankos neieškojo. Nagiukais krapštydama lininę staltiesę, tarsi skaičiuodama audinio siūlelius į porinius ir neporinius, aiškiaregė vėlei nugrimzdo į tą pusiaumiegę būseną. Tarsi iš ano, aiškaus ir perregimo, pasaulio atsklido jos balsas:

– Greitai tavo gyvenimas pasikeis. Ne tiek laimingas bus, kiek įdomus. Na, vyrai tavęs visada siekė ir sieks, bet tu juos rinksies pagal širdį ir pagal norus. Kartais ir pati savęs nepažinsi... Matau, kad tavęs laukia turtingos ponios gyvenimas, bet niekuomet nesistengsi atrodyti kaip ponia, gal todėl, kad dar jauną užklups toks pasikeitimas. Ir tarp pavojingų žmonių būsi. Jei turėsi *durnas* akis, bet protingą galvą, viskas bus gerai...

– Ką tai reiškia – *durnas* akis?..

– Turi šnekėti, apsimesti, kad nieko nematai, bet viską dėtis į galvą. Turi, *ponečka*, būti apsukri ir budri kaip voverė. Supratai?

Kaip voverė? Strykt strykt, uodegyte plykst! Bet nuramdžiau beatsirandančią šypseną ir susikaupiau.

– O kada viskas prasidės? Tie įvykiai? Du vyrai ir turtai?..

– Negaliu pasakyti tiksliai. Gal per metus, gal ir greičiau. Negaliu taip nuspėti, kada supuls visi pasikeitimai. Bet svarbiausio tau nepasakiau...

Ji žiūrėjo į mane ir šypsojosi. Taip motinos po sunkios dienos žiūri į miegančius savo vaikelius.

– Virš tavęs skraido angelėlis. Suka ratus virš tavo galvelės... Ir laukia, kada ateiti... Nesupranti? Turėsi vaikelį, *ponečka*. Dukrytę. Gražią, kaip ir pati kad esi...

Mano širdis ūmai suplazdėjo – kūdikį! Mama! Noriu, noriu, noriu! Dukrytė, tokia mažulytė, rausvais skruostukais ir kvepianti kaip muilo gabaliukas. Jau nebegaliu ramiai gatvėje praeiti pro miegančius vežimėliuose kūdikius, taip ir norisi pajusti jų rankučių putlumą...

– Pagimdysi lengvai, galima sakyti, su vėliavomis išeis, tačiau vėliau būk atsargi, *keravok* nuo elektros lizdų ir didelių žaislų, visokių ten čiuožyklų, na, kaip vaikų darželiuose kad stovi visokie *baibokai*...

Į darželį tai tikrai neleisiu. Pati saugosiu kaip savo akį. Mažulytę mergytę, o jei plaukučiai, kaip ir mano, šviesūs, o jei dar žydros akys... Vitoldo kaip tik tokios, mergaitiškai melsvos.

*

Laikas bėgo nepastebimai.

Sužinojau, kad manęs laukia keletas mažų nelaimių ir draugės išdavystė. Ne naujiena, likimas manęs nelepino, geriau nė nepasakoti. O išduoti tai tik Silvai lemta. Jau dabar ji turi kiaulaitės akis ir drįsta pareikalauti pusės pinigų už sausvynį, kurį ji atsitempia į svečius ir beveik viena pati išgeria, o vėliau, ėmusi svaičioti apie bernus, kone per prievartą iškrapšto mane iš namų į kokią kavinę. Sėdi, sėdi, smakso ir pavyduliauja, kad daugiau dėmesio susilaukiu aš. O aš veju nuotykiautojus šalin. Silva širsta, kad nesileidžiu į flirtą su bernais. Sulaukus sąskaitos už kavą, pyragaičius, ji tik čiupt už žandų – užmiršau pinigus! Man tokia vaidyba visai nejuokinga, juolab kad panašios scenos kartojasi nuo mokyklos laikų.

Ką dar pasakė? Pamatysiu pasaulio. Turėsiu pasisekimą ir netgi valdžią tarp rimtų vyrų. Kas tie rimti? Firmos kokios direktore – oho – tapsiu? Vyrai, kuriuos vienys nešvarūs reikalai. Veiklūs ir įtakingi. Ir aš paklausiau – mafija? Ji patvirtino – *mapija, mapija*...

Gal ji ir turi antgamtiškų galių, nesiginčiju, bet ką, gerai pagalvojus, vienkiemyje gyvenanti moteriškė galėjo nusimanyti apie mafiją. Juk Lietuvoje kas turtingas, tas ir mafiozas. O kad Vitoldas bus turtingas, ir taip suprantama, – kas matė galo su galu nesuduriantį teisininką?

Bet mergytė!..

Su ta mintimi išėjau iš trobelės. Aikštelėje stovėjo dar vienas automobilis, keliuku dardėjo kitas. Plūsta žmonės, vadinasi, tiki. Vitoldas rymojo priešais bekraštę Žemaitijos panoramą, ir atrodė, kad dangaus mėlis liečia, gulasi ant jo pečių, o jis be vargo it Atlantas pakelia tokią naštą.

Pritykinau lyg katė, apsivijau jį rankomis ir sušnibždėjau:

– Mylimasis... Mes turėsime kūdikį.

Jis atsisuko, sugriebė mano rankas ir tiriamai pasižiūrėjo:

– Kaip? Iš kur? Juk visąlaik saugomės!

Buvo nusigandęs, ir aš paskubėjau jį nuraminti:

– Aiškiaregė taip sakė. Ateityje turėsime. Mergytę.

– A, čia tie kvaili kaimo burtai!.. – atsikvėpė jis.

– Mergytę, Vitoldai... Tu tik paklausyk – mergytę, kaspiniuotą, garbiniuotą! Nesidžiaugi?

– Džiaugiuosi, bet kiek galima kalbėti apie tai, kas dar negreit bus.

– Bet dabar tikiu, kad bus!

Prisipažinsiu, tai buvo vienintelis dalykas, kuriuo tikėjau iš visos krūvos pranašysčių. Lengvai išpešiau Vitoldo pažadą, kad šį vakarą patrauksime į Palangą, nueisime ant tilto, pasiausime rusiškos estrados užtvindytose Basanavičiaus gatvės kavinėse.

– O apie mane nieko nepasakojo?

– Sakė, kad būsi turtingas. Kad esi protingas ir atkaklus, viską tą pat, ką ir aš tau sakydavau.

– O dar ką nors tokio?..

Aš staiga nutaisiau aiškiaregės miną.

– Minėjo, kad, be manęs, turi dar kitą moterį – vyresnę ir baisią kaip atominis karas. Nejau tu su ja guli?

Jis pastebimai susinervino. Paleido mano rankas, kurias laikė prie krūtinės, ir savąsias susigrūdo į kišenes.

– Taip ir galvojau, to ir bijojau! Grybų ragana! Prišnekės nesąmonių, o paskui teisinkis!

– Vitai! Baik, ar mažai mes apkalbų atlaikėme? Kiek kartų bobos kalbėjo, kad aš nuo tavęs buvau pastojusi ir vis abortus dariausi? Netikiu aš tomis bobučių šnekomis, o be to, ir pati susigaudyčiau. Dabar aš rami, žinau, kad myli mane, o aš be tavęs negalėčiau...

– Negalėtumei? – įdūrė akis į mane. – Galėtumei, neperdėk.

– Tikrai – ne!

Užsimerkiau, laukiau bučinio, kuris patvirtintų – viskas gerai, nusiramink, bet jis paėmė mane už rankos.

– Važiuojam.

Suprantama, aplink šmirinėja pašaliniai, kam čia viešai demonstruoti jausmus? Teisininkai visuomenėje, netgi giliame Žemaitijos užkampyje, privalo išlikti santūrūs.

＊

Vėl sėdėjau lekiančiame automobilyje ir nenuleidau akių nuo jo, savo moksliuko, tvirtai laikančio vairą ir mano likimą. Taip. Likimas jau atiduotas į jo rankas. Vos išlydžiu į „univerkę" – ir vėl trokštu atsiduoti jo rankoms. Myliu. Aš visa jo.

– Šį vakarą pasigersiu, – tariau jam, – ir privalėsi šokti su manimi. Gatvėje, pagal tą kvailą *Basanovkės* muziką.

Jis blykstelėjo akimis:

– Vis dėlto tave ta ragana pakeitė!

– Žinoma. Ji mane užprogramavo meilei.

– O nuo sekso neužkodavo?

Nusijuokiau. Buvau nepaprastai geros nuotaikos.

– Nežinau, reiks pabandyti. Bet po Palangos, kaip manai? Jis linktelėjo. Juk sakiau – tenkina kiekvieną mano norą. Svajonių vyras. Tik jau taip nedrąsiai žvelgia į ateitį. Po studijų, vis kartoja, pabaigti mokslus, užsivilkti teisėjo mantiją, tada gyvenimas pakryps visai kitu kampu. Dar metai. Nedaug laukti.

O aš visada buvau kantri, nuo pat ketvirtos klasės, kai ištisom savaitėm taip laukdavau tėvų... Ai, geriau neprisiminti. Verčiau galvoti apie Palangą, kuri artėja, bėga pasitikti mūsų išžiojusi gerklingus, pilnus muzikos nasrus. Nors ir ne apie tai.

Kaštonai, mielieji Basanavičiaus gatvės kaštonai. Pamenu, buvo šaltos vasaros pradžia, eilinė savaitės diena, lynojo. Susiglaudę po skėčiais vos viena kita porelė, ir aš su Vitoldu. Dykinėjome tuščia gatve, o sunkūs lašai, krintantys pro kaštonų lapus, skaičiavo mūsų žingsnius. Mes ėjome, žengėme per kaštonų žiedų kuokeles, byrančias kartu su šiltu vasaros lietumi. Apie nieką rimto negalvojome. Norėjome kvailioti, taip slėpdami nekantrumą, kuris trukdė sulaukti nakties, kad vėl vienudu atsidurtume tamsoje.

Suėmė snaudulys. Toks saldumas po bemiegės nakties ir pranašystės, kuri mane darė laimingą. Lyg kas lopšyje sūpuotų. Pasidaviau nuovargiui, užsimerkiau, žinodama, kad prabusiu pasikeitusiam pasauly, o tamsos užuolaida, lyg išsiuvinėta auksu, mirguliuoja akyse, tarsi manasis angelėlis bertų nuo lietaus apsunkusias žiedadulkes, surinktas iš bekraščių raganos laukų.

Silpnas krestelėjimas, ir saulės kraštelis praplėšė mano akis. Greitis mažėjo, ir vaizdai už lango buvo pažįstami. Pažįstami, bet...

– Kur tu važiuoji? Juk kalbėjome – į Palangą.

Automobilis įsuko į Baltijos prospektą ir padidino greitį. Nykūs Klaipėdos vaizdai mano džiugesį atmiešė nerimu.

– Mums reikia pasikalbėti, – tarė jis.

– O Palanga?

Nieko neatsakė. Abiem rankom laikėsi įsikibęs į vairą. Ir žvelgė vien į kelią. Akinių stiklai slėpė žvilgsnį, ir toji keista tyla, tas jo nekalbumas užgriuvo mane.

Namo važiuojam, ką ten veiksim? Jis tyli sau. Vitoldai!.. O jis nė krust. Susikaupęs vairuoja. Ir ūmai jis man pasirodė toks svetimas, o aš pasijutau tik pakeleivė pušų ekstraktu dvelkiančiame automobilyje. Kalbėk, norėjosi sušukti, tik netylėk!

Bet jis virto gyva mumija, veidas, tarsi negyva oda aptrauktas, kiek virpčiojo. Ne, ne, tokio negyvėlio mano lūpos niekada nelietė. Kas jam pasidarė? Nejau aiškiaregės kalbas jis rimtai ima į širdį ir dabar puls man įrodinėti, kad ketveri metai draugystės be jokio nesutarimo šešėlio tik patvirtina, jog... Na kam visa tai? Juk aš tikiu savo Vitoldu. Tikiu.

*

Automobilis pririedėjo prie mano namo laiptinės. Kaip visada mikliai iššokęs, Vitoldas atidarė mano dureles. Paslaugus, mandagus.

Man vis atrodė, kad jo *skriauzni* pečiai pakankamai tvirti, jog nušluotų nuo kelio visas mano negandas. Rinkau žodžius, kuriais sunaikinsiu visą tą stingulį jo akyse ir eisenoje. Būsiu švelni, ir jis nurims.

– Būk gera, išvirk kavos, kažko galva įsiskaudėjo, – padėjo man nusimesti lengvą vasarinę striukę.

– Gerai, mielasis...

– Ir gal ką nors turi stipresnio?

– Žinoma, mielasis.

Rąžiausi prie viryklės kaip naminis gyvūnėlis. Mano namai, čia visi kvapai nukreipia mintis ramia tėkme. Paruošiau kavą, norėjosi persirengti – užsimesti ką nors laisvesnio ir gundančio, kol naktinis jaudulys dar gyvena užuolaidų pritemdytame miegamajame. Ten, kur sujauktos paklodės, iškedenta antklodė ir mėtosi purios kaip debesėliai pagalvėlės.

– Ne, ne, – nerimo jis, – pasikalbame dabar. Nėra ko tempti gumos...

Indaujoje buvo konjako ir likerio. Nemėgau stiprių ir saldžių gėrimų. Kas kita glamonės, bet jo akys šaltai atmušė mano žvilgsnį. Šypsojausi be jokio atsako, o jis, nudelbęs akis, įnirtingai makalavo puodelyje šaukštelį.

– Tu neįsidėjai cukraus.

Jis išplėtė akis – argi?

– Nusiimk akinius, tu gi žinai, nepatinki man su akiniais.

Pakluso, bet tuoj jo rankos susipynė – dėjo akinius ir kartu kita ranka siekė konjako butelio. Skaudžiai dzingtelėjo stiklas, bet abu daiktai liko sveiki. Jis susikeikė.

– Kas tau, Vitoldai? Kažkoks neatpažįstamas. Tave taip pakeitė tos aiškiaregės plepalai? Liaukis!..

– Nusiramink, Monika.

– Aš rami. Tai tu...

– Patylėk, būk gera.

Būsiu...

Stebėjau, kaip jis numylėtomis, mano nubučiuotomis rankomis įsipila rusvo skysčio, ir mus apgaubia tyloje plūkaujantis kavos ir konjako aromatas.

Nerami tyla. Niekada tokios nebuvo. Regis, net svetainės gėlės nuleipo nuo šalčio, sklindančio iš visos jo povyzos. Taurė sklidina, bet vienu ypu išgeria ir kurį laiką sėdi sukąstais dantimis, lyg kęstų skausmą.

– Koks tu juokingas, Vitoldai...

– Monika, aš... – vos ištaręs vardą užsikosti. Suskumba gurkštelti kavos, nors man ji karšta lyg derva. – Norėjau tau pasakyti...

Laukiu, bet, atrodo, konjako aitrumas užėmė jam žadą.

– Norėjau pasakyti... Tikiuosi, nelabai tave nuvilsiu, bet... – jis pakelia akis į mane, – aš turiu kitą moterį.

Spoksau it kurčnebylė. Mano ledinė šypsena jį užgauna.

– Kitą turiu, kitą! Įsikirtai?

– Kkkitą?.. – pralemenu ir jau tvirtai: – Nesąmonė!

Galvoju tik apie viena: jis taip žiauriai dar nėra su manimi juokavęs!

– Taip, kitą... Ir toji ragana teisi – ji vyresnė už mane, labai dalykiška ir mes mylime vienas kitą. Negaliu daugiau to slėpti, nedraugiška iš mano pusės, žinau...

Nedraugiška? Juk... juk tai tokia išdavystė. Mano širdis suskyla – išdavystė! Žiūriu jam į akis, o manosiose ima kauptis ašaros. Žiūriu priblokšta ir mintyse rėkdama: iš-da-vys-tėėė!

Jis vėl už taurės. Sujuda Adomo obuolys. Ir akys kaipmat tampa drumzlinos, visiškai manęs nesuprantančios. Svetimos, ir aš bejėgė tokioje akistatoje. Laukiu, viliuosi – pasigirs jo tylus juokas ir jis pamokomu tonu tars: matai, prie ko gali privesti tie kvaili burtai, protelio tamsumas... Pagąsdinau ir užteks... Tačiau jis atsistoja. Dedasi akinius. Susiieško automobilio raktelius. O mano sąmonė krinka, sklaidosi kaip kavos garas, ir aš pati tarsi *sutverta* vien iš rūko ir ašarų...

– Aš vedu ją, Monika, – išgirstu lyg jis stovėtų už sienos, kuri atskiria gyvus nuo mirusių. Mirusi tai aš, kaip jis to nesupranta!.. Mirusi... – Širdžiai neįsakysi, meilė – tai tokia jėga, prieš kurią žmogus bejėgis... Mes matėmės paskutinį kartą. Neliūdėk, lik sveika...

Jo žingsniai? Jis išėjo? Viskas baigta?

Ne, ne, tai sapnas, košmaras vėl pasivijo mane, mažą mergaitę, naiviai stebinčią pasaulį didžiulėmis akimis. Sukūkčioju ir nuo verksmo atgaunu jėgas. Bėgu į virtuvę – jo ten nėra. Miegamajame... Langas. Už jo gatvė. Tolstantis automobilis. Šnibždu: Vitoldai, Vitoldai... nejaugi tu nebemyli manęs?

Ašaros srūva skruostais, konvulsiškai trūkčioja smakras.

Langas ir tuščia gatvė. Priglostyta ir primušta, pamesta ir palikta žiauriai surėstame pasaulyje. Meilė... ir čia pat išdavystė.

25

*

Kavą mėgau gerti iš oranžinio puoduko. Įskilusį kraštelį glausdavau prie lūpų. Trys šaukšteliai „Jacobs", pusė – cukraus. Silva taisydavosi lygiai tokią pat kavą. Mėgdžiodavo mane visada. Net žalią arbatą su citrina, kurią dievinau labiau nei kavą, Silva vaizdavo taip pat mėgstanti. Ir drabužius nuolat skolindavosi. Lyg į nuomojamų drabužių saloną ateidavo. Su konkrečiais reikalavimais. Niršdavo, kai į kuriuos nors neįsprausdavo savo aptakumų, bet žiedeliai ir auskarai, savaime suprantama, visi tiko. Jau nekalbant apie kosmetiką. Mano pudrinę, kremus, nagų laką, lūpdažius užpuldavo kaip vanagė su piktdžiuga veide. Kartais godumas atimdavo jai skonį – taip išsitepliodavo, kad baisu būdavo žiūrėti. Tada skubėdavo į vonią, iš ten klausdavo, kuris rankšluostis tinkamas jos snukučiui nutrinti.

Nepaisant viso šito, mes esame draugės.

Ji aistringa meilės romanų ir televizijos serialų mėgėja, aš – ne. Vyrų – taip pat. Ko gero, tai ir visi pomėgių skirtumai, šiek tiek trukdantys planuoti bendrą laiką.

Po išsiskyrimo su Vitoldu ji nesirodė beveik savaitę, todėl galėjau netrukdoma kas keturios valandos gerti leksotanilį, o prieš miegą nokautuodavau sapnų pasaulį stipriąja klonazepamo tablete. Ji kaip stebuklingas išgelbstintis jungtukas išjungdavo šviesą tose slėpiningose sąmonės gelmėse, iš kur sukyla naktiniai regėjimai, o po aštuonių valandų suveikdavo vėlei, ir aš išplaukdavau į ryto šviesą. Cheminio proceso pabaiga.

Taigi pasirodė Silva. Buvo, rodos, devinta valanda ryto.

Aršiai mygė skambutį ir jau už durų linksmai šūkčiojo. Tai reiškė viena – patyrė eilinį meilės nuotykį. Sakys, eik tu, nežinai, koks kadras, koooksss!..

Be ūpo atidariau duris. Man buvo bloga, nenorėjau nieko matyti, nebent šaltus ir nebylius antkapius.

– Sveika, braške!.. Kaip jaunas gyvenimėlis?

Ir žengtelėjo į buto gilumą, bet tuoj pat atsigręžė:

– Ko tokia susisukusi? Bene po vakarykščio nesiilsėjai?

Manė, kad Vitoldas po eilinio savaitgalio, po bemiegės nakties kaltas dėl prastokos mano išvaizdos.

– Tiesa, – ji sviedė rankinuką į kampą, – o kaip ta burtininkė?.. Buvai? Pasakok, pasakok...

Nužvelgiau ją, atviras suknelės vietas. Įdegusi, net rankos, krūtinė blizga it gyvatės oda saulėje. Voliojasi pliaže, o vakare – bernai. Tokios ir naujienos. Nieko nesakiusi, nuslinkau į virtuvę. O Silva jau traukė stambias krūtis iš suknelės.

– Duok kitą, ta atsibodo, – beveik reikalavo nušveitusi ant lovos mano mėgstamą žalsvą su baltomis lelijomis suknelę. – Aną, juodą su raudonomis gėlėmis. Kas ten, pala, rožės ar pinavijos? Ai, nesvarbu.

Bandžiau įtikinti, kad jai bus joje ankšta, bet ji nė nemanė atsisakyti matavimosi malonumų. Pusnuogė įsiveržė į mano drabužių spintą. Ir kai pradėjo mano drapanėlės skrajoti po miegamąjį, tik tada pastebėjo:

– Kiek vaistų! Tau ką, balti arkliai parjojo?

Taip ji kalba apie depresiją.

Kartą pasakojau, kaip naktį atsimerkiu ir girdžiu žingsnius tuščiame bute. Iš vieno kambario į kitą. Kartais matau juodesnę už tamsą figūrą. Lyg ir žmogus, lyg kokia kitokia būtybė. Silva krūpčiodavo tarsi klausydamasi kokio vaikystėje girdėto pasakojimo apie numirėlius. Tirtėdavo, o tarpais kvailai kikendavo. Kaip baisu, numirčiau – tikindavo. Tad rimčiausias jos patarimas – išsikviesk kunigą, pakrapys švęstu vandenėliu kambarius, ir visi nelabieji išgaruos.

Nelabasis mano viduje, bet jai to nesuprasti. Ji pati apsieina be jokio vidinio gyvenimo šešėlio. Kvailina, kam leidžiu pinigus knygoms, kai tuo tarpu matė parduotuvėje tokius batelius, *nu* jau toookius, apsisysiot gali!

Paniekos susilaukia kiekviena ilgesnė mano suknelė.

Tavo kojos labai seksualios, – šimtą kartų yra pabrėžusi ji. Pagiria ir bėga prie veidrodžio, kad pasigėrėtų stotingu savo biustu. Kraiposi, apžiūrinėja krūtinę, lyg ji būtų po nakties atsiradusi.

Nesiginčiju. Vyrams tokios įžūliai atsikišusios krūtys patinka.

Bet pabandyk pastebėti, kad ne vien dėl savo formų gyvename, o spermos dozės dar negalime laikyti turiniu, tai verstų visas teorijas į kitą pusę. Vyrų naudai. Be jų mes tik šešėliai. Puošnios kaliausės. Moters dalia – gundyti, gundyti tuos gyvūnus ir iš to turėti bent nedidelės naudos. Kvepalai, bateliai ir panašiai. Tokia tvirta ir nenuginčijama Silvos filosofija.

– O odinę striukę galiu? Pranešė lietų. Maniškis irgi, mačiau, mašinoje vežiojasi odinę, bet taviškė geresnė. Blizga. O kaip taip padaro? Lakuoja, tiesa?

– Imk ką tik nori!

Buvau vangi. Galvą it kas lankeliu veržė. Neturėjau jėgų priešgyniauti, o Silvai to tik ir reikėjo. Draugių silpnumu mokėjo naudotis. Griebė striukę, subarškėjo papuošalų dėžutė. Viltingai sužiuro. Meiliai. Ak, štai kas! Sidabrinė apyrankė su mažomis gyvatėlėmis ir tokio pat metalo pakabutis. Vitoldo dovana, seniai taikydavosi pagriebti.

– Dovanoju...

Išpūtė akis. Padėjo atgal į dėžutę ir vėl atsargiai paėmė. Netikėdama pavartė rankoje, pasigrožėjo, kyštelėjo man panosėn ir spygtelėjo:

– Tu tikrai? Išprotėjai, juk tai Vitoldo dovana!

Pasakiau, kad viskas tarp mūsų baigta. Seniai, jau dvi savaitės, gal mėnuo, nežinau, nebeskaičiuoju laiko. O ji žvelgė į mane sutrikusi. Meluoji, – tarsi sakė jos šypsena. Dešimt kartų paklausė:

– Tikrai, tikrai?..

Ir kai išgirdo, kad jis turi kitą ir netgi ruošiasi ją vesti, sidabriniai niekučiai iškrito jai iš rankų. Nuo ašarų sužvilgusios mano akys ją galutinai įtikino.

– Na na! Tik jau nepradėk bliauti dėl kiekvieno šunsnukio! Visi teisininkai šunsnukiai, taip, taip.

Kartais ji sakydavo: visi vyrai – šunsnukiai.

Ir staiga Silva suplojo rankomis.

– Į Palangą! Važiuojam, braške, į Palangą. O tai nusižliumbsi negyvai. Jau ir dabar, matau, nosis sutinusi. Tu matei, kaip atrodai? Bent žiūrėjai į veidrodį? Ot, tai būtų džiaugsmo Vitoldui! Sakytų, ir gerai, kad mečiau tokią pelkių gražuolę!

Pelkių gražuolė? Ką ji čia paisto!

Gundžiausi pažvelgti į savo atvaizdą veidrodyje, bet bijojau, kad dar labiau imsiu savęs nekęsti. Silpnos – vien ašaros ir cheminės reakcijos.

Silva įsitaisė šalia. Kone motiniškai apglėbė mane per pečius.

Štai dėl ko aš ją mėgstu.

– Važiuojam, Monika. Aš rimtai. Juk ten netgi du kambariai, viename tu, kitame aš. Tiesa, iki jūros toloka, bet kažkur skaičiau, kad tokiais atvejais vietos pakeitimas, pasivaikščiojimas gryname ore irgi labai padeda.

Palanga... Basanavičiaus gatvės kaštonai...

Noriu į Palangą. Bet tranki tos gatvės muzika kels man graudžius prisiminimus apie Vitoldą. Juk kiek metų kiekvieną vasarą kur buvę, kur nebuvę mes traukdavom į Palangą, vaikščiodavom po parką, pražingsniuodavom Meilės alėja ir vidurnaktį pasitikdavom kokioje nors Basanavičiaus gatvės kavinėje. Po skėčiais, prie paties nuošaliausio staliuko, kur neištvėrę slapta bučiuodavomės. Tačiau kiūtodama tarp keturių sienų juo labiau neatsikratysiu sielvarto, keliančio vien vimdantį blogumą pаširdžiuose.

– Mane nuo to Vitoldo vemti verčia, – pareiškiau Silvai ir tuoj pat skaudžiai ją nuvyliau: – Pasiieškok ko nors kito, nes odinė striukė man pačiai pravers.

     *

Štai ir Palanga.

Mažumėlę klydau. Kaštonų skliautai pasitinka vos pasiekus kurortinio miestelio ribas. Išdidžiai svarina šakas. Eidama Basanavičiaus gatve, jei nori, gali jas paliesti. Nekantrauju tai patirti. Gal to pakaks, kad Vitoldo šmėkla nustotų persekioti mane kaip moterį – aistringą savaitgalių sugulovę. Taip. Koks jis draugas, jei mane išdavė? Buvome meilužiai, tiek tos tikros meilės... Metė dėl kitos, turtingesnės ir įtakingesnės. Subrendo rimtesniam gyvenimui, kurį valdo ne emocijos, o šalti apskaičiavimai. Gal dabar, pažvelgę į ašarotas mano akis, liausis tie romantikai taukšti niekus apie užburiantį jaunystės grožį. Pavergiantį ir kerintį.

Niekai. Kalbos dėl kalbų.

Aš tikiu, kad vyrai dažniau vadovaujasi antro galo filosofija. Jausmai jiems – kaip gabalėlis ledo svaiginančiame martinio kokteilyje. Atsiranda ir išnyksta. Dar apmaudžiau, kai suvokiau, kad Vitoldas būtent toks ir buvo. Sakydavo – tu seksuali, tokia ir anokia, o man, kvailei, tik to ir norėjosi klausytis.

Be to, Vitoldas buvo abejingas kaštonams.

– Baik bliauti! – kuitėsi sėdynėje Silva, dėbčiodama į mano snukelį automobilio veidrodėlyje. – Užknisai mane, braške. Tas tavo Vitoldas – gyvuliukas. Girdi? Su kanopom kaukšt kaukšt! per jausmus – ir pas kitą. Tuo tavo nelaimingos meilės istorija ir baigėsi.

Silvos vaikinas inteligentiškas. Su barzdele, madingai pakirptom žandenom. Vairuoja ištempęs kaklą. Strazdanotas, net rankos šlakais nusėtos. Studentas, bet prie pinigo. Silva matė piniginę, prikimštą žalių ir kreditinių kortelių.

Galvoju apie Mingailę. Anokia ji ten vaidilutė, tačiau jos ateities pranašystes saugau atmintyje.

Ir Silvos kadras tvirtina, kad yra žmonių, kuriuos globoja aukščiausios astralinės jėgos. Jie sugeba tarsi ekranėlyje perskaityti informaciją apie tave, kuri atsiranda vos gimus. Kai nukerpa virkštelę. Neva tada iš kūdikio viršugalvio į kosmosą šauna spindulys ir taip įsilieja į programą, kurią mes vadiname likimu. Silvos studentėlis teigia, kad net nuotraukose tai užfiksuota. Bet tuo nelabai tikiu. Juk žurnalai jau nebeturi apie ką rašyti, ir kas antrame puslapyje vien nuogos gražuolės su savo, atsiprašau, atkištomis rudėmis. Atsirastų vietos ir spindulėliui.

O man kaštonai – tarsi astralinės būtybės, savo šakomis lyg rankomis susikabinančios viršum gatvės. Lyg šventojo nimbas pakimba virš vaikštinėjančių poilsiautojų. Nėra vėjo, žydras dangus, bet kai gerai įsižiūri – šakos virpa. Sumirga lapai. Jei smarkus lietus, o kaštonus užpuolęs pats žydėjimo įniršis, tada gaivumu pakvimpa visa Basanavičiaus gatvė.

Silvos draugužis luktelėjo, kol mes išsikrovėme savo mantą. Vasarnamis glūdėjo netoli Vytauto gatvės. Už jos – parkas. Takeliai, klaidinantys įsimylėjusius ir padrikais būreliais vedžiojantys turistus. Vienas jų mus nuvedė prie Birutės kalno. Grotoje stovi Švč. Mergelė Marija. Ir mes gyvai, galima sakyti, šventvagiškai šokame svarstyti, ar tai ne mūsų pagonybės sumenkinimas. Kadais čia buvo saugoma šventa ugnis, čia gimė valdovo meilė, ir jo palikuonys liejo kraują gindami šimtus alkakalnių, bet niekam nė motais, kad pagonybės pasididžiavimo atšlaitėje urvelį išsirausė liūdnoji Marija.

– Ji panaši į Moniką, tik tu, – rodė į mane Silvos vaikinas, – dar liūdnesnė. Nemačiau, kad šypsotumeisi. Gal tu nesveikuoji?

Taip. Aš nepagydoma ligonė. Kančios kūrinys, kaip ir toji medinė statula smėlingoje grotoje.

Prie jūros išsiskyrėme. Aš į vieną paplūdimio pusę, jie į kitą. Nesinorėjo jiems trukdyti žavėtis vienam kitu. Tegu netrukdomai kur nuošalioje kopoje grožisi vienas kitu. Be to, man nemalonu klausytis, kaip Silva paplonintu it nekaltos mergaitės balseliu suokia savo gerbėjui apie taurius jausmus, netgi tikina, kad laisvalaikiu knygos nepaleidžia iš rankos, nors iš tikrųjų tik rūpinasi, kuo apsirengti, ir valandų valandas plepa su draugėmis arba kadrais telefonu.

Ėjau paplūdimiu, o akys užkliūdavo už dailių moterų. Įdegusios saulėje. Putliomis krūtimis. Madingai dažytais plaukais. Šalia jų raumeningi vyriški kūnai. Tyli šneka ir juokas. Pojūtis, lyg čiupinėčiau svetimą laimę. Deginantis prisilietimas prie savo praeities. To, ką praradau.

Valandėlę pagulėjau saulėje. Pylė prakaitas ir smėlis kibo lyg švitrinio popieriaus grūdeliai. Nusimaudžiau ir patraukiau į miestą. Pora puodukų arbatos. Man pasidarė gėda, kad tik tiek save galiu palepinti. Kai vienoje kavinėje į atšalusią arbatą kaptelėjo ašara, sukandau dantis – ak, kokia aš menkysta. Tą akimirką siūbtelėjo smarkus pyktis: „Šūdžius tas Vitoldas. Dink iš mano galvos!"

Užėjau į vieną, į kitą parduotuvę, aptikau pigių ir šviežių bandelių. Į prekių krepšelį įsimečiau rūgpienio indelį. Geriausi pietūs. Užkrimtai – ir vėl gyva. Žinoma, riešutai, razinos, džiovintos datulės mane vilioja kaip voverę – bet... bet...

Klajojau po miestą, kol nuovargis ėmė kaustyti eiseną. Dangiškas saulėtas snaudulys apėmė gatvę. Medžiai stovėjo sustingę vakaro ramumoje. Kadais džiaugdavausi artėjančiu vakaru, nes paprastai nutikdavo kas nors netikėta, bet dabar troškau tik pasiekti lovą ir užsitraukti antklodę ant galvos, kad šurmuliuojanti Palanga užkimtų ir manęs nepažadintų. Nei miegančios, nei velkančios koją už kojos.

Bet atsidūrusi po minkštu apklotu, nulindusi į jo tamsą, vėl pasijutau tarsi prieš sekundę išklausiusi Vitoldo prisipažinimą: „Viskas baigta... Turiu kitą."

Pagaliau iki soties išsiverkusi sumerkiau akis.

*

Vidurdienis. Nuo karščio oras raibuliuoja, įšilęs asfaltas skleidžia savotišką kvapą.

Ne pats geriausias metas traukti prie jūros, bet Silva vėlokai pakirdo iš savo pernakt suveltų paklodžių. Kaipgi! Po tokios naktelės, kokią ji praleido su tuo studenčioku, nieko nuostabaus. Mano miego saldumas nuėjo šuniui ant uodegos. Dažnai prabusdavau nuo garsų iš gretimo kambario. Pagal juos buvo galima spręsti, kur jiedu dabar mylisi – lovoje ar tiesiog ant grindų. Kvaili garsai. Bjauru prisiminti tuos idiotiškus dejavimus ir inkštimus. Tarytum bandytų nusigaluoti nieko neįtardami apie viens kito nemirtingumą.

Vos prišliaužėme iki pirmos kavinės ir lyg dvesiančios katės palindome po skėčiu. Šaltos greipfrutų sultys kiek atgaivino, tačiau Silva nusprendė patampyti mano nervus. Užsimanė ledų, vaisinio kokteilio ir želės, o mano piniginėje vos keli litai. Tačiau draugė atsainiai mostelėjo putnia rankute:

– Nesijaudink, braške, aš vaišinu.

Iš kur toks dosnumas?

Ir staiga sumojau – tas vyrukas jai davė pinigų. Taip! Sumokėjo už seksualines paslaugas. Už vingrų užpakalį. Galėčiau pritarti Silvos tauškalams, kad kvepalai ar koks papuošaliukas, gautas iš vienos nakties meilužio, yra tarsi pagarbos ženklas. Na, dovanėlė prisiminimui. Bet pinigai...

– Nenoriu aš nei ledų, anei kokteilio!

– Čia dabar! – užsigavo Silva ūmai permaniusi mano mintis. –

Na ir paskutinė kvailė esi! Jis pats man įbruko šimtinę, o ką aš?..
Turėjau jam sviesti atgal? Dar ko! Nei patiko jis man, nei noriu
dar kartą susitikti, nors lovoje jis neblogas...

– Nepradėk, gerai? – griebiausi sulčių, bet jų skonis pasiro-
dė it vaistų. Mikstūra nuo pykinimo giliai viduje. – Parsiduoti
už pinigus, Silva, tai jau amen, paskutinis amatas...

– Ajajai! Tiesiog raustu iš gėdos.

– Sulauksi iš tavęs! Tu neturi jokio moteriško orumo. Natū-
rali kekšė, o tokios galiausiai tampa niekam nereikalingos. Verk-
si, pamatysi...

O Silva pasirėmė smakrą ranka, žiūri į mane pakreipusi vei-
dą ir šypsosi. Vypso kaip paskutinė *kosmokalė.*

Na ir užgiedojo!

Neva aš visiškai nesusigaudau, kur link ritasi šis pasaulis.
Ketverius metus leidausi murkdoma Vitoldo, o jis metė mane
kaip nudėvėtą šlepetę. Ar aš žinanti kodėl?.. Kad nemylėjo? Pa-
sapnuok, vaikeli jaunas!.. Ogi todėl, kad iš mano grožio jam jo-
kios naudos, kai tuo tarpu aš puoselėjau viltį už jo ištekėti. Ne
vien kaip už mylimo vyro, bet ir kaip už teisininko. Moteriška
mašinikė, vasarnamis prie jūros, poilsis kur nors užsienyje – pa-
meni, kaip svajodavai?..

– Nutilk! Aš mylėjau Vitoldą, ir tu to niekada nesuprasi!

– Ajajai!.. Tuoj apsižliumbsiu. Atmink, kvailiuke, – reikia
būti arti gražių vyrų, bet dar arčiau šalia niekšų. Jie duoda di-
džiausią naudą visuomenei ir todėl yra laikomi garbingais. Kas
šiais laikais be pinigų, tas kaip ir be garbės. Todėl į tokius vyrus
visų pirma turi žiūrėti su nauda, o paskui jau sukti galvą – su
meile ar be jos švaistysi jų pinigėlius. Ir nebandyk ginčytis, kad
moterišką orumą be pinigų įmanoma išlaikyti. Juk puikiai žinai,
kiek šiais laikais gera kosmetika kainuoja. Geras kremas – septy-
niasdešimt litų...

Silva pylė kaip iš žurnalo apie supermerginas. Jos monologas mane užkniso. Prisiekiau sau, kad niekada nebeužsiminsiu jai apie savo meiles.

Galiausiai Silva griebėsi statistikos. Amerikietiškos. Pažinčių anketose būsimos nuotakos pretendento į savo širdį pirmiausia klausia, kokio dydžio jo sąskaita banke. Paskui apie sveikatą, vildamosi, kad pirmaisiais vedybiniais metais išsikvėps ir laimingas pasimirs jos glėbyje.

Padavėjas atnešė kokteilio taures, bet aš savąją išdidžiai atstūmiau.

Nesutinku! Sudžiūsiu iš bado, bet kaip kokia Aleksandro Tokarevo novelėse epizodiškai šmėstelinti herojė nepasiduosiu žeminančiam alkio jausmui. Tegu šunys punta jos kokteilius!

Niekada nepritariau Silvos demagogijoms. Tegu pliurpia ką nori, bet aš tikiu, kad slėpiningose žmonių širdžių kertelėse plevena tas taurus jausmas, kuris verčia aukotis ir mirti dėl meilės. Jausmas, kuris atima protą ir išvaduoja tave iš sintetinio žurnalinio pasaulio, tiražuojančio malonumus ir it mažyčiu skulptoriaus kalteliu nutašančio tokias bestijas kaip Silva.

– Neliūdėk, – sako man ji, – kai prasta nuotaika, reikia save palepinti kuo nors skanaus. Ir be reikalo į mane žvairuoji – aš tau šventą tiesą pasakiau. Tu juk ne kokio bankininko dukrelė ar manekenė, už užpakalio kraipymą plėšianti žiaurius pinigus. Vadinasi, negali pasikliauti vien širdimi. Vienąkart jau nudegei. Susidėsi su kokiu skurdžiu gražuolėliu, pamatysi, taip ir nugyvensi namų šeimininkės gyvenimą. Vaikščiosi prakaituotomis pažastimis, dėvėsi sukneles iš labdaryno, o akys darysis vis labiau panašios į nuvaryto gyvuliuko. Na, ko taip piktai žiūri?

Norėjau jai pasakyti, kad ne visoms lemta gimti tokiomis vikriomis mergužėlėmis kaip ji, tačiau nutylėjau. Beprasmis ginčas. Jeigu ji būtų ne mano draugė, o kokia iš gatvės prie vieno stalelio prisėdusi kekšė, mielu noru skelčiau antausį. Taip, kad delnas užsiliepsnotų.

Ji išgėrė abu kokteilius ir ėmėsi ledų. Kabino juos spindinčiu šaukšteliu, kaip kokia kvaiša terliojo lipnia mase savo lūpas ir apsilaižydama vis mesdavo žvilgsnį į kampuotų pečių vyruką, šis sėdėjo prie baro ir, pamiršęs viską aplinkui, kalbėjosi mobiliuoju telefonu. Žiūrėjo į jį kaip katė į pieną.

– Baik, Silva, dergtis, – neiškenčiau.

Paradoksas – ne ji, pasimylėjusi už pinigus, o aš, matydama vėl prabundantį tą primityvų vulgarumą, raudau ir kaitau iš gėdos.

– Na va, – tarė ji, – apsirijau, galima pakalbėti ir apie gražius dalykus.

Na, žinoma. Kažkur skaičiau, kad lapės ima dievinti grožį, kai pilvas prikimštas. Tarsi praregėjau – toji smailoka Silvos nosytė, žvitrus žvilgsnis ir rausvučiai skruostai tikrai ją darė panašią į laputaitę. Ir kampuotą vyruką prie baro ji stebi it kokį peliuką, gerai žinodama savo aštrių nagučių jėgą. Bet štai jis, skubiai pakilęs, po akimirkos išnyko gatvės minioje. Jis negalėjo girdėti, kaip viena iš mūsų garsiai atsiduso.

*

Silva vis dairėsi vaikštinėjančioje poilsiautojų minioje ieškodama naujo grožio objekto, su potencialiu polinkiu tapti auka, bet staiga jos veidas persimainė. Sučiaupė burną ir lyg suvirpėjo.

– Nežiūrėk, Monika, į gatvę! Ramiai. Ten tas tavo buvęs papuasas su savo gražuole.

Vitoldas? Kur?

Kažkas baugaus smigtelėjo į širdį. Atsirado maudulys, ir jis vis stiprėjo. Ausyse suspengė. Nusisukau. Vis vien ką aš ten būčiau įžiūrėjusi per ašaras. Nieko sau negalėjau padaryti, ničnieko, taip ūmai paplūdau ašaromis. Tik palenkiau galvą, kad niekas nematytų manęs tokios silpnos, apgailėtinos verksnės.

– Jis nuėjo, nematė mūsų, – išgirdau Silvą raportuojant. – Na ir pasirinko *kikimarą*. Kokį šimtą kilogramų sveria ta jo kiaulaitė, bet kaip apsirengusi... Ką tu, ką tu, vien firminiai skudurai!.. Monika...

Silva čiupo man už riešų ir truktelėjo rankas nuo veido:

– Ir tu dar žliumbi? O Dieve! Dėl tokio niekšo dar ašaras lieti! Na, ir sakyk man – argi blogai darau, kad iš panašių į šį niekšelį kartais išlupu šį bei tą sau?

Viskas. Nebegalėjau pakęsti jos spigaus balso. Nenorėjau nieko matyti, nė vieno gyvo padaro.

Pašokau ir stvėriau savo paplūdimio krepšelį. Puoliau per gatvę. Atsidūriau chaotiškame žmonių mišinyje. Kažką užkliudžiau alkūne, vos nesutrypiau po kojom pasimaišiusio kažkokio pyplio. Jo mama man sviedė piktą žodį, bet man buvo nusispjauti. Bėgau nuo minios, kuri nuolankiai konclagerio gretomis traukė prie jūros praleisti dar vienos nerūpestingos dienos, kuriai nė velnio nerūpėjo, kas dedasi mano širdyje.

Aš vis dar mylėjau Vitoldą. Koks tai sunkus suvokimas, kai visa esybe jaučiu, kad jį praradau negrįžtamai.

Silva nesivijo. Ir ačiū Dievui.

Atsitokėjau po keleto minučių. Stabtelėjau ir neklystamai nustačiau, kurioje pusėje jūra. Troškau pabūti viena. Paliūdėti, ir tiek. Visada po to pasidarydavo ramėliau. Sakydavau sau – aš stipri, galiu viską pakelti. Aš rami ir nieko nemylinti.

Niekados nemylėsianti.

Šioje vietoje vėl tekdavo tramdyti ašaras. Nenorėjau, kad tolesnis mano gyvenimas taip žiauriai susiklostytų, ir imdavo atrodyti, kad vienintelis būdas atitokti nuo tokių kokčių pamąstymų – smogti sau. Pergulėti su kuo nors, kad naujas pasišlykštėjimo savimi jausmas visiškai atitolintų mintis apie nelaimingą meilę. Nusipurčiau vien nuo minties, kad dar kada nors gyvenime reikės miegoti su kokiu nors vyru.

Na va, jau radau ir takelį į paplūdimį. Gaivus vėjas dvelktelėjo į veidą. Nudžiūvo paskutinės ašaros. Ir jau pamaniau – koks silpnadvasiškumas verkti ir verkti. Juk ne vien iš meilės, bet ir nuo to nervo, tąsančio mano kūną, kad neturiu kur dėtis ir esu absoliučiai niekam nereikalinga. Todėl ir žliumbiu. Nervinga darausi, pikta ir irzli nelyg kokia beviltiška senmergė, ir kai netikėtai iš kažkur išdygęs guvus vaikinas prabėgdamas pagyrė mano figūrą, pajutau, kad nebemoku net šypsotis. Kažką šiurkščiai atkirtau. Ne tavo reikalas, ar dink iš akių – nepamenu. Jis tik gūžtelėjo pečiais ir nuskubėjo jūros link, o man vėl pasidarė negera.

Sukausi savo lizdelį nuošalioje kopos atšlaitėje, krausčiau krepšį ir vis stebėjau akyse šmėkštelėjusį vaikiną. Jis puolė į jūrą. Bėgo pasišokuodamas per bangas. Lygi graži nugara prapuolė bangų žalsvume, ir kai po minutės akimis jį vėl suradau, jis buvo nebe vienas.

Kažką linksmai pasakojo stotingai moteriai, ši iš pradžių rimta teliūskavosi bangose, bet netrukus išgirdau skambų jos juoką. Pilną susižavėjimo. Neaišku, pasakojimas pakerėjo ar tas nenustygstantis linksmuolis, kurio šypsenėlė švietė per bangas ir man užsimerkus pasiliko šešėliuotoje tamsoje.

Manęs niekas nebeprivers kvatotis. Baigta. Palaimingą ramybę, artėjančios jaudulingos nakties nuojautą, juoką – viską iš manęs atėmė Vitoldas.

Ir tada tariau sau – stop! Gana graudentis. Metas save suimti į nagą, bent jau galvoti apie ką nors malonaus... Saulė ir jūra, jūra ir saulė...

Bangų mūša ir pakriki su žuvėdrų krykštavimu sumišę neaiškūs balsai apsiautė mane. Tamsa akyse atgijo. Tarsi spalvotame sapne mačiau šilkus ir aksomus, sidabrinius kandeliabrus ir aukso smiltis. Juk sakė aiškiaregė – nematyti turtai manęs lau-

kia. Būsiu pagarbinta tarp vyrų, argi to jaunuolio lyg ir nuošir-
džiai mestas komplimentas nėra įžanga į kitokį mano gyvenimo
tarpsnį, kuriame aš būsiu mylima ir galbūt nors truputį ką nors
mylėsiu?

– Ei, *mergička!*.. Tu tikrai šauniai atrodai.

Vėl jis!

*

Atsimerkiau ir kurį laiką apžlibusi nuo šviesos mačiau vien tam-
sią dėmę vietoj veido. Nesumojau, ką atsakyti, kai tas šmaikš-
tuolis mane vėl aplenkė:

– Žiūrėk, nepersikaitink saulėje... Gerai, bėgu savajai *pifač-
kai* mineralinio vandenuko. Iki!

Taip ir likau nesupratusi – priekabiauja, simpatiją rodo
nuslėpdamas tikruosius kėslus ar šiaip šneka, kas užeina ant
seilės.

Pasitaisiau maudymuko petnešėles. Pakilojau rankas, apžvel-
giau kojas ir pasičiupinėjau liemenį. Na ir kur tas mano geru-
mas?.. Tik viena vyrų galvose – kaip užmegzti naują kurortinį
romaną. Pyktelėjau, tarsi vėl išgirdusi Silvos balsą – niekšai tie
vyrai, paskutiniai niekšai...

Mano spalvotas sapnas ir ramybė išsisklaidė.

Žengdama per įkaitusį smėlį, artėdama prie jūros tyčia pa-
sukau ten, kur ant ryškaus rankšluosčio gulinėjo toji kvatoklė.
Norėjau iš arčiau žvilgtelti į moterį, kurią jos gerbėjas taip ne-
gražiai pavadino „pifačka". Ji paskubomis šukavosi savo stilingai
pakirptus plaukučius. Dailus kaklas ir figūra nebloga, nebent
vienas skirtumas, kad ji kokia dešimčia metelių už mane vyres-
nė, o atnešti mineralinio vandens išskubėjęs paslaugusis jaunuo-
lis daugmaž mano bendraamžis. Tačiau amžiaus skirtumas tik-
riems jausmams neturi lemiamos reikšmės...

Stingdama įbridau į vandenį. Bangos vilnis po vilnies skubėjo manęs pasitikti, bet, dievaži, jūra buvo ne tokia šilta, kaip atrodė nuo saulėje išdeginto kranto, tad tramdžiau save, kad tik nepersigalvočiau pasukti atgal. Užtrukau gerą valandžiukę, kol murktelėjau iki smakro, ir tada už nugaros suklego pažįstamas juokas. Atsigręžusi pamačiau, kaip susikibusi už rankų toji daili porelė grumiasi su bangomis, taškosi ir skuba ten, kur giliau. Žvitrusis berniokas vis nardo, netikėtais yriais linksmai nugąsdindamas ją. Nematyti, ką jis ten liečia po vandeniu, bet vienu metu moteris tarsi nurausta, tačiau vaikinas, neleidęs atsitokėti, jau išneria labai arti jos. Kažką sukužda ir vėl abu juokiasi.

Kantriai plaukioju „varlyte". Kitaip nemoku. Grumiuosi su bangomis. Menki tie mano grybšniai, bet gera jausti gaivalingą jūros jėgą, švelniai mane siūbuojančią. Vanduo sūrus, jau gurkštelėjau.

Staiga išgirstu nerimastingus balsus. Moteris baugščiai liečia pirštais kaklą ir be paliovos kartoja: „Pamečiau... Negali būti, aš ją pamečiau!"

Ant jos kaklo nebespindi auksinė grandinėlė, kurią mačiau, kai šėliojo bangose su tuo jaunuoliu. Šis narsiai neria po vandeniu, ilgai neiškyla, vis ropinėja dugnu ieškodamas brangenybės. Išneria, įkvepia ir vėl – po vandeniu. Aš jau ant kranto, o paieškos jūroje tebevyksta. Tačiau jos bergždžios, ir porelė parsiranda prie savo spalvingų rankšluosčių ant smėlio. Moteris atrodo labai susikrimtusi, o jaunuolis vis ją guodžia, lyg ketina vėl lįsti jūron, bet ji numoja ranka. Dingo laiminga šypsena. Geras daiktas prarastas. Kitiems to užtenka, kad nebesišypsotų.

Nė nepastebiu, kaip jie dingsta iš paplūdimio. Jūros ošimas hipnotizuoja mane ir perkelia kur tik noriu – į Maljorką, Bahamus, Antaliją... Ten tai jau tikrai pamirščiau Vitoldą. Gana gerai moku angliškai, gal užmegzčiau kokį romaną. Kad ir su gelbėtoju...

– Štai kas, mažute... Tu tikrai gausi saulės smūgį.

Jis vėl buvo šalia. Juokingai išskėtęs rankas užstojo man saulę, bet tuoj pat nusitraukė nuo savo įrudusių it degintas cukrus pečių rankšluostį ir gelbėtojišku mostu švystelėjo man ant kojų. Tarsi pastebėjęs, kad man ne vis vien, kur jis spokso.

Nekreipdamas dėmesio į mano apstulbimą, prisėdo šalia ir praniūniavo:

– Palangos jūroj nuskendo mano meilė, ir šaltos bangos jos neatiduos... Praganėme grandinėlę. Gaila. Būtumei mačiusi, kaip mano *pifačka* nusiminė...

– Kaip bjauriai tu ją vadini!

– *A ne?* – šaltai pasižiūrėjo jis. – Mažiau jaudinkis – ji pati taip visas vadina, bet jai tas vardas labiausiai tinka. O kur tavo mafiozas?

– Koks mafiozas?..

– Tik nesakyk, kad viena atvažiavai į Palangą. Na, nebent praėjusią savaitę tavo mafiozas palydėjo galvą Kauno gatvės mūšiuose. Trach ba bach, ir iš merso – skardų krūvelė, o dešimties metrų spinduliu išdidžiai išsidarkęs lavonas...

– Kas per nesąmonės!..

– Nori pasakyti – tu ne kaunietė?

– Aš išvis su tavimi nenoriu kalbėtis! Ir pasiimk tą savo rankšluostį.

– *A ne?*

Jis šypsojosi. Ne – jis tyčiojosi iš manęs. Pagriebė savo rankšluostį ir apžiūrinėdamas mano kojas iš pasigėrėjimo kraipė galvą. Pasijutau bjauriai. Koks įžūlus!.. Ir išvis, kas man atsitiko, kad leidausi su juo į tokias kvailas kalbas? O jis neduoda nė atsikvėpti:

– Na, jeigu viena atvažiavai, tada draugaukime. Rimtai sakau. Be jokių blogų minčių. Aš tave globosiu, visur vedžiosiu kaip princesę. Barai, restoranai...

– Turi... turi tą savo *pifačką*, – ir staiga susizgribau krautis į krepšį savo menką mantą. – Reikia eiti, kol saulės smūgio negavau.

O jis nekaltai:

– Tu teisi. Nešdinamės iš čia.

Keisčiausia, kad šitas aštrialiežuvis man nekėlė jokios baimės. Jis man net pasirodė panašus į Vitoldą. Turtingos moters vyrą, moters, kuri jūroje laidoja savo auksinius papuošalus mainais už šito gražiai nuaugusio jaunuolio dėmesį. Taigi, užuot nusijuokusi iš jo nelabai rimtų pastangų, aš staiga užsikrečiau nepažįstamojo drąsa, su kuria jis lindo man į akis, ir pritariau: taip, mums geriau iš čia nešdintis.

Jis mirktelėjo man. Taip ir turi būti, sakė tamsių jo akių žvilgsnis, spindintis iš po vešlių plaukų ševeliūros.

*

Žingsniuojant ūksminga alėja žvilgtelėjau į savo palydovą tarsi Silvos akimis. Silvai jis patiktų. Aukštas ir ne koks raumenų kalnas, kuris paprastai atspindi užkietėjusiems sportininkams būdingą bukumą ir tiesmukumą. Paprastas, todėl ir patrauklus. Kalba ne per saldžiai, linksma jo klausytis. Eisena lengva, ne dramblota ir ne tokia, kai iriamasi per minią švytuojant pečiais. Ir drabužius renkasi skoningus – plačios lininės kelnės, trumparankoviai vienspalviai marškinukai. Silva iškart pasišautų tokį suvilioti. Žinoma, jei būtų bent mažytė viltis, kad jis nėra paskutinis šykštuolis.

Jis paprašė vadinti jį Tomu. Jo akivaizdoje nebepajėgiau austi minties apie prarastą meilę, begėdišką išdavystę ir savo apverktiną padėtį. Tiesiog to vaikino atsiradimas pakeitė alinančią mano būseną.

Jaučiausi jauna ir kiek kvaila, kad leidžiuosi į tokias pažintis, bet Tomas nedavė jokios dingsties manyti, kad manimi domisi kaip aistros objektu. Tarpais jis sukalbėdavo taip, lyg greta žings-

niuotų ne liaunutė mergina su besiplaikstančiu apie šlaunis sijo-
nėliu, o sena pažįstama, su kuria jis niekuomet neturėjo minties
pasimylėti. Toks požiūris mane ramino, todėl mielai sutikau už-
sukti į kavinę anapus Rąžės upeliuko.

Įsitaisėme ant medinių suolų, ir Tomas kilniaširdiškai nu-
krovė stalą visokiomis gėrybėmis. Sotinausi vaisių kokteiliu ir klau-
siausi kalbų apie turtingų Kauno poniučių gyvenimą. Kvailos,
pasipūtusios, arogantiškos. Ėmiau šypsotis, kai papasakojo apie
damą su šuniuku, kurį kiekvieną mėnesį vesdavo pas žinomą Kau-
ne kirpėją. To pudeliuko šeimininkė kaskart nesusimąstydama
klodavo šimtinę dolerių.

– Tavo gražios akys, – ūmai tarė jis, – turbūt jau atsibodo
apie tai iš visų vyrų girdėti?

– Ne, – sakau, – man dar neatsibodo. O kas toliau?

Jis gėrė alų puslitriniais bokalais ir pamažu girtėjo. Bandė
švelniai paliesti mano ranką, bet aš suspėjau patraukti. Tačiau
nepastebėjau jo veide jokio iškreipiančio bruožus jausmingumo.
Šiaip, lyg tarp kitko, lyg siekdamas žiebtuvėlio.

– O tu nerūkai?

– Ne.

– O man patinka rūkančios.

– A ne? – pasigavau jo sarkastišką žodelį. – O kokios dar
patinka?

– Seksualios, – nė nemirktelėjo Tomas, – bet tu pernelyg
jauna, kad tam teiktumei daug dėmesio. Argi sakau ne tiesą?

– Kaip Dievui į ausį... Aš juk nekalta...

– A ne? – atsikeršijo jis man tokiu pat cinišku šypsniu. –
Nekalta? Hmm...

Jis tarsi svarstė, kiek tiesos tokiam mano pareiškime. Aš šyp-
sojausi. Ir jis nepatikėjo. Tačiau priėmė lengvo flirto taisykles.

– Nekalta ta prasme, kad nesutikai nė vieno vaikino, kuris
su tavimi pasimylėtų, na, taip sakant – plačiausia prasme?..

Spoksojau į jį nustebusi. Apie ką jis čia?.. Prieš mane garavo kavos puodelis ir dulsavo konjako taurė. Jau temo, ir aš panorau tą lengvutę būseną atskiesti trupučiu alkoholio. Gurkštelėjau, ir svaigulys apgaubė mano sielą, manyje prabudo mažyčio brangiakailio žvėriūkščio dvasia.

– Kokia dar prasme? – nutraukiau įsivyravusią tylą. – Nekalta, vadinasi, nekalta. Nesutikau nė vieno, kuris man patiktų. Nė vieno! – ir skubiai užbaigiau Silvos maniera: – Visi vyrai niekšai.

– O aš? – staigiai paklausė jis. – Aš tau nepatinku?

Tomas viltingai linktelėjo į priekį. Maldaujanti veido išraiška, o žvilgsnis grobuoniškas. Lyg sakė: na, būk mano, štai taip lengvai ir paprastai, kaip kad leidaisi su manim į pažintį. Nuo jo trenkė alumi. Nepagalvojau, kad šitas gėrimas vyrus varo ne vien į tualetą, bet ir į tokias spontaniškas piršlybas.

– Tai aš tau nė trupučio nepatinku? – pakartojo.

– Turbūt ne...

– Ne?! – sušuko jis apsimesdamas baisiai nelaimingu.

– Šalia vyresnių moterų tu geriau atrodai, o šiaip lyg ir plevėsa, kaip ir visi mano bendraamžiai. Vien apie tai ir galvoji.

Niekuomet taip nesikalbėdavau su vaikinais. Net mokykloje, kur juokaudavau su vyresnių klasių bernais nešvelnindama tono.

– O be to, – pridūriau, – tu turi savo *pifačką*, todėl geriau skirstomės kas sau.

– *Pifačka*, – liūdnai šyptelėjo jis, – tokių pilnas pliažas. Laikinai nuo savo vyrų atitrūkusios poniutės. Nekenčiu ištekėjusių ir... – jis pervėrė mane tiriamu žvilgsniu, – ir, žinoma, tokių, kurios varinėja su mafiozais.

Tomas niūriai apsidairė.

– Nesibaimink, – tariau jam, – aš ne mafiozo meilužė. Aš – niekieno.

Dievaži, man darėsi linksma. Reikėjo sumeluoti, kad mano gerbėjas, nuo kurio aš prieš keletą valandų pabėgau, žinomas tarp skustagalvių, ir visas Tomo susižavėjimas manimi būtų išgaravęs kaip kamparas.

Atsidusau. Kažin ar kada sulauksiu beatodairiško kokio vyro dėmesio, be jokio išskaičiavimo?..

Jis man dar užsakė pasiutusiai brangaus konjako taurę. Nusibraukė prakaito lašą, jau minutę kabojusį ant nosies galiuko. Mano šypsena jam vėl suteikė vilties:

– Tai mes draugausime?

– Deja... – nutilau. Šitas vasarotojas žadėjo man nuotykį, ir nieko daugiau. Tokių čia daug... Ir tvirtai apsisprendžiau: – Deja, mums nieko neišeis.

– Taip ir galvojau. Palanga rimtoms pažintims prasta vieta. Bet gal nieko blogo nepagalvosi, jei įteikčiau gėlių? – ir staiga sujudo: – Aš tuoj... Būk čia, tuoj grįšiu.

*

Likau viena. Bandžiau įsivaizduoti, kokios gėlės sušnarės man už nugaros, pranešdamos, kad mano gerbėjas jau čia... Turbūt rožės. Niekas neatspės, kad kaštono žiedas man visų mieliausias, bet jie seniai nužydėjo.

Prabėgo valandėlė, ir mielai būčiau kilusi namolei, bet Tomas vis nesirodė. Nematoma laikrodžio rodyklė suko sau ratus, galutinai sutemo, anapus Rąžės užsižiebė žibintai, ir tranki muzika iš Basanavičiaus gatvės kavinių bei restoranėlių man kėlė neviltį. Kur jis dingo?..

Sėdėjau kaip ant adatų, nerimas didėjo. Girtėjanti kavinės publika ir aš viena prie savo tuščios taurės, vieniša kaip senutė prie suskilusios geldos.

– Panele, dar ko nors pageidausite? – klausė priėjęs padavėjas.

Pasakiau, kad ne. Juk piniginėje tik septyni litai.

Jis nieko daugiau netaręs paklojo sąskaitą. Žvilgtelėjau – 78 litai. Nieko sau...

Prabėgo dar valanda, bet tamsiai mėlyni marškiniai nepradžiugino mano akies.

– Panele, malonėkite apmokėti sąskaitą.

– Aha, tuoj tuoj...

Ir žvalgausi nutirpusi iš laukimo. Beviltiška, jau artėja vidurnaktis.

– Suprantate, – virpančiu balsu aiškinu vėl išdygusiam padavėjui, – mano draugas... Išėjo ir negrįžta, gal jam kas atsitiko...

Padavėjas nužvelgė mane bejausmėmis akimis:

– Žinau aš tokias situacijas. Vakar vienas jaunas vyrukas atsivedė čia pagyvenusią ponią, o paskui pabėgo. Palanga pilna sukčių. Būkite gera, apmokėkite sąskaitą, arba aš skambinu į policiją.

Bėgti? Taip. Šokti per tą tvorelę ir pasileisti ten, kur tamsiau. Iki tiltelio, o už jo aš išgelbėta. Tačiau ir barmenas, ir vis kur nors netoliese besisukiojantis padavėjas nenuleido nuo manęs akių. Pasijutau pražuvusi... Ir staiga toptelėjo – telefonas... Paskambinti Silvai.

Paprašiau, kad leistų pasinaudoti telefonu, ir buvau nuvesta prie baro. Drebančiais pirštais surinkau vasarnamio telefono numerį.

Atsiliepė Silva. Užsipuolė, kur aš dingusi, bet išklausiusi, į kokią sumautą padėtį papuoliau, nesišaipė ir patikino tuoj atlėksianti.

Ji atsirado po dešimties minučių. Kaipmat susiriejo su padavėju, tačiau jai nepavyko nusilygti nė lito. Stvėrė mane už rankos kaip nepaklusnų vaiką, ir mes skubiai movėme iš kavinės. Niekada čia negrįšime.

– Gražu!.. – šūkčiojo Silva tempdama mane per tiltelį. – Tai bent gražu! Pavaišinai kavalierių, ot, tai dailiai tave apmovė. Gėlių ji laukė! Ką būtumei dariusi be manęs?

Man vėl ėmė tekėti ašaros. Šįkart iš pykčio ir bejėgiškumo. Silva gali dabar šaipytis kiek tik geidžia. Bandžiau vapėti kažką, kad galbūt jam kas nors atsitiko, bet Silva sutriuškino mano hipotezę:

– Na taip, kurgi ne! Kitą panašią kvailiukę susitiko. Monika, tu nežinai, koks tai senas sukčių triukas – įsivilioti panelę arba turtingą *bobšę* į kavinę ir paskui dingti nesusimokėjus. O ką aš tau dieną sakiau? Visi vyrai niekšai. Tik žiūri, kaip tavimi pasinaudoti.

O kai dar papasakojau, kaip manęs jis klausinėjo, ar aš ne kokio mafiozo draugužė, Silva galutinai įtikėjo, jog tapau sukčiaus auka. Ir tik kai papuolėme naktinėn Basanavičiaus gatvės bakchanalijon, ji kiek aprimo.

– Mes turime medžioti vyrus, o ne jie mus. Matai, kaip pravertė mano vakarykštis grobis...

Man darėsi bloga. Nuo jos kalbų ir dėl to, kas man atsitiko. Kodėl rafinuoto sukčiaus auka turi jausti tokią gėdą? Ir ūmai smarkiai pasigailėjau, kad nesu meilužė kokio mafijos boso, kuris visą Palangą su smėliu sulygintų, bet tą paukštelį sugautų, nutvertų ir rankas kojas išsukinėtų.

*

Buvo jau po vidurnakčio. Trumpindamos kelią iki vasarnamio pasukome nuošaliomis gatvelėmis. Kirtome poilsio namų kiemą ir vėl tiesiausiais takeliais per parką patraukėme namo. Silvai prireikė į krūmus. Tokia jau ji – prispirta gamtinio reikalo nekentės nė minutės. Aš likau lūkuriuoti ant takelio. Staiga – balsai, žingsniai... Pasirodė gauja jaunuolių. Visi kaip vienas nudžyrintais pakaušiais ir treninguoti. Skustagalviai, toptelėjo man, ir tą pačią akimirką pasigirdo šūksnis:

– Žiūrėk, kokia panelė!

O aš krūmams:

– Silva!.. Greičiau!

Tie bernai jau vienas per kitą subliuvo:

– Imam! Nepaleidžiam! Kokia gera!

Silva čiupo iš už krūmo mane už rankos. Krūmų šakos skaudžiai įsikibo į plaukus, o visas į tamsą paniręs parkas sudrebėjo nuo arkliško bėgimo. Vejasi!

Aklomis puolėme per brūzgynus. Dygios šakos pagavo čaižyti rankas ir veidus. Kibo ir drėskė plaukus, tačiau mes skutome nesirinkdamos takelių. Net basutės nuo kojų nulakstė. Kūlversčiais išgriuvome į Vytauto gatvę, kaip pelytės šmurkštelėjome į kitą pusę ir dusdamos nuo beprotiško lėkimo kiemų užkaboriais pasiekėme savo baltąjį vasarnamį. Tik įpuolusios į kambarį ir užsirakinusios duris, pasijutome išvengusios rimto pavojaus.

– Nieko sau vakarėlis! – visa burna gaudė orą Silva. – Ir sąskaitėlė nemaža, ir pasportavome kaip reikiant.

*

Prabudau nuo čiaumojimo. Silva, šįkart pakirdusi anksčiau už mane, naikino paskutines maisto atsargas – minkštutes mielines bandeles užsigerdama rūgpieniu. Ji viską sušveitė, ir kai aš įšlepsėjau į mažytę virtuvėlę, lyg niekur nieko pareiškė, kad vis dar jaučiasi alkana, o pinigų kaip ir nebėra.

Nutylėjau. Tegu jos ėdrumas gula ant jos sąžinės.

Tada prisiminėm – basutės!.. Ir skubiai išpėdinome į parką, kur, atrodė, po vakarykščių gaudynių dar klaidžiojo skustagalvių riksmai.

– Jei būtų pagavę, – žiovavo Silva, – šakės mums būtų buvę. Tokia gauja bernų!..

Pūkšdama iš sotumo, ji kaip lapė landžiojo po krūmus. Gėlėtas trikotažinis užpakalis kaip pusiau įskeltas mėnulis pasirodydavo ir dingdavo parko žalumoje. Toks naršymas greitai davė trokštamą rezultatą – Silva aptiko mano basutes. Jos, kaip netvarkingai išmėtyti žaislai, gulėjo netoli viena nuo kitos.

– O kur mano? – niurzgėjo Silva beviltiškai skėsčiodama trumpomis putniomis rankutėmis. – Kaip į vandenį!

Viena jos basutė atsirado prie pušies, ir mes jau ėmėme apie apavą kalbėti tarytum apie gyvas būtybes, sugebančias slapstytis. Taip nelinksmai juokaudamos išėjome į pievelę. Joje kažkas surudavo, artėjo prie mūsų, ir ūmai Silva apmaudžiai sušuko:

– Žiūrėk!

Juodasnukis bokseris, na tas, su amžinai tarsi iš godumo varvančiais nasrais, lėkė šuoliais rytmečio saulės nutviekstu žolynu, o dantyse nešėsi... basutę. Tokią pat mėlyną, kokia dar vakar puikavosi ant Silvos kojos.

Ir ji dusdama metėsi prie šuns.

– Mano, mano!..

Tačiau šuva nulėkė nosies tiesumu ir sustojo prie vyriškio, stirksančio pievelės gale kaip įkaltas stulpas. Pasilenkęs išplėšė iš bokserio žabtų batelį ir smarkiai užsimojęs metė tolyn, mūsų link. Silva susikeikusi puolė prie savo brangenybės. Bokseris irgi startavo. Lėkė džiaugsmingai, beveik kojomis nesiekdamas žemės. Man kilo noras užsidengti akis.

– Silva, *durne* tu, nelįsk!

O ji skuodė kiek įkabindama ir per visą parką:

– Mano, mano!.. Neliesk, bjaurybe!

Tačiau bokseris driuoktelėjo, aplenkė Silvą ir žaismingai kaptelėjo seilėtais nasrais jos apavą. Ir vėl išdidžiai nurisnojo pas savo šeimininką.

– Viskas! Nebegaliu...

Silva vos neverkė, tačiau, keista, man nebuvo jos gaila. Netgi simpatizavau tam keturkojui, šokčiojančiam apie savo šeimininką ir maldaujančiam grąžinti moterišką batelį jo aštriems dantims. Striuka uodega tarsi virpėjo vėjyje, ir šuolis po šuolio bokseris stengėsi pasiekti aukštai iškeltą odos gabalėlį kietu kaip kaulas kulniuku.

Tačiau vyriškis išgirdo Silvos riksmus ir sužiuro į mus – strikinėjančias ir mojuojančias rankomis it pakvaišėlės kokios. Jis aiškiai susidomėjo mūsų rodomais ženklais. Užnėrė bokseriui antkaklį su pavadžiu, ir abu neskubėdami prisiartino prie mūsų.

– Labas, merginos!.. – sveikinosi iš tolo, o Silva jam šiurkščiai atšovė:

– Ką, labas! Atiduok mano *basanoškę!*

Jis pavartė rankose apkramtytą, nuplėšta sagtele basutę:

– Čia... jūsų? Kaip įdomu!

Silva griebė savo brangenybę jam iš nagų. Aiktelėjo ir susmuko ant žolės it nušauta.

– O Dievulėliau! Ką tas bestija padarė! Sudraskė! Sudraskė!.. Vyriškis kiek sutriko. Lyg ir sulaikė šypseną, tačiau akys nerado vietos.

– Čia tikrai jos? – kreipėsi į mane, ir man linktelėjus: – *Nu* geras! Fišeris, mano šunelis, įlindo į mišką ir parsinešė. Kaip įdomu, tiesa?

Fišeris lekuodamas rodė ašarojančiai Silvai rausvo liežuvio galiuką.

– Aš atpirksiu... Girdite, panele?

– Ką jūs atpirksite! Penkis šimtus litų kainavo!

Na, Silva mėgsta kiek perdėti. Man, pavyzdžiui, sakė, kad mokėjusi apie keturis šimtus. Teisingiau, dovanų gavo nuo vieno savo gerbėjo, turinčio Klaipėdoje moteriškos avalynės parduotuvę. Todėl tikėtina, kad be prekybinio antkainio, kurie paprastai yra nežmoniški, jos gal kokių dviejų šimtų litų ir vertos, bet tai ne mano reikalas...

Vyriškis dar kartą patikino, kad pasiruošęs atlyginti nuostolius, ir kol Silva skelbė sąlygas, galėjau nekliudoma apžiūrėti šuns šeimininką. Jis buvo gana aukštas ir rafinuotų manierų. Kalbėjo lygiu balsu, ir, regis, jam įprasta šypsotis bet kokiose situacijose. Vilkėjo lengvais drabužiais, ant kelnių kišenės ir marškinėlių siūlėje spėjau pastebėti mažytes juodas emblemėles su užrašu „Boss". Oho! Mažiausiai verslininkas, ir neprastas, jei rytmetiniam pasivaikščiojimui negaila tokios prestižinės firmos drapanų. Veido bruožai būtų kone idealūs, jei ne ta paukštvanagiška nosis. Jam galėjo būti apie trisdešimt, nors greičiausiai klydau, nes trumpa, tvarkinga šukuosena, ypač kai plaukų sruogelė taip šelmiškai krinta ant kaktos, nubraukia keletą metų.

Silva vis mažiau niurzgė, ir kai vyriškis paprašė jos telefono, ji ėmė tarsi be garso juoktis. Delsė, neskubėjo sakyti ir žodis po žodžio siuntė jam kūno signalus. Visų pirma ji ištiesino nugarą ir atkišo savo įspūdingą krūtinę. Įniko žaisti savo palaidinukės kampučiu. Kitos rankos pirštais pakedeno plaukus. O jau žvilgsnis – žiūrėjo į jį neatitraukdama akių. Hipnotizavo, ir stebuklas – jis staiga visiškai atsidūrė Silvos valioje.

Jis ėmė mekenti apie restoraną ir naktinę programą. Apie vilą už porą šimtų tūkstančių dolerių, iš kurios balkonėlio matyti jūra. Jie susitarė susitikti po pietų. Atsisveikino sakydami viens kitam „iki pasimatymo!" Betrūko, kad dar atsibučiuotų! Silva triumfuojančiu žingsneliu ir kraipydama sėdmenų bandas patraukė namolei, o aš nustrakšėjau įkandin.

Fišeris liko su savo grobiu nė neįtardamas, kad ką tik grobiu tapo ir jo šeimininkas.

*

– Na, kaip tau jis? – paklausė manęs Silva, kai grįžusios skubiai išsivirėme kavos. – *Fainas bičas*, sakysi, ne?

– Senas, tik atrodo kaip jaunuolis.

O ji išdidžiai:

– Ką tu nusimanai, kvailiuke!

Pietums turėjome tik vandenyje virtų kruopų, pagardintų luisteliu margarino. Pavalgiusi įsitaisiau lovoje su Silvos godžiai skaitomais žurnalais, tačiau neištvėriau, kai vasarnamio kiemelyje nuaidėjo trumpas mašinos signalas. Prišokau prie lango ir pamačiau, kaip mano draugė rioglinasi į priekinę prabangaus mersedeso sėdynę. Jai labai tiko lengvo šifono palaidinė, kurią man kažkada Vitoldas parvežė dovanų iš Italijos. Žadėjo ir mane nusivežti, ir ne bet kur, o į Paryžių, tiesa, po miglotai planuojamų vestuvių, kurios negrįžtamai nuplaukė.

Vėl plykstelėjau. Šunsnukis! Tiek laiko vedžiojo už nosies. Žadėjo, vis žadėjo... Galop nutašė iš manęs baikščią patelę, kuri dabar į vyrus žiūri su panieka. Netgi tas Fišerio šeimininkas, vaizduojantis tokį galantišką ir paslaugų, man kėlė tūžmą, nors viso pokalbio su Silva metu manęs tarsi nepastebėjo. Tik kartelį kitą žvilgtelėjo. Ir vėl stačia galva nėrė į Silvos apžavų tinklus. Mergišius. Visi jie tokie.

Perverčiau žurnalus. Iš nuotraukų į mane žvelgė mergužėlės ilgomis kaip serialai kojomis. Dietos, kalorijos, cholesterolis... Mielai sukirsčiau kokį kiaulienos kepsnį, o desertui – grietinėlės. Išmaukčiau visą butelį vyno ir sustiklėjusiomis akimis be jausmo pažvelgčiau į pasaulį, grakščiai besiporuojantį ant kiekvieno kampo ir gyvenantį sau nerūpestingą kurortinį gyvenimą.

Žurnaluose apsčiai aptikau skaitaliukų, kaip suvilioti patikusį vaikiną. Kaip nusidulkinti su bosu prieš jam geriant rytmetinę kavą. Kaip aplink mažąjį pirštelį apsukti draugės kaip akies vyzdį saugomą vyrą. Įdomu, o jei veidukas baisus kaip žiežulos, nejaugi ir tada visi gundymo dėsniai vienodai veikia? O jeigu kaip mano pusseserė Skaistė – akiniuota, sudžiūvusi nuo mokslų ir moralų senmergė?.. Jos plepumas ir begalinis smalsumas smaugte pasmaugia vyrus po kelių pasimatymų. Dabar jai tiksiu į drauges. Abi galėsime rūgoti visą vyrišką padermę ir rinkti balus moteriškajai esybei.

Ne, ne, ne. Vos prisiminiau spigų Skaistės balsą ir jos priekabų žvilgsnį, tyvuliuojantį už storų akinių stiklų, skubiai ėmiau akimis ganyti žurnalo rašinių antraštes. „Sulieknėsiu – tapsiu ideali“, „Išmokime save parduoti“, „Kodėl ji patinka visiems vyrams“...

Nepajutau, kaip užsnūdau. Nugrimzdau į sapną, kuriame ilgakojės gražuolės nuo dietų kaulėtais snukučiais marširavo už spygliuotos tvoros, o jas saugojo Fišeris, šauniai užsivožęs esesininko kepurę.

Ir tik kažkur labai toli pleveno blyški mano vizija, kurioje būsiu ne vien geidžiama, bet ir labai mylima.

*

Pažadino telefonas. Čirškė šaižiai ir įkyriai. Pro langus sruvo sutema ir žurnalai atrodė nebespalvoti. Turbūt koks Silvos „kadras“, pamaniau. Tačiau klydau. Paskambino ji pati. Na ir pasileido tarškėti: ji restorane, muzika – dainos – estrada, lygis, vaikeli! O kainos! Bet jis prie pinigo, verslininkas ir sukasi Maskvoje. Jėzau, koks jis turtingas, kiek pripasakojo, pusę *svieto* apvažiavęs ir tiek pamatęs!..

Vai vai vai, kaip tau gerai – šaipausi, ir staiga girdžiu – ruoškis, mes atvažiuosime tavęs pasiimti! Bandžiau atkalbėti, bet Silva kaip užsukta – atvažiuojam, ir viskas.

Na taip, pagalvojau padėjusi ragelį, matyt, atsirado koks to verslininko bičiulis, kuriam ši naktis bus ilga be sukalbamos mergužėlės.

Neišdegs!

Neįsileisiu. Ne, geriau pasislėpsiu. Po lova ar spintoje, tačiau tuoj pat supratau, kaip tai kvaila. Ar ne geriau imti ir eiti pasivaikščioti. Pasišlaistyti gatvėmis ir vos sutemus, kol nespės įkaušti skustagalviai, ieškantys aukų savo instinktams tenkinti, šmurkštelti atgal į vasarnamį.

Šokau rengtis, kol sidabrinis mersedesas neužklupo ir nepaėmė nelaisvėn. Tikrai, prisipažinsiu, buvo linksma. Netgi sukilo kažkoks azartas, ar suspėsiu įsirangyti į ankštoką žvynuotą lyg gyvatės oda suknelę ir bent kiek pasidažyti. Šiaip vengiu kosmetikos, tačiau mano antakiai šviesūs ir be tušo akys darosi neišraiškingos kaip paršelio. Žinoma, kas man ta išvaizda – tamsu ir gerbėjų neieškau, tačiau nesinori blogai jaustis, net ir slampinėjant prieblandoje.

Neprabėgo nė penkiolika minučių, o aš įsispyriau į Fišerio apuostytas basutes, stvėriau savo rankinuką su keliais mažmožiais ir sprūdau pro duris į vakarėjančią Palangą.

Oras, tas pušų kvapo prisodrintas oras!.. Žengiau kvėpčiodama šnervėmis, kol tas aromatas išnyko. Apsidairiau. Sankryža. Dešinėje apšiuręs „Gabijos" restoranas, sapnuojantis sovietinius laikus, kai poilsiautojų minios būriuodavosi prie įėjimo, vildamosi patekti vidun. Pamenu tai iš vaikystės, kai pusseserė Skaistė tempdavosi mane į Palangą vien todėl, kad mano mama dosniai finansuodavo visą išlaikymą ir ji galėdavo išlaidauti lyg bajorų dukrelė.

Taigi sankryža, neskubri poilsiautojų šneka maišosi su žvirblių čiaiuškėjimu, o aš žingsniuoju sau per gatvę užsisvajojusi ir tarytumei girdėdama jūros ošimą. Ir staiga visa šioji idilija sprogsta į šipulius. Garsus pyptelėjimas, ir matau, kaip atskrieja gatve sidabrinis mersedesas. Silva mojuoja rankute, o vyriškis prie vairo šypsosi visa burna.

Pakliuvau.

– Atėjai mūsų pasitikti? – vikriai šoko iš automobilio rytmetinis pažįstamas ir tuoj pat svetingai atlapojo dureles į galinę sėdynę: – Prašome, panele, labai malonu jus matyti.

Aš trypčioju ant šaligatvio. Praeiviai stabčioja. Žvilgčioja tai į mane, tai į spindintį automobilį, regis, užgriozdinusį visą gatvę. Kas man belieka daryti? Nenoriai įsirangau vidun.

Didžiulė odinė sėdynė nusmelkia šalčiu. Tyliai groja muzika, o Silva linksmai niūniuoja panosėje. Išraudusi lyg jaunamartė, mersedeso savininką nužiūrinėja tarsi savo vairuotoją.

*

Mersedesas pajuda, ir šventiškai pasipuošusi poilsiautojų minia abipus gatvės susilieja į vieną pašėlusį mirgėjimą. Bijau greičio, tačiau tyliu. Jaučiuosi kaip pelytė spąstuose. Po vieno staigaus stabdymo kažkas atsimuša į mano suglaustas blauzdas. Dėžutė ir iš jos išpuolę bateliai. Negaliu iškęsti jų nepalietusi – na jau tokie gražūs, tokie!.. Lengvučiai, grynos odos ir firma ne koks ten „Raudonasis spalis“, o „Bruno Magli“.

– Nupirkau Silvai, – sugauna mano žvilgsnį akys iš veidrodėlio, – čia, taip sakant, už mano šuniuko išdaigas... Tiesa, aš – Arnoldas, o jūs?

Iš intonacijos suprantu, kad Silva bus spėjusi pašnibždėti mano vardą, todėl atsainiai murmteliu „Monika“ ir per Arnoldo petį hipnotizuoju spidometro rodyklę, kad liautųsi taip aukštai virpčiojusi. Tačiau pašėlęs lėkimas baigiasi, ir aš stebiuosi, kaip žaibiškai mes atsidūrėme kitame miesto gale, kur aplink „Lino“ sanatorijos baseiną pusračiu driekiasi poilsio namai.

Prie vieno iš jų sustojame. Išlipus man taip ir maga sprukti kur akys mato, tačiau Silva it prižiūrėtoja paima mane už rankos ir sušnibžda:

– Nebijok, daugiau jokių kadrų nebus. Jis šiaip, draugiškai...

Neką nuramina, tačiau kavinėje, į kurią mes nužygiuojame, vien darniai susiglaudusios porelės, nė vieno laisvo vyriškio. Aprimstu. Padavėjas atneša meniu, ir mudvi, lyg sąmokslininkės susižvalgiusios, nekaltai pasibaksnojusios, renkamės, kas brangiausia. Man – krevetės, Silvai – raudonieji ir juodieji ikrai, nors kuo jie skiriasi, neturime žalio supratimo. Nesunkiai randame milžiniškus pinigus kainuojantį vyną. Jei ne Silva, savyje nerasčiau tiek įžūlumo jau pirmo pasimatymo metu vaizduoti gurmanę. Ji tik spigina akimis į Arnoldą, o šis, žaisdamas mersedeso rakteliais, aukštai pakelta galva oriai nužingsniuoja prie baro prašyti peleninės.

– O jei ir vėl, – nuogąstauju, – jei ir vėl čia koks sukčius ir sąskaitą mums teks apmokėti?

Silva pasukioja pirštą sau prie smilkinio:

– Kvaila! Su mersu, ir pažiūrėk, koks žiedas ant rankos.

– Vestuvinis?

Ji prunkšteli.

– Su briliantu. Tikrų tikriausiu!

Susigėstu. Iš tiesų, jis nepanašus į tą lengvabūdį paplūdimio berniuką, kurio kišenėse vėjai švilpauja. O Silva, nutaisiusi laputės miną, sukužda:

– O mes jau spėjome suveikti...

Spėjo? Ką spėjo?.. Nepagaunu minties ir kvailai spoksau į draugę, nekaltai žaidžiančią su plaukų sruogele.

– Padarėme din din, aišku? Merse, ant sėdynių. Velnias, ta oda! Limpa ir limpa.

Ūmai nuraustu. Na niekaip negaliu priprasti prie Silvos būdo. Taip, čia vien jos būdas kaltas, o ne hiperaktyvus seksualumas. Juk esame kalbėjusios – ji nė karto nėra patyrusi orgazmo. Gal todėl nesąmoningai keliauja per vyrų rankas tikėdamasi sulaukti to palaimingo jausmo ir nekreipia dėmesio į mano tikinimus, kad be abipusės meilės tai beveik neįmanoma.

*

Grįžo Arnoldas. Kai degėsi cigaretę, atšvaitą visai kavinei pasiuntė žiedas su brangakmeniu. Vilkėjo plonos medžiagos laisvą švarką, ir toji nenykstanti šypsena jį darė panašų į gražuolėlį, tokie puikuojasi žurnaluose reklamuodami losjonus po skutimosi.

Padavėjas atnešė vyno. Grakščios taurės ir skonis visai nieko. Tačiau kodėl jis toks brangus?..

– Monyka mėgsta vyną?
– Monika, – pataisau aš jį.
– Monika, – pakartoja jis, – kaip įdomu...

Silva čiumpa cigarečių pakelį. Būgštauja, kad aš pradedu flirtą? Baisiai man čia reikia! Labiau už viską man knieti numalšinti alkį ir saugiai nusigauti iki vasarnamio. Prieš miegą – žalia arbatėlė su citrina ir koks nors pamokymas iš žurnalo, kaip taisyklingai kvėpuoti įlipus į mersedesą.

Vėl lyg šikšnosparnis atsklendė padavėjas. Paliko stalo įrankius ir pasišalino, tačiau toks šmėžavimas Arnoldui pražadino prisiminimus:

– O štai kai buvau Šveicarijoje, viename Ciuricho restorane, tai aptarnavimas aukščiausio lygio. Prie tavo staliuko padavėjas atsineša savąjį. Užsisakiau kumpio, tai ir atvilko jį visą. Galvoju, *durnas* tu, tokia porcija! O jis gražiai peiliu griežinėlis po griežinėlio pjovė ir sudėliojo kaip rožės žiedą kokį. Taip visą vakarą ir lakstė su savo staliuku. Įdomu, ar ne?

Silva klapsėjo akutėmis susižavėjusi. Pamanyk tik, sulankstomas staliukas ir kumpis kažkoks! O kur mano krevečių salotos? Įdomu, lukštentos ar tas rusiškas krilis?..

– O Prancūzijoje tai gražiai apsišoviau. Tik atskridau, drauge-

57

lis iškeitė dolerius į frankus. Atrodo, tiek mažai daviau, o tokią saują parnešė. Nesupratau, koks ten kursas, lyg už vieną dešimt, ir kai restorane už kiekvieną menkniekį ėmiau dalinti arbatpinigius, stebėjausi, ko tie kelneriai vaikšto prieš mane ant pirštų galiukų... O pasirodo, aš milžiniškus arbatpinigius į saują įbrukdavau. Dukart daugiau išdalinau, nei paskui kad reikėjo užmokėti.

Pamažu Arnoldo balsas nutolo. Atsidėjusi ragavau vyną ir įnikau į salotas. Retkarčiais man mirktelėdavo žiedo akis, tačiau vakarieniauti, dievaži, netrukdė. Raminau save – Arnoldą matau pirmą ir paskutinį sykį. Sėkmės Silvai paploninti jo piniginę, o aš prisikimšiu skanumynų it Kalėdoms penima žąsis. Po to pasijuoksiu iš visų šveicarijų ir prancūzijų.

– O kai buvau Tailande...

Netgi į tokias tolybes buvo nusitrenkęs! O kur ikrai? Šaukšteliu ar šakute juos kabinti?

– ... tai viename naktiniame klube žiūrėjau sekso šou.

O, čia Silvai turėtų būti įdomu, labai...

Viena ausimi nugirdau apie Arnoldą pakerėjusį triuką: gražuolė užpakaliuku sugebanti pakelti nuo grindų monetą. Silva irgi sugebėtų, ypač jei ant scenos voliotųsi kokia šimtinė dolerių. Viksteltų ir pasiglemžtų. O ir šį vakarą argi ne mažiau sudėtingam triukui ruošiasi? Vienas jau pavyko. Vadinosi jis „Bruno Magli"...

Vos baigiau vyną, padavėjo balti rankogaliai sumirgėjo ir vėl taurė buvo sklidina. Negana to, ant staliuko pradėjo keliauti vaisiai ir pyragaičiai. Karšta juoda kava ir miniatiūriniais kiniškais skėčiais papuoštas desertas. O, štai ir mano grietinėlė, apie kurią visą dieną svajojau.

Suskambo Arnoldo mobilusis telefonas, ir jis atsiprašęs skubiai išėjo pasikalbėti į vestibiulį. Silva to tik ir laukė:

– Ar tu baigsi po tas lėkštes duotis! Gėdos turėtumei, bent pasiklausytumei, ką jis pasakoja!

– Kaip užpakaliuku pinigėlius uždirbinėti?..

– Monika! Jis kalba, į tave žiūri, o tu į sienas... Nemandagu juk!

– Niam niam.

Silva bejėgiškai atsiduso. Nugėrė gerą mauką vyno ir pasitaisė nuo apvalainų pečių slystančią liemenėlės petnešėlę. Visada taip – vos smauglės akimis ima ryti savo aistros objektą, drabužėliai patys čiuožia žemyn. Net juokas nebeima. Šou be pinigų.

Kai pabaigiau grietinėlę, Arnoldas vėl išdidžia poza sustingo kėdėje. Jo žvilgsnis vis dažniau užkliūdavo ties rankomis, akimis, veidu, slysdavo krūtine, ir Silva tai pastebėjusi nebeišlaikė žavios šypsenos.

„Kaip būtų gerai nešdintis iš čia, – toptelėjo, – gal taksi išsikviesti?" Tačiau tokio sumanymo teko atsisakyti. Kuo aš susimokėsiu taksistui? Miniatiūriniais kiniškais skėčiais, besivoliojančiais ant stalo?

Nudžiugau, išgirdusi, kaip Arnoldas kreipėsi į padavėją prašydamas pateikti sąskaitą. Ir tuoj pat prabilo apie šaltą vakarą, o Silvos palaidinė tokia vėjo perpučiama, tai gal palekiame iki vasarnamio ko nors šiltesnio pasiieškoti?

Silva spyriojosi, esą jai nė kiek nešalta, neverta dėl tokio menkniekio benzino deginti, bet mane toks vakaro posūkis gundyte gundė. Jau vėlu, ir menkas malonumas vis krūpčioti nuo kiekvieno šnaresio ar dar blogiau – žingsnių, o jei dar teks iš kokio naktinio klubo pėsčiomis timpinti iki miegamojo su spalvotais žurnalais ir sapnais. O dabar šast – ir namie. Svarbu ten atsidurti, ir nieku gyvu manęs nebesugundys odinės mersedeso sėdynės. Todėl pritariu Arnoldui – taip, vėsūs vakarai, būtų neprošal mano draugei pasiieškoti šiltesnio drabužio.

✳

Minutė kita, ir mes lekiame per visą Palangą vasarnamio link. Arnoldas be perstojo kalba mobiliuoju. Kažkokie kontraktai, dėl kažko derasi. Nuo lūpų nusprūsta tokios sumos, tokie skaičiai, kad nejauku darosi. Pokalbis baigiasi tuo, kad jis visą atsakomybę suverčia Palangai, šįvakar jam trukdančiai rimtai galvoti.

O Silva gražiai sėdi priekinėje sėdynėje. Prisimerkusi kaip glostoma katė. Blakstienos slopina akių blizgesį. Sijonėlis kiek užkeltas ir žaižaruojančiose šviesose jos šlaunys neatrodo tokios aptakios. Ties kiekvienu posūkiu kojos tai glaudžiasi, tai prasiskečia. Tarp jų atsirandantį paslaptingą plyšelį minkštučiais delnais tuoj pat nelyginant užglosto.

– Aš greitai, – sako ji Arnoldui, kai mersas pričiuožia prie mūsų vasarnamio, – neversiu tavęs laukti, mielasis. Eime, Monika.

Ji vikriai issikeberioja iš automobilio. Aš grabinėdama tamsoje ieškau durelių rankenėlės. Atsisveikinsiu, kai jau viena koja pasieksiu žemę, tačiau mersedesas tarsi be niekieno valios pajuda. Netenku amo ir atsigaunu, kai vaiduokliškai sušmėžuoja gatvės medžiai.

– Stok! Juk Silva!.. Kur tu važiuoji?

– Nusiramink, viskas gerai... Pasėdėsime kur nors. Nori į kazino išbandyti laimę?

Mano širdis sudunksi nujausdama vien nelaimę. Stipriai įsikimbu į sėdynės atlošą, tačiau drebulys nubėga iki pat blauzdų.

– Grįžk!.. Tuoj pat, girdi!

O jis šypsosi:

– Nebijok, aš ne koks piktybinis. Rimtai tau sakau, Monyka. Leisk man bent vieną vakarą pabūti šalia normalios merginos. Juk matai – reikalai ir reikalai, šviesios dienos nematau.

Ką jis čia tauškia! Norisi surikti iš nuoskaudos, tačiau dingteli mintis – jei panikuosiu, tikrai nieko gero iš to nebus. Tokie kaip Arnoldas pripratę viens du apsisukti su tokia kvailele kaip aš. Svarbiausia nepraskysti. Įgauti mažumėlę pasitikėjimo, užmigdyti jo medžioklio budrumą – ir pasiplausiu be vargo.

– O Silva kaip?.. Nieko nesuprantu!

– Silva, – karčiai šypteli ir vėl akis įsmeigia į kelią, – ji kekšė, kekšė paskutinė, kuo tu mane laikai?

Oho, pareiškė! Mūsų nuomonės sutampa, bet vargu ar tai padės man išsigelbėti.

Mersedesas lėtai ėmė sukinėtis po vakaro žiburių nutviekstas gatves gatveles. Ieškojo vietos, kurioje aš tapsiu šio savimi be galo pasitikinčio vyriškio auka? Nors ir bandžiau slapta aptikti jo veide maniako bruožų, tą nematomą akį, kuri taikosi į jaunas merginas, tačiau nepavyko jo glotniame veide įžvelgti nieko tokio, kas dar labiau pakurstytų mano krinkančią vaizduotę. Jis mažai su manimi kalbėjo, vis dažniau skambėjo jo telefonas. Kažką nuspausdavo ir dėdavo prie ausies, o aš įnikdavau ganyti gatvės praeivius, kurie už prabangios mašinos stiklų atrodė tarsi kitame pasaulyje.

Staiga padidėjo greitis. Šone liko miesto žiburiai, ir prieš mano akis išniro tuščias plentas. Nutirpau. Veža į miškelį, bus kaip Silvai...

– Juk neskubi niekur, tiesa? – žvilgčiojo į veidrodėlį Arnoldas. – Mano draugas atskrido iš Maskvos. Jis irgi vilnietis. Dabar jis pakeliui į Palangą, lekiame pasitikti.

Man pasirodė, kad jo balsas skamba nervingai. Tamsa puolė mane iš visų pusių, akys niekur neužčiuopė ramybės, ir aš pasijutau tokia bejėgė, nors verk! Draugas iš Maskvos, o kuo aš dėta? Jis meluoja, nevykusiai meluoja ir ieško keliuko į juoduojantį mišką...

Tačiau klydau. Staiga kelio tolyje lyg kokios pabaisos akys blykstelėjo mašinos žibintai.

– Tai jis, – linktelėjo Arnoldas sugavęs mano klausiantį žvilgsnį, ir mano paniška baimė pamažu ėmė slūgti.

Mersedesas pričiuožė prie balto sportinio automobilio, stovinčio šalikelėje. Arnoldas išlipo. Galėjau sprukti ir aš, tačiau baisu buvo pagalvoti, kiek kilometrų man tektų kulniuoti iki vasarnamio, kuriame blaškosi Silva, nesumodama, kur mes dingome.

Atvykėlis buvo jaunesnis už Arnoldą. Tamsa trukdė įdėmiau jį nužvelgti, tačiau pastebėjau, kad vilki švarku ir kiek blizgančiais marškiniais, matyt, šilkiniais. Prisiminusi parko gilumoje mirgančias baltas sportinio kostiumo juosteles, kiek aprimau. Jiedu verslo žmonės, ir Palanga jiems nėra vien nutrūktgalviškų nuotykių aikštelė.

Pasukus atgalios, jau galėjau laisviau kvėpuoti. Važiuojame kur nors pasėdėti – paaiškino Arnoldas. O man išsprūdo – namo reikėtų...

– Tikrai? Nori namo? – ir nelauktai pareiškė: – Jei tau nemaloni mano kompanija, galiu parvežti. Tik pasakyk, Monyka.

– Monika, – jau kelintą kartą pataisiau jį ir sau pačiai netikėtai tariau: – Na dar kokią valandėlę galiu užtrukti, bet ne ilgiau. Be to, jei puoselėjate kokias viltis ateičiai, turiu pastebėti, kad nieko jums neišeis.

Jis nusijuokė.

– Kokias viltis?.. Tu juk jaunutė gražutė, o aš senas vilkas. Tu man kaip sesuo, supratai?

Nesupratau. Vėl mane ramina, bando užglostyti metų skirtumą, kuris jam nesutrukdė suartėti su Silva. Sesuo?.. Sapnuok toliau.

Prisiekiau sau – pirmai progai pasitaikius dingsiu. Tegu bus tai linksmas nuotykis, o ne katastrofa. Tad žiūrėjau į Arnoldą kaip į tipą su gudruolio kauke. Kai tu, jaunų sesučių ieškotojau, panorėsi jos nusikratyti, mano ir pėdos bus atšalusios.

*

Automobiliai sustojo netoli Basanavičiaus gatvės. Arnoldas mandagiai padėjo man išlipti ir nieko nelaukęs pristatė mane savo draugui:
– Monyka, galima sakyti, mano sesutė. O čia – Andrius, mano verslo partneris, geras vaikinas. Nagi pažiūrėk, – Arnoldas apsikabino savo bičiulį tarsi pozuodamas, – argi mes panašūs į piktybinius?

Jie juokais susistumdė, bet aš visai rimtai nužvelgiau naująjį pažįstamą. Plačiapetis, kresnas ir liūdnomis akimis. Atrodė pavargęs, ir kai mūsų žvilgsniai netyčia susitiko, aš paskubėjau nudelbti akis – labai jau įdėmiai jis pasižiūrėjo.

Jo tamsiose akyse akimirką žybtelėjo kibirkštėlė.

Jausmas, tarsi jo ranka palietė mane. Ar bent norėjo taip padaryti.

Patekusi į judrią, muzikos sklidiną gatvę, vėl atsidūrusi vakarui pasipuošusioje poilsiautojų minioje, pasijutau kur kas geriau. Žengčiau keletą žingsnių į šalį, tiek mane ir matytų. Pavojaus nuojautos nebekankino manęs, ir dabar pirmyn stūmė tas kvailas jaunatviškas troškimas iš arčiau pažinti turtingųjų pasaulį. Juk ir Arnoldo, ir Andriaus automobilis, mano galva, kainavo nesuvokiamus pinigus, tačiau jie į tai nekreipė dėmesio. Mandagūs, santūrūs ir dėmesingi. Tarpusavyje kalbėdamiesi nevartojo keiksmažodžių, ir vis daugiau moterų žvilgsnių juos nulydėdavo su prabundančiu smalsumu, o mane ir su pavydu.

Jie pakvietė užsukti į kažkokį naktinį klubą. Lauke po malksnomis dengtu stogu stovėjo staliukai ir buvo laisvų vietų, tačiau mes užėjome į vidų. Girdėjau, kaip Arnoldas prašė geriausių vietų, administratorė savo ruožtu klausė, kiek tam vaikeliui, tai yra man, metų?

Kas čia jiems pasidarė, mintyse nusistebėjau. Nejau taip vaikiškai atrodau? Juk man per dvidešimt. Buvau įsimylėjusi, apgauta ir pamesta savo potencialaus jaunikio. Nejaugi ketveri metai, paaukoti Vitoldui, pagaliau jo glamonės savaitgaliais ir šuniškas ilgesys vėl jų belaukiant nesuteikė man brandžios merginos bruožų?

Pikčiausia, kad mano palydovai tylėjo, nesiginčijo, ir tik akies krašteliu pamačiau, kaip Arnoldas, sumurmėjęs: „Čia mano sesuo", įbruko administratorei į saują banknotą. Tada ji palydėjo iki staliuko netoli scenos. Žengiau tarsi į kokį sapną. Šviesos jūra ir garsi muzika. Ūžianti publika ir šokančiųjų figūros. Laisvės atmosfera. Vitoldas niekada nesivedžiojo manęs po naktinius klubus. Tvirtino, kad tokiose vietose renkasi žmonės, kurie nebrangina savo reputacijos ir pasiduoda pigiai masinei kultūrai. Atsirado estetas!

Paklausta Arnoldo, ar man čia patinka, nuoširdžiai patikinau:

– Taip. Visai nieko vietelė.

Sėdėjau šalia jo. Jaučiau kieto kelio prisilietimus, tačiau jie buvo nekalti, visai nekėlė tos kūnų trinties, po kurios pradedama žaisti žodžių prasmėmis viena sakant, bet kitka turint galvoje.

Andrius, pasirėmęs smakrą kumščiu, atvirai stebėjo mane.

– Kokia ji *faina*, – staiga tarė Arnoldui.

Šis sutikdamas linktelėjo:

– Kurgi jau ne. Jaunutė gražutė.

O man mintyse susirimavo: „... mano sesutė."

Į meniu net nenorėjau pažvelgti. Aš soti. Ir dvi vyno taurės – norma. Na, nebent ko nors paragauti. Truputį truputį.

Andrius susijuokė iš mano demonstruojamo ženklo – mažytis tarpelis tarp nykščio ir rodomojo piršto. Taip, aš kukli, argi nematyti?

Nuo scenos trenkė griausmingi ritmai, ir kad susikalbėtumėme, buvome priversti vis labiau linkti viens prie kito. Kaip niekada stipriai užuodžiau, kokie prabangūs kvepalai dvelkia nuo tų švarkuotų tipų. Tarsi kito, geresnio, gyvenimo kvapas. Ir nejučiomis prisiminiau aiškiaregę. Jos žodžius. Juk sakė kažką panašaus, kad mano vyras bus labai turtingas. O tiedu dabitos kaip tik tokie. Be to, ir šis vakaras toks keistas. Savęs neatpažįstu. Jei kas būtų pasakęs, kad trankysiuosi po naktinę Palangą su kone dvidešimt metų už save vyresniu vyru!..

– Monykai patinka vynas, o ką mes? – žvelgė į draugą Arnoldas.

– Šampaną, – atsakė šis. – Visada sugrįžimo į Lietuvą proga geriu šampaną.

Aš išsirinkau vyną, visai pamiršusi, kad prieš minutę galvojau kitaip. Manyje prabudo galbūt niekam tikusi nuostata, kad nedera riesti nosies ir griebtis abstinentiškų manierų. Nenorėjau Arnoldui sudaryti kuo geresnės nuomonės apie save. Neketinau siųsti jokių apžavų, nusižiūrėtų iš Silvos arsenalo. Norėjau būti tokia, kokia esu. Vyno mėgėja, pavydžiai stebinti šėliojantį jaunimėlį prie scenos.

Vėl prisiminiau Vitoldą. Jis buvo puikus šokėjas. Šokant valsą, jo judesiai buvo grakštūs ir tikslūs. Stengėsi laikyti ranką ant mano liemens įlinkio taip švelniai, kad jausčiau ją lyg kokią skruzdę ant nugaros...

– Ko Monika tokia susimąsčiusi?

Nepastebėjau, kurio iš jų lūpos sujudėjo. Abu žiūrėjo vienodai dėmesingai, tik Arnoldo akyse švietė rūpestis.

– Gal eime pašokti? – paklausė jis.

Aš ryžtingai pakračiau galvą. Nenoriu, kad žmonės imtų spėlioti, kokie saitai sieja pusamžį vyrą ir jauną panelę. Pasėdėsiu. Ir vyno išgersiu.

O tuo metu nuo scenos buvo paskelbtas aukcionas – kuris daugiau sumokės už striptizo numerį. Be skrupulų pakračiusiam piniginę – šokis ant stalo. Va šitaip. Arnoldas juokais įsivėlė į šitą žaidimą, tačiau triukšmingas jaunuolių būrelis kitoje salės

pusėje vis kėlė kainą. Ji perkopė tris šimtus litų, kai staiga naujo-
jo lietuvio mostu Arnoldas kaip kirviu nukirto – tūkstantis litų.
Programos vedėjas šūkčiojo susižavėjęs, o aš jaučiausi nejaukiai,
kai iš visų pašalių, net iš balkono susmigo žvilgsniai – kas per
piniguočiai sėdi prie ano staliuko.

– Na kam tu taip, Arnoldai? – priekaištavo Andrius ir sumi-
šęs kraipė galvą. – Pinigus vėjais paleidai.

– Bet vis pramoga, – nenusileido šis, o Andrius pažvelgė į ma-
ne:

– Jei ne Monika, tada taip. Nepatogu prieš damą.

Mane pavadino dama! Ir Andrius pasielgė kaip tikras džen-
telmenas. Pinigėlių susišluoti atskubėjusiai administratorei pa-
reiškė, kad tegu porelė šoka striptizą kur tinkama, tik ne ant jų
staliuko.

Striptizo numeris buvo atliktas ant scenos, ir matydama, kaip
netikėtai užkaito Arnoldo skruostai stebint jausmingą menkų
drabužėlių atsikratymą, vėlgi suabejojau, ar viskas taip puikiai
man sekasi šį vakarą.

Ir toji vyno taurė. Vis primygtinai siūlo paragauti. Juk pini-
gais besišvaistantys vyrai nėra tokie kvaili, kad vėliau už tai nepa-
reikalautų atlygio.

– Noriu namo, – tariau Arnoldui, – parveši?

O jis paprastai, be jokių atkalbinėjimų:

– Žinoma, jei tikrai nori.

– Tikrai, tikrai...

Mes pakilome iš vietos. Andrius atsisveikindamas pabučiavo
man ranką. Taip pagarbiai ir galantiškai, jog akimirką patikėjau,
kad iš tiesų esu dama. Jauna ir paika, mėgstanti palikti brangaus
vyno taurę tik kiek nugertą.

Prieš išeidama iš salės atsigręžiau. Andrius man pamojavo.
Jaučiau jo žvilgsnį išėjusi į gatvę. Lyg skruzdėliukė bėgtų pe-
čiais.

– Mes rytoj pasimatysime? – paklausė Arnoldas pajudėjus automobiliui.

– Nežinau.

– Bet paskambinti galėsiu?

– Nežinau... Turbūt.

Stengiausi šypsotis, bet visai nemėgdžiodama Silvos. Visi mano nuogąstavimai nuėjo perniek. Visai neblogai, palyginti su tuo, kas atsitiko vakar tame nelemtame bare, praleidau laiką. Tikėjausi, kad tirpstant paskutinėms išsiskyrimo minutėms sulauksiu patikinimų, kokia aš graži, ir visokių kitokių lia lia lia, tačiau Arnoldas garsiai svarstė Andriaus poelgį. Matai, koks supratingas, neleido šokti ant staliuko, o juk jis teisus – nei šis, nei tas prieš pirmą kartą sutiktą merginą taip atvirai mėgautis erotika.

Ir stebi mane, ką aš į tai?.. Tyliu. Nesu nusiteikusi prieš striptizą, bet ką šiuo atveju bepridursi?

*

Vasarnamio languose blausi šviesa, o privažiavus arčiau už kampo sublizgo automobilis. Silva ne viena. Pyktelėjo ir kaip ragana ant šluotos zujo po Palangą, kol vėl parsitempė kažkokį kadrą. Arnoldas žingsniavo greta. Jis po pažastimi nešė Silvai nupirktus batelius ir į patamsyje tūnantį automobilį pasižiūrėjo kaip į savaime suprantamą dalyką.

– Pas tave?.. – paklausė.

– Ne, pas Silvą.

Lipdama laiptais, pastebėjau kažką pūpsant prie durų. Mano kelioninis krepšys! Prie rankenos baltavo popieriaus lapas. Virpančiais pirštais sugraibiau jį ir prisikišau prie akių, kad įskaityčiau:

„Monika, tu žinai – esi paskutinė kalė! Ir kada jūs spėjote susigiedoti? To aš tau niekada neatleisiu. Todėl dink man iš akių, nenoriu tavęs matyti!"

– Kas ten parašyta? – išgirdau už nugaros. – O šitas krepšys kieno?.. Tavo?

Atrodo, ir Arnoldas ima susigaudyti, kaip kvailai viskas susiklostė.

– Čia parašyta, – šokau plėšyti raštelį į smulkius skutus, – parašyta, kad nešdinčiaus į visas keturias puses. O krepšyje visi mano daiktai.

– Išvarė... – trumpai susimąstė Arnoldas ir ketino belsti į duris, tačiau aš buvau prieš. Žinau Silvos būdą, puikiai nujaučiau, kokiais žodžiais ji būtų išdėjusi į šuns dienas mus abu, taip nekaltai parsiradusius vidurnaktį.

Arnoldas ryžtingai pastvėrė mano išsipūtusį kelioninį krepšį. Jo vieton nudrėbė dėžutę su puikiaisiais Silvos bateliais.

– Viskas per mane... Nebijok, aš tavimi pasirūpinsiu.

Šit kaip baigėsi mano bėgimas nuo depresijos, pamaniau. Rytoj, prabudusi Klaipėdoje, savo bute, vėl merdėsiu. Tačiau jis nieko nenorėjo girdėti apie kelionę į uostamiestį. Atostogos, spyrėsi jis, aš sugadinau tavo atostogas, todėl leisk man elgtis savo nuožiūra.

Jis kalbėjo nuoširdžiai, ir jo balsas man nebeatrodė svetimas. Pasišovė užsakyti man kambarį poilsio namuose. Užgulė telefoną, ir mersedesas nepajudėjo nuo vasarnamio, kol nesulaukė patikinimo – yra laisvas plotelis „Rugelyje", atvažiuokite. Ramino ir tai, kad Arnoldas be paliovos į telefoną globėjišku tonu kartojo, kad kambario reikia vienam žmogui. Be to, visai ne juokais pridūrė, kad vos mane apgyvendinęs skubės į naktinį klubą, kur paliko vienui vieną rymoti Andrių. Gal jų niūrią viengungišką būtį praskaidrins kokios mielos merginos?

Poilsio namų pastate kur ne kur degė žiburys. Administratorius padavė raktus nuo kambario, o Arnoldas padėjo užnešti krepšį. Atsisveikinome prie durų. Dievaži, to vakaro įvykiai klostėsi taip greitai, lyg niūrios spalvos maišytųsi su vaivorykštės juosta.

Įėjus vidun ir išgirdus po kulniukais kaukšintį parketą, aidu širdyje atsiliepė nerimas. Juk elgiuosi kaip paskutinė kvaiša, nors menkas pasirinkimas – arba rietis iki paryčių su Silva, kol jos apmaudas būtų atlėgęs, arba krūpčioti nuo kiekvieno garsaus žodžio ant savo nešulio kur nors pašte ar autobusų stotyje.

Skubiai užsirakinau duris. Šviesos nedegiau. Patamsiais nusigavau iki balkono ir pamačiau, kaip mersedesas, žibintų spinduliais rėždamas tamsumas, tolsta nuo poilsio namų. Apgraibomis susiradau lovą. Ji buvo plati, šiugždanti šilkais ir be galo minkšta tarsi saldaus miego kailis. Greitomis nusirengusi kritau į patalą ir nugrimzdau į miegą kaip akmuo.

*

Saulė jau buvo pakilusi. Akių vokais jaučiau jos šviesą, bet atsimerkti nesinorėjo. Norėjau susapnuoti ką nors tyro ir vaikiško, kas tarsi paliudytų, jog nuo šiol mano gyvenimas ima keistis, ir tik geryn. Įsikniaubiau į pagalvę, tačiau įkyriai sučiřškė telefonas. Arnoldas?.. O gal administratorius? Atėjo į darbą ir apsižiūrėjo, kad už mano kambarį nesumokėta. Ot, tai būtų!..

Ištiesiau ranką ir nukėliau ragelį. Vyriškas balsas. Pasiteiravo, ko pageidausiu pusryčiams. Pasakiau, kad nieko, tačiau paslaugusis, matyt, buvo pratęs prie tokių atsakymų. Pasiskubino nuraminti, jog viskas apmokėta. Pusryčiai ir vakarienė. Vaisiai ir gėrimai. Malonėkite, panele, pavartyti poilsio namų restorano valgiaraštį, gulintį šalia telefono aparato.

Aš tvirtai pakartojau – nieko nenoriu. Rytais nevalgau. Ir padėjau ragelį. Buvau sutrikusi ir tokia mieguista, tarytumei neišsiblaiviusi nuo vyno.

Atsikračiau minkštutės antklodės ir vos pakėlusi galvą išvydau save veidrodyje. Siaubas. Plaukai styrojo it liūto karčiai, o vienas paakys pajuodęs nuo išsiliejusio tušo, lyg suodžiais išteptas. Ir kada aš sukrapštysiu pinigėlių padoriai kosmetikai, kad ir „Max factor"?

Šlepsėjau į vonią, buvau tikra, kad naktį praleidau viename kambaryje, kurio didžiąją dalį užėmė ištaiginga lova su žvilgančiais variniais bumbulais. Tačiau klydau. Siauras koridorius atvedė mane į minkštais baldais apstatytą kambarį. Televizorius ir indauja su taurėmis.

O šitos durys?.. Patekau į tamsų kilimu išklotą kambarėlį, jo kampe puikavosi nedidukas, tačiau gėrimų prikrautas baras. Netgi kėdės – viena, antra... Trys aukštos kėdės. Tvirtai įsispyrusios nikeliuotomis kojomis į grindis.

Tai kiek Arnoldas turėjo suploti už tokią prabangą?

Nemėgstu skaičiuoti svetimų pinigų, bet apartamentų prašmatnumas badė akis. Tai Silvai būtų virpesio. Lyg smilga per širdį.

Raivydamasi po šilta dušo srove, pagalvojau, kad metas ištrūkti iš šito sapno. Kelioninis krepšys laukia prie durų. Keli litai – kaip tik bilietui iki Klaipėdos – guli gražiai sulankstyti džinsų kišenėlėje. Jei pasiryšiu dar bent vieną naktį pasinaudoti Arnoldo svetingumu, jis pasinaudos manimi. Tokia jau toji naivių mergaičių matematika.

Susisupusi į rankšluostį, išsėlinau į balkoną. Dar vakar patamsyje pastebėjau baltą kėdę – pasėdėsiu, kol saulės atokaitoje kiek pradžius plaukai. Nuo „Lino" baseino sklido vandens šniokštimas, sumišęs su linksmais poilsiautojų šūksniais. Danguje nė debesėlio. Švelnūs vėjelio šuorai. Šnerves kutenantis pušų kvapas. Taip ir norisi užsimerkti ir užsimiršti...

Važiuosiu vakare, pamaniau, juk dieną man niekas negresia. Užsimesiu maudymuką – ir prie jūros. Tik aš, jūra ir saulė. Gera bus vien nuo to, kad negirdėsiu Silvos aimanavimų, jog kažkoks vabalėlis ir vėl jai įkando. Kažin kaip jai ten vakar?..

Kambaryje prie lovos vėl atgijo telefonas. Neisiu, manęs jau nėra. Kai saulės spinduliai glosto mano ištiestas ir ant plastmasinio staliuko sukrautas kojas, manęs niekam nėra.

Be jokių pastangų, tarsi prieš mano valią, akyse iškilo vakaryščiai veidai. Žinoma, Arnoldas nieko sau vyriškis, bet truputį per gražus, kad būtų rimtas. O kaip jis greitai susiuostė su Silva! Argi tai neįrodo, kad jis didelis mergišius? Tik prie manęs tykina iš toli, it tikras medžiotojas mėtydamas pėdas. Ne, jam nieko nejaučiu, išskyrus dėkingumą. O štai Andrius... Jį taip trumpai mačiau, tačiau veido bruožai ryškiai įsispaudė atmintyje. Ypač tos liūdnos akys...

Ir ūmai, laikydama atminties tamsoje to paslaptingo vyriškio veidą, pajutau, kaip mano viduje suplazdėjo tarsi koks drugelis. Kitą sekundę mane jau užvaldė begėdiškas geismas.

Tuoj pat atsimerkiau. Kai akys galutinai apsiprato su dienos skaistuma, balkono kamputyje išvydau keistą butelį. Amforiškos formos ir savo dydžiu pranokstantį anksčiau kada regėtą. Jis buvo tuščias, tačiau taip pasirodė tik iš pirmo žvilgsnio. Kai iš dyko buvimo gerai įsižiūrėjau, pro jo žalsvumą kažkas subolavo. Vos juntamas vėjelis įniko žaisti plunksnos lengvumą atgavusiomis mano plaukų sruogelėmis. Jau ketinau smukti į kambarį, tačiau lyg kokia nematoma ranka mane pastūmėjo prie ano nematyto stiklinio indo.

Popieriaus lakštas, susuktas į vamzdelį, – va kas bolavo butelio viduje.

Smailiais nagiukais pastvėriau landūną už kraštelio. Iškrapščiau popierinį ritinėlį tarsi krislą iš akies.

„Labas rytas, tu nuostabi net miegant. Žiūrėjau į tave ir klausiausi tavo tyro kvėpavimo. Dar nieko taip netroškau, kaip savo lūpomis paliesti tavo skruostą.“

Vyriška rašysena. Mečiau žvilgsnį pro langą į milžinišką lo-

71

vą. Na ir laiminga turėjo būti toji moteris, kuriai skirti šie švelnūs žodžiai. Bet koks keistas butelis! Pakankamai storo stiklo, kad nebodamas perplauktų jūrų jūras ir laimingai pasiektų kitą krantą. Žydintį krantą...

*

Persibraukusi šukomis plaukus ir susikrovusi reikalingus daiktus, išskubėjau prie jūros.

Visą pusdienį prasivoliojau paplūdimy. Jūros ošimas siūbavo mano mintis, o jos kaskart, kaip bangos į krantą, vis grįždavo prie raštelio.

Kodėl toji mylima moteris paliko jį butelyje? Nejaugi neskaitė? Išvyko taip ir nesužinojusi apie kažkieno puoselėjamą jausmą? Apie norą, nekaltą ir tik tikriems vyrams tinkantį norą – paliesti moters skruostą savo lūpomis. Kaip smagu, kad tokių romantikų dar pasitaiko...

Grįžusi nuo jūros, visų pirma poilsio namų administratoriaus paklausiau, ar už mano apartamentus trečiame aukšte sumokėta.

– Žinoma, panele, – nesikeitė paslaugi jo mina. – Negi jūs nepasitikite savo broliu?

– Broliu? – sumirksėjau aš.

– Taip, buvo pasirodęs vos tik jūs išėjote į pliažą. Tiksliau – sidabriniu mersedesu buvo atvažiavęs. Žadėjo vėliau užsukti. Ir dar... – jis suskato kažko ieškoti, ir kai ištiesė ranką, joje pamačiau mobilųjį telefoną. – Šitą daikčiuką jums paliko. Sakė, kad kitaip neįmanoma jums prisiskambinti.

Nė kiek neapsidžiaugiau. Dar neteko naudotis tokiu įmantriu aparačiuku.

– O kokia instrukcija yra prie jo?

Administratorius pakėlė antakius.

– Kokia dar instrukcija? – ir tuoj susiprotėjo: – Nežinote, kaip skambinti? Žiūrėkite, tai labai paprasta.

Jis paaiškino, kada kokį mygtuką spausti. Viskas vėjais nuėjo, nieko neįsidėmėjau, tačiau linksėjau galva kaip uoli mokinukė. Svarbu, kad kuo greičiau duotų ramybę.

Dabar, po nerūpestingo tysojimo ant smėlio ir to gero jausmo, kai esi viena, todėl ir laisva, kambarių prabanga mane slėgte prislėgė.

Auksinis narvelis paukštytei. Mobilusis telefonas – tik dar vienas jaukinimo ženklas. Numečiau jį ant dryžuoto fotelio. Arnoldas nori priblokšti savo neribotomis galimybėmis ir mane, apkvaitusią nuo turtų magijos, it koks kolekcionierius prismeigti kaip drugelį savo įnagiu.

Brrr... Bjauri mintis, bet nieko sau negaliu padaryti. Nenoriu veltis į jokias istorijas su vyresniais vyrais, kurie, kaip vėliau paaiškėja, turi ir žmonas, ir krūvas atsitiktinių meilužių.

Užsitempiau džinsus. Plaukus susisukau į standžią kriauklę. Na va, kelionei pasiruošusi. Patikrinau, ar ko per savo išsiblaškymą nepalikau vonioje ir miegamajame. Taip beslampinėjant suskambo telefonas. Anas, mažytis, numestas ant dryžuoto gobeleno. Delsiau, o jis be perstojo čirškė. Jau buvau pasiruošusi žygiui iki autobusų stoties, todėl pagalvojau, jog nedera išnykti neatsisveikinus ir nepadėkojus.

– Monyka?.. Kaip sekasi, sesute?

– Ačiū, neblogai.

– Man gaila, kad taip išėjo, tiesiog apmaudas ima, bet toks jau mūsų, verslininkų, gyvenimas.

Apie ką čia jis?..

– Supranti, paskambino iš Rygos. Vienas vokietis atskrido. Svarbus žmogus mūsų reikaluose, o į Palangą net nepatogu prašyti, kad atvažiuotų. Didelės spaustuvės bosas, be to, jie tokie pasipūtėliai, neįkalbėsi...

– Na ir kas? – nejučiomis, lyg pajutusi klastą, ėmiau žvalgytis, kur padėjau savo kelioninį krepšį.

– Tai va, būtent... Mes su Andriumi lekiame į Rygą susitikti su tuo veikėju. Grįšime po dviejų dienų, tada ir pasimatysime, gerai?.. Ko tyli? Monyka... Alio!

Aš šypsojausi. Mano atostogos tęsiasi!

– Girdžiu, Arnoldai...

– Ar supratai? Mes grįšime po dviejų dienų. Nenuobodžiauk, sesute, sutarėme?

– Su...

– Tau Andrius linkėjimus perduoda.

– Ačiū.

– Ir dėl nieko nesijaudink. Viskas apmokėta, ilsėkis be rūpesčio. Na, iki susimatymo, sesute!

Atsisveikinau patyliukais džiūgaudama. Dvi dienos. Be rūpesčių! Linksmai spyriau į krepšį, riogsantį man po kojomis.

Kelionė atidedama!

Lyg ant sparnų nusklendžiau į plačiąją lovą, ji jau nebeatrodė tokia nepadoriai minkšta ir tykanti mano baimės. Išsitiesiau apimta lengvos euforijos. Štai kaip kartais susiklosto atsitiktinės pažintys! Kažin kur dabar tas Fišeris, tuskinęs Silvos basutę pievelėje? Irgi pakeliui į Rygą?..

*

Pakilusi iš guolio, šlaisčiausi po kambarius tai prisėsdama prie televizoriaus, tai balkone pastypsodama, klausydamasi į vakarą skubančios dienos garsų. Galiausiai alkis nuvijo prie valgiaraščio. Perverčiau kelis puslapius, kol įsidrąsinusi paskambinau nurodytu numeriu.

Turite grietinėlės su braškėmis? Turite? Negali būti!.. O

greipfrutų... Taip, ir sulčių, ir vaisių. Fantastika! O kiniškų salotų?.. Puiku.

Pažadėjo viską atnešti per penkiolika minučių. Gaila, kad Silva to nematys. Sprogtų iš pavydo arba akis iškabintų bekaltindama, kad tokį kadrą paviliojau.

Vėl prisiminiau raštelį ir panorau save įsivaizduoti tos moters vietoje. Neskubėjau artintis prie butelio. Parymojau ant balkono turėklų, bandydama pasijusti tos nieko neįtariančios moters kailyje. Gal ji lygiai taip pat linksojo balkone, stebėjo nuo jūros grįžtančias jaunas poreles ir svajojo apie tą vienintelį, kuris neturėtų didesnio troškimo, nei kad jos skruostą paliesti savo lūpomis. Gal ji ilgėjosi gražios kovos, kai paprastai nugali vyras ir atveria duris į kūniško malonumo pasaulėlį?

Kaip romantiška, tiesa?

Grakščiai, kur kas grakštesne eigastimi, nei manekenės kad žengia podiumu, priėjau prie kamputyje smūksančio butelio pūstais šonais. Jame kažkas yra. Nustėrau – raštelis!

„Mačiau tave nutolstančią, mačiau, kaip iš pienių pūko atsiradęs vėjelis aistringai užkliudė tavo lengvos suknelės kraštelį... Tu nepatikėsi – tą akimirką labiau už viską troškau pamatyti tavo akis. Net nepastebėjau, tavo suknelė permatoma ar ne, vyliausi, kad tavo akys viską pasakys.“

Dievulėliau, čiagi apie mane!.. Mano suknelė lengva ir permatoma. Su ja einu tik į paplūdimį, nes gatvėje pernelyg traukia pašalinius žvilgsnius.

Štai tau ir Arnoldas, štai tau ir sesutė...

*

Dvi dienos prabėgo tiesiog nepastebimai. Kas vakarą apžiūrinėjau įdegusį savo veidą – jaunystės atspindį nunokusių kviečių spalvos plaukų fone. Pastebėjau akyse tai atsirandančias, tai išnykstančias šelmiškas kibirkštėles. Taip, mane kankino abejonės. Tie rašteliai iš butelio!.. Jie pakuždėjo man, kad esu geidžiama ir gerbiama, ir kai tiedu jausmai susiplaka į vieną, vulgarumas išnyksta.

Aš likau laukti grįžtančio Arnoldo ir dar bent vieno raštelio butelyje, kuris aukso raidėmis suguls mano atminty.

Jei ne tas metų skirtumas!..

Tačiau netrukus jau galvojau kitaip – vyras jaunas, kol sugeba nuoširdžiai žavėtis moterimi. Bet tuoj susigriebiau – kokias čia nesąmones aš paistau. Juk jei staiga manimi imtų domėtis koks sukriošęs senukas, man tai tikrai nepatiktų.

Galop nusprendžiau, kad vis dar esu naivi ir kimbanti ant mažiausio kabliuko tarsi žuvis drumstame vandenyje. Rašteliai, tie rašteliai iš butelio prikėlė manyje primirštą tyrą jausmą.

Ir kaskart naktį prabudusi, nors buvo tamsu ir nieko nematyti, dėdavau ranką ant staliuko prie lovos ir sušnarėjus popieriaus lakštui vėl užsnūsdavau. Pasinerdavau į sapną, kuriame puikavausi lengvute permatoma suknele. Dar dešimtys tokių kabėjo spintose, kurias tingėjosi praverti, o mano kūnas neatrodė išstypęs ir atsikišusiais šonkauliais, o kojos, net glosčiau, kad patikėčiau, – ilgos ir grakščios. Ar nevertėtų kiek patrumpinti suknelę? Kad atrodyčiau dar labiau gundanti...

Pro praviras balkono duris šmurkštelėjo vėjo šuoras. Mane tarsi palietė vyriškos rankos...

Krūptelėjau ir prabudau. Aš viena. Garsiai tiksėjo sieninis laikrodis, jį tik dabar išgirdau. Bet tas keistas pojūtis, kad mane kažkas liečia, neišnyko. Užsimerkiau, bet atrodė, kad bundu iš letargiško sapno, kuriame visada norėjau būti su Vitoldu. Tą, kurį kadaise mylėjau, paverčiau beforme lengvo nakties rūko būtybe. Nesunku buvo tai įsivaizduoti, ypač kai mano rankos, plaštakos ir pirštai staiga tapo lyg svetimi, tačiau tokie be galo jaudinantys...

Rytas prasidėjo įprastinėmis vandens procedūromis. Vėliau

užsisakiau į apartamentus lengvus pusryčius. Paskui visą valandą sėdėjau prie veidrodžio, priekabiai spoksodama į savo atvaizdą kaip pelėda, o kai pabodo, greitomis rausvu lūpdažiu paryškinau lūpas ir rudu pieštuku patamsinau antakius. Įsivėriau auksinius auskarėlius ir užsimoviau kelis žiedelius, jie, aišku, nė iš tolo negalėjo prilygti puošniems Silvos žiedams, jau nekalbant apie stulbinančią Arnoldo puošmeną. Ir vos apie jį pagalvojau, atgijo mobilusis telefonas, kurį dabar visą laiką nešiojausi.

– Labas, sesute!

Jo balsas buvo malonus ir visai neįkyrus, kaip anksčiau atrodydavo. Jie nuo pat ryto jau Palangoje ir ketina mane aplankyti. Nieko tokio?.. Žinoma, bene galiu prieštarauti?

Paskubomis paklojau lovą, išmečiau tuščius mineralinio buteliukus ir susirinkau visur išsvaidytus drabužius. Balkone pristūmiau arčiau prie staliuko kėdes ir – tai jau tapo įpročiu – priėjau prie butelio. Sulaikiau kvapą. Butelis nuo vyno nebuvo tuščias. Jo viduje vėl išvydau susuktą popieriaus lakštą. Raštelis...

„Mieloji, permatoma suknelė tau labai tinka. Ji tarytum lengvas ryto rūkas gobia tavo grakščią figūrą. Kai tu eini, atrodo, kad tavo žingsniai nesiekia žemės. Tu plauki, plauki kaip karavelė, švelniai ir tyliai. Tu tokia erotiška, kad negali priklausyti man vienam. Tu niekieno. Tavojo grožio negalima suasmeninti iki kasdienybės varžtų. Man sunku klausytis tavo ramaus alsavimo. Žinau, kad jis gali būti kitoks. Noriu tuo įsitikinti. Svajoju apie tai. O apie ką svajoji tu?..“

Mano širdis suspurdėjo. Arnoldas... Jaučiau – mezgasi draugystė. Manyje tirpsta šaltumas, su kuriuo stebėdavau šitą vyriškį. Tačiau vėl įsimylėti? Ne, neįmanoma. Ir man sumaudė krūtinę pagalvojus, kad dar viena diena – ir fizinis suartėjimas neišvengiamas. Staiga ir pati išsigandau pajutusi, kad nebeturiu jėgų priešintis. Reikia išdrįsti patenkinti savyje prabudusią aistrą, ir ne taip

77

kaip vakar naktį. Pažvelgiau į save veidrodyje. Mano skruostai užkaito. Pakako vienut vienutėlės minties apie vyro erekciją, ir jau
degu iš gėdos. Lyg iš tikro būčiau sulaukusi paties nepadoriausio
pasiūlymo, o ne dar vieno raštelio, sujaukusio ramų kurortinį rytą.

„O apie ką svajoji tu?.."

Silva nuolatos svajoja apie pasimylėjimus. Kliedėjo, kad ryžtųsi netgi su dviem vyriškiais. Na ir kas čia tokio? – balino akis
tai pasakiusi. Atsimerk. Viskas aplink eina velniop – žmonių santykiai ir visuotinai priimtos moralės normos. Kol esi geidžiama,
tol ir gyveni, tvirtino ji, o ieškoti meilės ir tekėti dėl jos – kvailystė. Meilė, vien tas aklas jausmas, paprastai nesukuria geresnio
gyvenimo, ir aplink apsčiai pavyzdžių, kaip neva mylimos moterys vilki suknelėmis, kurių pažastys šviečia prasitrynusiais pusrutuliais.

Apie ką aš svajoju? Apie ramybę. Jausmas, kuris sukuria gyvenimo pilnatvę. Bet Silvos postringavimuose yra tiesos – geriau,
kad tos pilnatvės nedrumstų nunešiotų suknelių tvaikas.

*

Vėl sutilindžiavo mobilusis telefonas, ir, įjungusi jį, išgirdau Arnoldą sakant, kad jis čia, poilsio namų apačioje, tuoj tuoj pakils
į mano apartamentus. Tuoj!..

Manyje sukilo jaudulys. Vėl puoliau prie veidrodžio, nors
nebebuvo didelio reikalo. Paskui į balkoną – taip, prašmatnusis
mersedesas spindėjo saulėje ir keli vaikigaliai pavydžiai jį apžiūrinėjo.

Žingsniai už durų. Mandagus beldimas. Staiga kimtelėjusiu balsu pakviečiau užeiti.

Oriai įturseno Fišeris ir, abejingai nužvelgęs mane, užleido
kelią šeimininkui. Arnoldas šypsojosi, linktelėjo pasisveikinda

mas ir pirma savęs pro duris įleido nematytą merginą. Gražiai įdegusi. Lengvute, kur kas puošnesne permatoma suknele nei manoji.

– Čia Viktorija, – pristatė Arnoldas švelniai laikydamas už rankos aukštą, simpatišką savo palydovę. – Ji manekenė iš Rygos. Viename naktiniame klube susipažinome. Įdomu, tiesa?

Nė kiek! Tačiau įstengiau gana suprantamai pasakyti savo vardą ir, nieko nelaukusi, su pavydu, kaip tie šmirinėjantys apie mersedesą vaikigaliai, puoliau vertinti jos išvaizdą. Plaukai ir akys šviesesni už odą. Veidelis slėpėsi po tobula makiažo kauke, tačiau visi veido bruožai buvo taisyklingi, nuo jos sklido toks orumas, kad mano pasitikėjimas savimi subliūško it oro balionas. Viktorija buvo be galo daili ir gracingų manierų. Kad ir kaip kritiškai žiūrėjau, nesuradau jokio trūkumo.

Mergina plačiai man šypsojosi – jautė savo pranašumą, o kai Arnoldas keliskart pakartojo, kad aš – jo sesuo, ji visai rimtai tuo patikėjo ir konkurentiška atmosfera išsisklaidė.

Sėdėdama ant minkštasuolio, ji lyg nuobodžiaudama ilgais pirštais glostė Arnoldo sprandą, panašiai kaip ir jis anąkart pievelėje Fišerio kukšterą. Vynas man atrodė be galo rūgštus, o diena prakeikta, kaip ir visas mano naivumas, lyg sūkurys, vėl šluojantis iš mano įkaitusios galvelės niekam tikusias viltis.

Viktorija klausė manęs rusiškai, ar šiuose poilsio namuose yra *šeipingo* salė, ir kai atsakiau, kad nesidomėjau, kaip gyva niekad neverčiau savęs prakaituoti sporto salėse, Arnoldas pagyrė, jog rusiškai kalbu be akcento.

Viktorija tuoj šoko ieškoti komplimento sau ir penkias minutes dūsavo, pasakodama, kaip nelengvai pasidavė jai anglų kalba, ir koks siaubas – vietoj žadėtos modelio karjeros Londone jai teks čiuožti į Milaną, o ten šneka itališkai, todėl visa anglų kalba šuniui ant uodegos. Aš spontaniškai angliškai pasakiau jai, kad pasitaiko italų, mokančių šią kalbą, o ko nesupras, tą galima pasakyti kūnu. Mestelėjau užuominą apie nepriekaištingą jos išvaizdą, skulptūriškai tobulinamą *šeipingo* salėse ir grožio salonuose. Patenkinta pastebėjau, kad, prabilusi angliškai, jos gražiose ir kiek kvailose akyse pasėjau sumaištį. O Arnoldas garsiai nusistebėjo:

– Neblogai, Monyka, pavarei angliškai! Nežinojau, kad tu moki...

Tuoj įsikišo Viktorija:

– Kaip tai nežinojai? Juk sesuo... O gal ne sesuo?

Aš linksmai šypsojausi, dar labiau keldama pagrįstą įtarimą, tačiau Arnoldas jai šaltai atšovė:

– Mes retai matomės, Monyka man tik minėjo, jog ketina mokytis kažkokios užsienio kalbos.

– Per tris mėnesius išmokau, – melavau neraudonuodama, – paprasta. Galvoju, gal norvegų kalbą bandyti įveikti.

Pasirodė Fišeris. Jis tipeno uostinėdamas pakampes, ir man kilo ūmus noras, kad bokseris išsikraustytų iš proto ir griebtų Viktorijai už kulkšnies, vienu nasrų čekštelėjimu perkąstų jos aukštakulnius batelius, žaižaruojančius mano akyse kaip paskutinės mados stebuklas. Tačiau Arnoldas jį pravijo, mes toliau kas sau gėrėme vyną. Bet nekalbumas nemaloniai varžė mūsų judesius. Tik Viktorija tyliai kažko sau sukikendavo. Matyt, todėl, kad lengviau išlaikytų šypseną, ištreniruotą fiziniais pratimais.

„Išvažiuosiu, – pamaniau, – šįvakar pat važiuosiu namo, į Klaipėdą." Ir taip apsisprendus man pasidarė ramu, lyg susivokus po nakties miego, kokių nesąmonių buvo prisapnuota.

Rašteliai... Argi normalus tas vyras, kuris, pasišovęs siekti merginos prielankumo, gali būti toks niekšiškas, kad pas ją atsitemptų kitą gražuolę... Ir pačiu paslaptingiausiu būdu butelyje atsirandantys rašteliai virsta nuodais vos vos prabudusiems jausmams.

Nieko nebejaučiu. Todėl – išvažiuoju. Tegu džiaugiasi manekenės liesumu, jos aštriais išsišovusiais kaulais.

*

Arnoldas suskato sklaidyti po anglų kalbos pamokėlės stojusią nemalonią tylą. Jis buvo sutrikęs, ir jo mintys, beveik kaip ir poelgiai, pynėsi be jokio logiškumo.

– Palangoje gerai. Čia jūra, visi lietuviškai kalba. O štai Tailande, velnias gali susigaudyti, kokia kalba jie ten šneka. Man didžiulį įspūdį padarė krokodilų fermos. Tokie įdomūs, karpuoti lyg žieminės padangos... O ant dramblio jodinėti tikras *kaifas*. Jautiesi kaip sultonas. Tačiau atsibosta, viskas atsibosta, todėl... geriau išsinuomoji džipą ir pasileidi per visą šalį. O dar geriau katerį.

Viktorija krebždena nagiukais Arnoldo sprandą ir vis aikčioja:

– Ką tu sakai!

Nuoširdžiai, be jokios pašaipos, kaip ir Silva, ji klausosi susižavėjusi, o Arnoldas neįstengia atplėšti akių nuo devyniasdešimties centimetrų apimties manekenės krūtinės. Beveik buvau tikra, kad, jei manęs dabar čia nebūtų, jie kaipmat pultų mylėtis.

– Bet Palangoje irgi gerai, visai nieko... – tęsė Arnoldas. – Galime ir čia katerį išsinuomoti, bet šiandien jūra banguota... O štai vienas mano bičiulis siūlo pirkti sodybą, su ąžuolais ir gandralizdžiu. Trijų šimtų metų senumo.

– Trijų šimtų!.. – nenustojo gėrėtis Viktorija. – Ką tu sakai!

O aš, nors šitokie plepalai varė man vėžį, pasitikslinau:

– Sodybai ar ąžuolams tiek metų?..

– O koks skirtumas? – išsiblaškęs žvilgtelėjo į mane Arnoldas ir tuoj nurijęs seiles įsistebeilijo į savo gražuolę.

Tikrai – koks skirtumas, gūžtelėjau pečiais, svarbu, kad mūsų abiejų suknelės kiaurai persišviečia, ir pajutusi, jog jeigu ir toliau vaizduosiu, kaip man įdomu klausytis padriko Arnoldo pasakojimo, pati savęs imsiu neapkęsti.

Atsiprašiusi išslinkau į miegamąjį. Tiek tų mano daiktų – minutėlė, ir visa vargana mano kosmetika, keli spalvingi skudurėliai atsidūrė kelioniniame krepšyje.

Arnoldas, matyt, išgirdęs bruzdėjimą, atžingsniavo į kambarį. Fišeris irgi. Abu nustebę spoksojo į mane.

– Tu ką?.. Išvažiuoji?

– Taip. Metas namo.

Jis pamanė, jog pasirodydamas su gražuole iš Rygos leido suprasti, kad man čia nebėra vietos, tačiau aš nesiklausiau, jog jiedu jau pasirūpino, kur gyvensią. Pasirodo, čia pat, gretimuose apartamentuose, už sienos.

Na, nieko sau, širstelėjau – už sienos suks sau meilės lizdelį, o atokvėpio minutėmis vėl kurps susižavėjimo kupinus laiškelius man.

– Bet Monyka!..

– Monika aš, o ne kokia ten – „-yka"!

– Atleisk... – sumurmėjo, – bet aš ketinau rimtai su tavimi pasikalbėti. Sakau, gal norėtumei padirbėti mūsų firmoje Maskvoje? Gerai kalbi rusiškai ir angliškai. Be to, ir išvaizda, ir visa kita...

Visa kita! Mano širdies spurdėjimas jam tilpo į šituos du bejausmius žodžius!

Aš buvau priblokšta, o jis – sutrikęs. Kai atžirgliojo Viktorija, visai ištižo. Dabar pats atsidūrė tarp dviejų ugnių. Draugužė žvelgė į jį klausiamai, o aš į juos abu – slėpdama nusivylimą, bet tik ne panieką, besišakojančią į visas puses. Patinas ir patelė!

– Tu išvažiuoji, mieloji? – Viktorija nesunkiai susigaudė, kas čia vyksta, ir paskubėjo pridurti: – Ak, kaip gaila. Tikrai.

Arnoldas pasivijo mane koridoriuje.

– Telefonas... Duok man savo telefoną.

– Apsieisi!

– Tada čia mano vizitinė, – grūdo ją į krepšio kišenėlę. – Tu paskambink, gerai?.. Ir dėl darbo mano biure, žinok, tai labai rimtas pasiūlymas. Pagalvok.

Bėrė greitakalbe žvilgčiodamas per petį, ar tik toji madų pasaulio pažiba nepasirodys atlapose duryse.

Nelydėjo. Netgi Fišeris, šiaip jau leidžiantis būti glostomas, atsuko buką užpakalį ir nubidzeno paskui šeimininką.

„Rašteliai, – norėjosi man šūktelti pavymui, – tokių nesąmonių dar nebuvau skaičiusi!" Tačiau tik įkvėpiau oro ir užgniaužiau nuoskaudą. Virpančiomis rankomis stvėriau krepšį ir vos pasiekusi laiptus pamačiau jais lipantį Andrių.

Išvydęs mane, jis staigiu mostu kažką grūdo į kišenę, bet, suvokęs, kad mano žvilgsnis jau pačiupo tai, ką jis bando paslėpti, ūmai sugniaužė pirštus į kumštį.

– Labas! Tu išvažiuoji?

– Kaip matai...

Krepšys netikėtai išslydo iš rankų. Sustingau, aiškiai išgirdusi, kaip jo kumštyje treška glamžomas popierius. Galėjau lažintis iš paskutinių savo brangiausių kvepalų lašelių, kad jo pirštai maigo raštelį, skirtą man! Išsiilgusiai nepaprasto kalbėjimo, tokio, kuriuo ir dvelkė rašteliai iš butelio.

– Gaila, – tarė jis, – labai gaila, kad išvažiuoji. O gal pasiliksi?

Andrius žvelgė į mane, į po suknele ryškėjančias mano kūno linijas su tokiu goduliu, kad aš greitomis pasakiau:

– Ne, jau viskas nuspręsta. Tai ką?.. Viso gero.

Gal paskubėjau, gal pernelyg kategoriškai nukirtau, ir Andrius, kažką ketinęs sakyti, ūmai nutilo ir net nepasisiūlė panėšėti mano krepšio, o jis staiga tapo sunkus, lyg akmenų prikrautas.

Leidausi laiptais žemyn apdujusi nuo vienos vienintelės minties – ne, aš negaliu patikėti, kad jo rankoje mačiau raštelį. Negaliu patikėti, kad tai jo ranka ir tas slaptas jausmas širdyje vedžiojo žodžius, kraunančius mano sieloje nelaukto praskaidrėjimo žiedus.

*

Aš namuose, vėl tarp keturių sienų, ir vis tie patys begaliniai svarstymai, kad kažkas visai nevykusiai tvarko mano gyvenimą. Kaltinau ne tiek save, kiek aplinkybes, kurios suveda ir išskiria žmones. Prie raštelių bijojau prisiliesti, nes vien pasižiūrėjus į juos širdyje imdavo dilgsėti, ir net garsi muzika, sklindanti iš kompaktinių plokštelių grotuvo, nepraskaidrindavo niūrios nuotaikos.

Silva nepasirodė ir net neskambino. Matyt, buvo kaip reikiant įsiutusi po to akibrokšto, kai Arnoldas, galima sakyti, pagrobė mane. Kokia aš kvaiša.

Kaip nepagalvojau, kad Andrius, o ne tas, kuris pabrėžtinai mane vadino sesute, tarsi kaldamas į galvą, jog visi jo jausmai neperžengia užsibrėžtos ribos, kad būtent Arnoldo draugas kažkokiu stebuklingu būdu man miegant sugebėdavo patekti į kambario balkoną ir įkišti butelin raštelį.

Bet slenka dienos, ir Dievas mato, Andriui nei šilta, nei šalta. Nepasakiau savo telefono numerio? Betgi tas mažiukas mobilusis telefonas per skubėjimą nukeliavo į mano kelioninį krepšį, ir aš savęs daug sykių klausiau – kas jam trukdo paskambinti? Iš Arnoldo irgi jokios žinios.

Apleista ir užmiršta.

Niekieno.

Vien liūdnas mano šešėlis sutemus gula ant sienos, o aš kaip dvasia stoviu prie lango. Suprantu, koks tai kvailas laukimas, bet rymau stebėdama gatvę.

Prie stotelės būriuojasi žmonės. Jauna porelė susistabdo taksi. Be paliovos asfaltu šliaužia automobiliai, o vakarui įkritus į tamsą aiškiai girdžiu iš jų dundančią muziką ir begarsį jaunatvišką juoką. Jis varsto manyje atsivėrusią tuštumą, mano apgailėtiną vienatvės pasaulį.

Norisi ašaroti, bet tvardausi. Visada prisiekinėjau sau, kad esu stipri, tačiau tie prakeikti rašteliai it vėjas saują smėlio išpustė mano ramybę.

Andrius – aš tikrai norėčiau jį dar kartą pamatyti. Dažnai kartoju tą vardą mintyse ir tarytumei įsikalbu sau ligą, stipresnę už širdgėlą, kuri liko išsiskyrus su Vitoldu. Tačiau kartais tokia savitaiga atrodo niekam tikusi. Kaip ir aš, svaičiojanti apie didžiąją meilę, kuri iš tikro yra tik menka bangelė lygiame kaip veidrodis okeane. Suraibuliuoja ir nuslūgsta. Lieka vien rymojimas prie savo atvaizdo stikle. Beglobio žvėrelio, kuris beprotiškai ilgisi svaigių savaitgalių, po kurių guolis dvelkdavo meilės prakaitu...

Tądien apsiverkiau. Prisipažinsiu, susigraudinau nuo minties, kaip viskas bjauriai susiklostė, o aš pati per silpna ką nors pakeisti.

Stebėti saulėlydį pro buto langus darėsi nepakenčiama.

Nusprendžiau, kad šilto vakaro bruzdesys gali padėti man atitrūkti nuo tokio koktaus mintijimo. Tačiau ir žingsniuojant šaligatviu, ant kurio pro audros debesų plyšius krito vėlyvos saulės spinduliai, ilgesys nepaliko manęs. Mano suknelė vis dar buvo perregima pašaliniams žvilgsniams, bet man visai nerūpėjo gerklingų jaunuolių ir santūrių vyriškių rodomas dėmesys. Vaikštinėjau senamiesčio užkaboriais, ir tik prėskas dumblių kvapas, kylantis nuo upės krantinės, nuvijo mane į apytuštę kavinukę. Grojo tyli muzika. Aidėjo prislopinta šneka.

*

Vienas jaunuolis paklausė, kodėl aš tokia liūdna, tačiau nepamenu, ką atšoviau. Jis buvo apgirtęs nuo alaus, veido išraiška juokinga, tačiau spigino į mane akimis kaip apsėstas, ir ūmai nukaitau, pajutusi, kaip po krūtine kyla maudulys, toks stiprus, kad netyčia praliejau šlakelį kavos, o kai atskubėjo padavėjas su pašluoste, lyg niekur nieko užsisakiau vyno.

Nesupratau, kodėl mane apėmė vidinis drebulys. Tas spangtelėjęs jaunuolis ir toliau varstė mane akimis, tačiau žvilgsnyje nebuvo nieko, kas mus suartintų. Kai mažais gurkšneliais įveikiau vyno taurę, mano skruostai dar labiau įkaito. Tikriausiai nekaip atrodžiau – viena sau sėdinti kavinės kamputyje tarsi laukianti, kol tam girtėjančiam jaunuoliui atsiras daugiau drąsos. Nenorėjau, kad taip apie mane galvotų reti kavinės lankytojai, todėl, apmokėjusi sąskaitą, išslinkau į gatvę, kurioje pamažu įsiviešpatavo nakties šešėliai.

Po smarkios liūties grindinio akmenys žvilgėjo žibintų šviesoje lyg didžiulio vandens gyvūno žvynai. Sutrinksėdavo biržos tiltu pralekiantys automobiliai, ir aš svajingai prisimerkusi bandžiau įsivaizduoti viename iš jų sėdinčią save, šalia tokio vyro, prieš kurį mano geismas nebeatrodytų toks begėdiškas ar netgi nepadorus.

Praradusi laiko nuovoką, ėjau ryškiais lietaus pėdsakais, vydama mintį, kad tokius naktinius pasivaikščiojimus kai kurios mano draugės paniekinamai vadina vyrų medžiokle. Žengiau saugodamasi balų, kuriose suribuliuodavo gelsva mėnuliuko ostija. Lyg nuodėmės atšvaitas mano sieloje.

Nejaučiau, kad keturi litrai skysčio, vadinamo krauju, skalautų mano nervų masyvus. Tarytumei pavirtau būtybe be vardo ir atminties, turinčia tik kūną, pavergtą slapčiausių troškimų. Noras pajusti stiprias vyriškas rankas darėsi nenugalimas...

Tamsos skliautais nusirito griaustinis. Kaptelėjo pirmieji lietaus lašai. Mėnulio atspindys sutavaravo baloje ir išnyko. Stabtelėjau, kad išskleisčiau skėtį, o vėjas užplėšė suknelę virš kelių. Tariausi esanti viena tarp negyvų gatvės mūrų, lyg gyvybės lašas prasidėjusiame lietuje, tačiau klydau. Po tolimiausiu žibintu išniro žmogaus siluetas. Aukštas vyras, ilgus plaukus susirišęs į kasytę, žingsniavo gatvės pakraščiu, kaip berniūkštis šokčiodamas per balas ir juokingai mosuodamas ilgomis rankomis. Žibinto šviesoje jo odinis lietpaltis blyksėjo nuo vandens tarsi žalčio oda saulėje, o man vis nesisekė įveikti skėčio, jį vėjas lyg juokaudamas plėšė iš pirštų.

Niekas netrukdė man nepastebėtai smukti į skersgatvį ir taip išvengti susidūrimo su tuo naktiniu klajūnu, bet po skėčiu pavojaus nuojauta ūmai išnyko. Daugybė balsų man šnibždėjo: „Jau!..“ Ir aš žengiau garsiai kaukšėdama, visai nesukdama galvos, kad vėjo gūsiai mano gėlėtos suknelės klostes sklaido kaip nori.

Liko keli žingsniai, ir sugavęs mano žvilgsnį jis nusišypsojo. Mes prasilenkėme, ir aš iš apmaudo prikandau lūpą, bet tada išgirdau:

– Ei, mergaite!.. Gal ir tu pavėlavai į traukinį?

Atsigręžiau. Žmogus iš traukinio? Įdomu...

– Ne, aš gyvenu čia... Jau netoli iki namų.

Stovėjau po drakoniškai išlinkusiu žibintu, ir man pasirodė, kad nepažįstamojo akys slystelėjo mano nuogais keliais, juose tą pačią akimirką pajutau silpną virpčiojimą. Jis žengė artyn vis atvirai žiūrėdamas man į kojas, ir kai tikėjausi išgirsti banalų komplimentą, kurių magiška galia įtikėjus pradedamos pažintys, vyras žalčio oda kuo rimčiausiai pareiškė:

– Jūs pavogėte mano šešėlį! Žiūrėkite!.. – bedė pirštu į grindinį ir išskėtęs rankas apsisuko vietoje. – Na, matote?..

Spoksojau netikėdama – nuo jo šnarančio lietpalčio nekrito joks šešėlis, kai tuo tarpu maniškis su skėčio kupolu puikavosi po mūsų abiejų kojomis tarsi retro nuotraukos negatyvas. Negali būti...

Nesulaikiau juoko. Daug kuo galima apkaltinti merginą, besišlaistančią naktinėmis uostamiesčio gatvėmis – lengvabūdišku elgesiu, bernų gundymu, tačiau vagyste!

– Ateinu atsiimti!.. – ir jis vėjavaikiškai pristraksėjęs kaustytais batais užlipo ant manojo šešėlio. – Oi, sulamdysiu skėtį!.. A, atsargiai, šukuosena... – vis trypčiojo lyg ant žarijų. – O čia... hmmm, prašyčiau atleisti!

Ir po tokio demoniško šokio ant mano juodojo atvaizdo jis palindo po mano skėčiu. Palenkė galvą virš gilios suknelės iškirptės, jos dugne lyg baltos putos švietė liemenėlės nėriniai.

– Žinau, – tarė jis, – dabar jau žinau – mano šešėlis pasislėpė čia!

Vėjas iš kažkur atnešė lietaus prigesintų nuodėgulių kvapą. Atrodytų, tokį pat aitrų kaip pirmykščiais laikais, kai ir vyras, ir moteris buvo tik žmogiškos būtybės su gyvuliškomis juslėmis. Jo akys spindėjo, jį buvo apėmęs trisdešimtmečiams nebūdingas šėlsmas. Jam reikėjo nusigauti į Vilnių, bet apie pavėlavimą į traukinį kalbėjo be apmaudo. Pasirodo, jis – režisierius, teatre statąs diplominį spektaklį. Repeticija užtruko. Laiko atėmė ir kelios vyno taurės, ir štai jis gatvėje, po mano skėčiu, praradęs brangiausią turtą – šešėlį, savo geriausią vienatvės draugą.

Net ir tada, kai aš sutikau, kad mane palydėtų, neklausė mano vardo. Žengė atkakliai pamėgdžiodamas kiekvieną mano judesį. Ritmingus žingsnius kartais nustelbdavo mudviejų juokas. Pajutau, kad žaviuosi juo – keistuoliu, gyvenančiu pasaulyje, kur amžinai nutikdavo kažkas neįprasta. Norėjau, kad ir šįkart kas nors atsitiktų, pabodo juoktis. Paklausiau apie spektaklį. Apie ką jis?..

– Visi spektakliai apie meilę, – atsakė mano palydovas, – pro juoką arba pro ašaras. Apie meilę, kurios mes taip trokštame ir taip bijome... Apie meilę, kuri užklumpa taip netikėtai kaip ir šis lietus... Ir meilę, kurios nevaržo jokie šešėliai. O gal norite pamatyti?

– Spektaklį? – nustebau aš.

– Ne, tiesiog sceną, dekoracijas, kostiumus...

Mačiau, jis nesistengė manęs įkalbėti. Šypsojosi kaip vyras, kurio merginai nieko blogo negali nutikti. Kaip vyras, abejingas moteriškoms grožybėms, bet žalčio akimis skaitantis giliai pasąmonėje glūdinčius troškimus. Vienas jų – atsidurti aklinoje tamsoje šalia šiurkščiai šnarančios odos ir paminti ją po kojomis, kaip jis manąjį šešėlį. Tai supratęs, jis paėmė mano delną. Menkas prisilietimas, ir aš supratau pražuvusi.

Tylėdamas jis vedė mane siauromis gatvelėmis. Vis spartino žingsnį, tarytum bijodamas, kad bet kurioje tarpuvartėje mus gali užklupti geismas ir nuplėšti drovumo kaukes. Kartais patekdavome į tokią juodumą, kad lietpalčio žalvaris išnykdavo, girdėjau vien savo kvėpavimą ir lietų, dundenantį į skėtį.

– Atėjome...

Jis tebelaikė mane už rankos, o aš žiūrėjau į apgriuvusius laiptus ir tamsią arką virš jų. Įžvelgiau neryškų bareljefą sienoje – nuoga moteris ir vyras, aistra kibirkščiuojantys kūnai...

Mes pakilome laiptais ir pro duris patekome į švelnią kaip šilkas tamsą. Tokia tyla!.. Net kvapą užėmė. Lietpalčio šiurenimas nutolo, ir netrukus prožektoriaus spindulys nušvietė sceną. Akmeninė siena atrodė kaip tikra, o valdovo sostas suspindo raudonu brokatu. Vidury stovėjo stalas su amforiškomis vazomis ir taurėmis, o aplink jį stirksojo kėdės, tačiau aš panūdau išbandyti tą didžiulį krėslą.

– Taip ir maniau, – mąsliai nutęsė jis, suvokęs mano ketinimus. – Luktelk minutėlę.

Žalčio oda pradingo scenos užkulisiuose, ir jis grįžo nešinas ilga suknele plačiomis ir tarsi auksu siuvinėtomis rankovėmis. Jo žvilgsnis pervėrė mane kiaurai, kaip tas prožektorius scenos tamsą.

– Aš tavęs seniai ieškojau. Moters, kuri pavogtų mano šešėlį. Atnešiau tau karalienės rūbą... Atsistok, padėsiu užsivilkti.

– Tu nori, kad aš suvaidinčiau karalienę? – kažko sudunksėjo krūtinė.

– Tau nieko nereikia vaidinti. Tu tokia ir esi – karalienė, besimėgaujanti kiekviena trumpa nakties akimirka.

Toks žaidimas mane pakerėjo. Kitas pasaulis, kur aš – tarsi ne aš.

Karalienė...

Virpančiomis kojomis paliečiau grindis, o jis vienu vieninteliu nuolankaus tarno judesiu atitraukė gėlėtos suknelės užtrauktuką. Skubiai išslydau iš jos ir ištiesiau rankas į karališką apdarą, bet jo veidas tapo nepermaldaujamas.

– Liemenėlę... – išgirdau. – Nors ji ir be galo patraukli, bet slepia tikrąjį grožį.

Paklusau tam prikimusiam balsui. Visiškai priklausiau nuo jo valios, buvau tikra – taip atsitikdavo visoms šioje lietingoje žemėje gyvenusioms karalienėms.

– Toliau...

Likau be nieko. Tada jis padėjo man užsivilkti tą neįtikėtinai šiurkščią ir jaudinančią suknelę. Kiekvienas jo pirštų prisilietimas nudegindavo ugnimi. Jaučiausi nuogesnė nei pirma, ir nuo to žinojimo darėsi klaikiai gera. Jis uždėjo ranką ant boluojančio mano peties, ir kai atsisėdau į valdovės sostą, nugrimzdau į rūką, tarytum sapnuočiau atmerktomis akimis.

Jis išsinėrė iš odinio lietpalčio. Norėjau pasakyti, kur aš įsivaizdavau jo vietą, bet ir šįkart jam pakako pažvelgti man į akis. Lietpaltis išsiskleidė po mano pėdomis, kaip žmogus be sielos, miegantis ir nepabundantis nei prieš lietų, nei po lietaus...

Vėl pajutau jo tvirtus delnus. Jie glustelėjo prie mano blauzdų ir šiurpstančia oda nusliuogė žemyn. Ties kulkšnimis jo pirštai įgavo gyvatišką jėgą – ir viena, ir kita mano pėda atsidūrė prie sosto kojų ir buvo apmazgytos storomis scenos virvėmis, kokiomis kilnojamos dekoracijos.

„Aš, godi ir nepasotinama karalienė, ir mano riteris, klūpantis prie sosto..."

– Aš ne riteris, – jis ir vėl be vargo skaitė mano mintis, – neturiu nuo ko ginti tavo garbės. Aš – tarnas. Nuolankus jūsų didenybės tarnas, vaikščiojantis be šešėlio ir pildantis kiekvieną jūsų norą.

Jis padavė man sunkią žalvarinę taurę. Taip, joje buvo vyno... Troškau, kad jo saldumas svaigintų mane, kaip ir karališkos medžiagos šiurkštybė.

Keliais pajutau vėsą.

Alsavimą.

Ir vyno skonį. Po to šilumą... šilumą skleidžiančias lūpas. Savojo tarno, nesaugančio garbės ir atspėjusio norą. Užvaldė jaudinanti nuojauta, kad virpančia, kaistančia šlaunų oda slenkantys bučiniai, saulėje įšilusi gyvatės burna išvogs drėgmę ir neleis atsiduoti jam kitaip... Panirau į tamsą, kad suturėčiau išdavikišką alsulį ir švelnią bangą, kuri ėmė kankinti mano kilmingą kūną. Ir tarnas pasigailėjo savo karalienės. Neleido jai pernelyg greitai numirti.

– Tu vis dar įsitempusi. Argi ne dėl to norėjai vyno?

Pasakyti jam, ko labiausiai trokštu?

– Žinau, nieko nesakyk, – sušnibždėjo jis ir sukėlė mano karališką suknelę iki saulės nuauksinto liemens. – Tu nori, kad aš grožėčiausi tavimi...

Jis suėmė mano krūtis, ir aš lipte prilipau prie jo delnų, ištiesiau rankas. Džinsų saga buvo slidi ir kieta kaip mano krūtų smaigaliukai. Šarvai, pamaniau, mano išsigelbėjimą slepiantys šarvai. Abu laikėmės už sosto ranktūrių. Sėdintis ir palinkęs šešėlis. Nusvarinta ant peties galva ir toji kita, tarsi nukirsdinta, ant

91

banguojančios krūtinės. Ir kai pasirodė, kad laukimas tapo nebe-
pakenčiamas, o mano geismas amžinai pasiliks degti įsčiose, ta-
da kažkas akinamo, lyg žiedo pumpuras, sprogo mūsų akyse.

Jis įėjo į mane švelniai. Vienu siūbtelėjimu, tarytumei di-
džiulė žuvis, nerianti per krištolinio skaidrumo vandenis.

Vyriška jėga, taip ilgai ieškota ir laukta, pasiėmė mano kū-
ną. Kūną, iš kurio išskrido naktinė plaštakė ir, perkirtusi sidabri-
nes prožektoriaus virves, plasnojo scenos aukštybėse, iš kurių ka-
rališkas sostas buvo kaip ant delno...

Suskliaučiau skėtį.

Nebelijo.

Tolimas perkūno grūmojimas vis dar priminė traukinio ra-
tų dundėjimą. Gaila, jokio šešėlio nematyti. Patraukiau tuščia
gatve tolyn, po vienišu drakonišku žibintu palikdama savo šešėlį
ir slapčiausius troškimus, kurie netikėtai, tarsi lietus, atgaivina
kasdienybės nualintą vaizduotę.

Namuose prieš užmigdama nusišypsojau – tik pamanyk, ko-
kios erotinės fantazijos užklumpa gatvėje. Vyriškis žalčio akimis,
prisuokęs pasakų aistros apimtai panelei. Ir vėlei davusi vaizduo-
tei valią, nugrimzdau į sapną, kuriame, jei nebus lemta tapti
karaliene, tai bent, viliuosi, pasimėgausiu gatvės merginos laisve.

*

Buvo šeštadienis, beveik vidurdienis, o aš vis dar drybsojau lovo-
je. Bene pirmąkart manęs nekankino nakties nuovargis, kai vos
prabudus staiga topteldavo, kad grįžau į pasaulį, kuriame prara-
dau mylimąjį. Bandydavau užmigti, tačiau tik po ilgo vartymosi
ir dūsavimų užsnūsdavau, o prabudus – ir vėl tas pats.

Tačiau tą rytą jaučiausi žvali, ir jokia mintis apie laiminguo-
lį Vitoldą negraužė man širdies, rąžiausi guolyje it didžiausia
tinginė, kol nesubraškėjo rakinamos buto durys.

Mama, sumojau, ji visada mėgdavo atsirasti šeštadieniais, ir nepernelyg anksti, kad neužkluptų mūsų dar lovoje. Jai patikdavo pasikalbėti su Vitoldu ir kaskart pasigėrėti būsimo žento išprusimu ir gebėjimais bendrauti su tokio amžiaus moterimis kaip ji. Negana to, mama visai giminei buvo apsiskelbusi, kokia laiminga jos dukrelė, į tokį vyrą nusitaikiusi. Garbingos šeimos vienturtėlis, studijuojantis teisę. Būsimasis prokuroras ar advokatas, vos ne kunigas...

– Tai miegi, panele? – mama stovėjo ant miegamojo slenksčio ir žvelgė į mane su apmaudu. Už jos nugaros sublizgo Skaistės akinukai.

Abi atsivilko! Viskas aišku – jos žino, kad Vitoldas mane paliko.

– Tai su Vitoldu jau viskas? Teisybę žmonės šneka?

– Kokie žmonės?.. – lyg bandžiau gintis, tačiau mama, stebėdamasi mano naivumu, šūktelėjo:

– Aš žinau!.. Nereikia man aiškinti!

Pakilau iš patalo, susiradau chalatą. Miegamasis buvo baisiai sujauktas: kur papuolė mėtėsi drabužiai, stovėjo puodeliai su kavos tirščiais. Tingėjau tvarkytis, o kai savaitgaliais laukdavau grįžtančio Vitoldo, miegamasis atrodydavo nepriekaištingai.

– Tai išsiskyrėte? – lyg varpas gaudė mamos balsas. – Na, kur tau! Sakiau, argi aš tau nesakiau – ieškokis darbo, siek karjeros... Pamatė, kad nerimta, tai ir viso gero!

– Jis išėjo pas kitą.

– Pas kitą! Bet per tave, tu pati kalta, juk aš tau sakiau...

Prasprūdau tarp mamos ir akiniuotos pusseserės, godžiai gaudančios kiekvieną mano veido raumenėlio krustelėjimą. Žinau, laukė ašarų, o tada paleistų į darbą ir savo paplonintą liežuvį, kaip dera tiems, kurie giminėje laikomi protingiausiais iš visų. Užsidariau vonioje. Tegul geriau mama patyli. Ką ji pasakys, nesunkiai numanau. Aš kalta, aš, ir daugiau niekas. Vyrai gerų

93

moterų nepalieka. Netgi dėl kitos, turtingesnės ir įtakingesnės, kaip ir atsitiko.

Kliokiant vandeniui girdėjau, kaip jos pusbalsiu renka įrodymus, jog Vitoldas seniai čia nesirodo. Išėjusi iš vonios, kaktomuša susidūriau su Skaiste. Ji vyresnė už mane keleriais metais ir nuo vaikystės priprato žiūrėti į mane taip, kaip dabar – globėjiškai suraukusi antakius ir pro akinių viršų.

– Ko tau čia prireikė! Dink!.. – šnipštelėjau ir prieš pat jos nosį užtrenkiau miegamojo duris, tačiau tuoj jas atlapojo mama.

– Kaip tu šneki su Skaiste! – sužaibavo akimis. – Kad daugiau negirdėčiau!

O pusseserė su pasimėgavimu pridėjo:

– Tau, Monika, visada trūko kultūros. Dievaži, lyg ne iš inteligentiškos šeimos būtumei kilusi.

– Atsiknisk!

– Monika!

Perspėjantis mamos šūksnis nenugąsdino. Kai ji nori rodyti balsą, jos niekas nesustabdys. Nebent Skaistė, ji, kaip įdukra tėvų namuose, žavi juos uoliu bažnyčios lankymu ir gyvenimo prasmių išmanymu.

– Ką – Monika? – manyje budo visiškas atžarumas. – Man ir taip blogai, dar jūsų moralų betrūko! Na, paliko mane Vitoldas, išmovė pas kitą! O aš ką?.. Iš paskos turiu bėgti?

– Turi, dukrele, kur tu dingsi? Prašyk atleidimo ir susitaikyk!

– Atleidimo? Ar pamišai! Už ką?..

Iš to bejėgiškumo man kojos susipynė džinsų klešnėse. Nušokavau iki lovos ir prisėdau.

– Pasakiau aiškiai... Atsiprašyti ir taikytis.

Negalėjau patikėti – mama virpčiojo kaip drugio krečiama ir svilino mane akimis. Ji bijo ir pagalvoti, kad Vitoldas jau praeityje. Kad nebus šaunių vestuvių ir visuotinių laimės palinkėjimų. Kad negalės išdidžiai kaimynams ir pažįstamiems pareikšti – o mano dukrelė už teisininko ištekėjo!

– Juk kur tu dingsi be jo? – toliau mano ausis gręžė mamos spigčiojimas. – Kur?.. Manai, mes tave visą gyvenimą it kokią ponią išlaikysime? Sėdėsi mums ant sprando? Taip ir galvojau, kad su tavimi bus vargo.

– Turiu darbą, susiradau, – leptelėjau, – neverk.

– Susiradai? Cha, cha, cha, atsirado darbuotoja!

Mama pašaipiai, lyg jai būčiau visai svetima, kraipė galvą, o ir Skaistė išsišiepė. Štai tau ir krikščioniškas pakantumas, pagalvojau... Ir tuoj dingtelėjo kita mintis.

– Ot, ir susiradau. Nori tikėk, nori ne.

Tada ir užgiedojo pusseserė:

– Sprendžiant iš to, kokiems drabužiams teiki pirmenybę, tas darbas nelabai rimtas, tiesa?.. Ir Vitoldas, ar tik jis nebuvo įžeistas kaip draugas, aptikęs tave su kitu?

Ak, štai kur link viskas krypsta! Jų nuomone, tai mano įsivaizduojama neištikimybė ir buvo išsiskyrimo priežastis! Buvau priblokšta. Nuginkluota tokio absurdo. Ką čia bepridursi?

– Vitoldas išėjo pats, – kalbėjau pabrėždama kiekvieną žodį. – Jo niekas nevarė. Susirado turtingesnę ir vyresnę, kas čia dar jums neaišku?

*

Pareiškusi, kad noriu kavos, nuskubėjau į virtuvę. Mamai padėjau puodelį šalia savojo, Skaistei – ne. Tegu žino, kad čia mano namai ir neprivalau prieš ją lankstytis. Bet pusseserė jautėsi kaip namie. Stvėrė nuo lentynėlės puodelį, skirtą arbatai, įbėrė žiupsnelį kavos ir šaukštelį cukraus.

– Monika... – sužiuro ji į mane, – daug garbingiau suprasti

ir pripažinti savo klaidą, negu laukti, kol bus per vėlu. Mes ir pačios norėtume pakalbėti su Vitoldu. Išsiaiškinti viską ir jį nuraminti.

Mama išmintingai palingavo galva ir su viltimi paklausė:

– Kaip mums jį rasti? Koks jo telefonas?..

Ūmai pajutau, kad man niekas širdyje nebesuvirpa, kai girdžiu vardą, kurį anksčiau nešiojau lūpose ir tariau su meile. Tiek dienų gelbėjausi nuo to sukrėtimo ir nebeturiu jėgų įsileisti vidun nors ir mažytės vilties. Jis su kita, jis nė kiek manęs nebemyli...

– Nežinau... Nieko aš apie jį nežinau ir žinoti nenoriu!

– Bet dukrele, – dūsavo mama, – jūs taip negalite išsiskirti. Tiek išdraugavote ir, aišku, dėl kokio menkniekio susipykote. Vitoldas ne toks niekšas, kad imtų ir paliktų tave dėl kitos...

– Todėl, miela pussesere, – vėl įsikišo Skaistė, – turi pakeisti savo nusistatymą ir imtis to, kas padės ištaisyti klaidą, o ne atkakliai jos laikytis.

– Ji užsispyrusi kaip ožka, – pridėjo mama, – bet nieko, mes ją pakeisime.

Jei būčiau dar bent sekundėlę atlaikiusi jųdviejų žvilgsnių ataką, būčiau pratrūkusi verkti ir berti, kas iš pykčio šauna į galvą. Todėl nusigręžiau ir susilaukiau naujo mamos priekaišto:

– Aha, bijai ir į akis pažiūrėti!

Daugiau tokio spaudimo negalėjau atlaikyti. Mano kantrybė išseko. Savo nekaltumo man nelemta įrodyti, o kalta aš tik tiek, kad Vitoldui atidaviau gražiausius savo metus. Ir netgi nekaltybę...

– Monika, grįžk tuojau pat! – vijosi įsakmus mamos riksmas, bet aš įsmukau į miegamąjį ir užsirakinau duris. Nubraukiau ištryškusią ašarą. Lašelį skysčio, atsiradusį iš nepakeliamo maudulio po širdimi. Na, kodėl, kodėl mama tokia negailestinga? Paguostų, nuramintų, priglaustų prie krūtinės. Juk dukra esu, ne kokia pastumdėlė ar juolab paleistuvė, kuo, regis, mane laiko.

Skaistė priėjusi beldė savo kaulėtais krumpliais, bet aš nesiruošiau jos įsileisti. Nieko nenorėjau akyse matyti, nieko!

Tada išgirdau jos žingsnius prieškambaryje. Suklusau – ko ji taip ilgai nesijudina iš vietos? Kažkoks bilstelėjimas ir metalo čekštelėjimas. Mano rankinukas, sumojau, ji kiša savo vienuoliškus pirštus į rankinuką!

– Teta, nesijaudinkite, – pasigirdo prieškambaryje, – aš radau Vitoldo telefoną... Bent du numeriai čia užrašyti.

Toji bažnyčios pelė rado mano užrašų knygutę!

Apmirusi klausiausi jų prislopinto kuždesio virtuvėje. Pamiršusios mane, tariasi, nuo ko pradėti pokalbį su nelaiminguoju, apgautuoju Vitoldu, kad tik vėl sugrąžintų jam šventojo aureolę, o mane, pasukusią klystkeliais, stumtelėtų tiesiausiu keliu į aprūpintą ateitį.

Vienu akimoju atsirakinau duris.

– Mama! Jei skambinsi jam, aš... aš išeisiu iš namų, pamatysi!

Bet ji į mano rimtą grasinimą nekreipė dėmesio.

– Tik jau nemokyk manęs, ką daryti, – pasakė, – vėliau rankas kojas man bučiuosi.

Vos ne vos suturėdama verksmą puoliau krautis būtiniausių daiktų. Išeisiu! Nematau kitos išeities! Pro ašaras graibsčiau, kas po ranka papuolė. Viena suknelė, kita, megztukas, kosmetikos niekučiai... Šlaviau viską į kelioninį krepšį ir tik pabūgusi, kad bus pernelyg sunku tokį tampyti, paskubomis čirkštelėjau užtrauktuką.

Skaistė, vilkdama telefoną į virtuvę, pašaipiai nužvelgė mane. „Ardykis, kvailiuke, manai, pagąsdinsi?" – kalbėjo jos akinių stiklai.

– Mama! – perspėjau paskutinį sykį čiupdama rankinuką.

– Tu tik pabandyk man išeiti, tik pabandyk! Pasišakos ji man, su visais nusidavusi!.. Alio! Ponas Vitoldas?.. Oi, kaip malonu... Monikos mamytė jus trukdo... Oi, kaip malonu, kad atpažinote! Gal mes galėtume susitikti?.. Oi, kaip malonu girdėti...

Lipšnus mamos gražbyliavimas išnyko tuščioje laiptinėje. Leidausi žemyn rydama ašaras ir tik lauke, kai saulė spigtelėjo į akis nelyginant teatro prožektorius, netikėtai pajutau palengvėjimą. Seniai taip reikėjo – vienu kirčiu nukirsti tą bambagyslę, jungiančią mane su negyva pasaulio dalimi, kurioje viešpatauja matematika, o ne jausmai. Niekada nesutariau su mama, iš prigimties valdinga moterimi, – ji kas žingsnis patarinėjo, nurodinėjo, įsakinėjo ir auklėjo.

Nusibodo!

*

Aš suaugusi – tokia mintis mane užvaldė vos atsidūrus gatvėje. Nuo tos akimirkos, kai užtrenkiau duris, privalėsiu savimi pasirūpinti pati.

Nuvažiavau iki autobusų stoties ir bagažo saugojimo skyriuje palikau savo krepšį.

Senamiestyje užėjau į aukso supirktuvę ir nedvejodama nusimausčiau žiedelius, nusiėmiau grandinėlę – po minutės jau turėjau pakankamai pinigų, kad pilvas neurgztų iš alkio. Sukrimtau porą prancūziškų bandelių su puoduku pieno. Kava pasivaišinsiu, kai užsuksiu pas kokią draugę.

Silva?.. Net jei negriežtų ant manęs danties, ji menkai paguostų, supratusi, į kokią nepavydėtiną padėtį papuoliau.

Prisėdau parke ant suoliuko. Nežinau, kiek laiko prarymojau laužydama galvą, ko stvertis, ir tik temstant vėl nusigavau į stotį pasiieškoti krepšyje šiltesnio drabužio nakčiai.

Savo drauges galėjau ant vienos rankos pirštų suskaičiuoti, ir kai ėmiau joms skambinti, visur atsimušdavau kaip į sieną. Viena išvažiavusi, kita kažkur mieste, trečia nekelia ragelio.

Palauksiu. Ką nors sugalvosiu, trūks plyš taip lengvai nepasiduosiu.

Krepšį su daiktais pasiėmiau iš bagažo saugojimo skyriaus prieš pat jį uždarant. Laiko marios, todėl sėdėdama laukiamojoje salėje kiek pasidažiau lūpas, brūkštelėjau šukomis per plaukus. Kai įnikau versti visą savo paskubomis sugrobtą turtą, pirštais apčiuopiau mobilųjį telefoną. Laimė, baterijos dar rodė gyvybės brūkšnelius. Slapta vildamasi, kad sulauksiu Arnoldo, o gal net Andriaus skambučio, nepatingėdavau diena iš dienos įjungti telefono akumuliatorių į elektros tinklą.

Šit ir Arnoldo numeris įsižiebė ekranėlyje, tačiau ryžtas išblėso. O gal jo seniai nė kvapo Palangoje? Be to, ką aš pasakysiu? Pasirodysiu kaip paskutinė lengvabūdė. Bet... Ką jis ten minėjo dėl darbo? Turbūt nejuokavo? Išvažiuoti iš Klaipėdos, išnykti iš to miesto, kur viešpatauja motinos valia? Būtų geriausias sprendimas!

Ir spustelėjau iškvietimo mygtuką. Ilgas signalas. Na na.

– Labas vakaras...

– O, Monyka, mano sesute, – pasigirdo ragelyje, ir mano širdis džiugiai šoktelėjo – nepamiršo, pažino vos prakalbus.

– Monika aš, Arnoldai. Kada gi pagaliau tu išmoksi normaliai tarti mano vardą?

– Ak, atleisk!.. Kur tu dabar esi?

– Klaipėdoje.

– Norėčiau pamatyti tave, bet, deja, su Andriumi jau sėdime Maskvoje.

Maskvoje?.. Mano apmaudui nebuvo ribų.

– Gaila, – tariau. – Žinai, dėl ko skambinu? Dėl darbo. Pameni, minėjai, kad yra galimybė man padirbėti kažkokioje firmoje. Nejuokavai?

– Ne, ne! – praplyšo ragelis. – Puiku! Nuostabu! Tu tikra šaunuolė!.. Rimtai apsisprendei?

– Rimtų rimčiausiai. Galėčiau nors ir šiandien pat pradėti.

– Kaip įdomu! Pala, ką čia sugalvojus?

Įsivyravo tyla, ir kai mane nusmelkė mintis, kad jinai nieko gero nelemia, pasigirdo:

– Alio... Monyka, klausyk, aš tau atsiųsiu savo žmogų, jis sutvarkys visus kelionės dokumentus, ir poryt, kai jau turėsi vizą, lėktuvu į Maskvą... Gerai? Alio, ko tyli?

Aš karštligiškai svarsčiau. Netikėtas posūkis, bet, matyt, Arnoldas iš to pasaulio, kuriame tokie reikalai tvarkomi vienu atsikvėpimu. Raudonio išpiltas mamos veidas ir šaltai blykčiojantys pusseserės akiniai. Mamos juokas ir neslepiama Skaistės pašaipėlė. Ne, nenorėčiau vėl tokios akistatos. Ir Vitoldas, ką jis dar ten joms prišnekėjo? Tegu jie visi eina nuo mano galvos!

Bet visa tai buvo niekai palyginti su mano troškimu vėl išvysti Andrių. Be galo troškau jį pamatyti...

– Aš sutinku, girdi, Arnoldai, – sutinku...

– Puikumėlis! Kur mano žmogus gali tave surasti? Kokiu adresu?

– Aš... aš būsiu autobusų stotyje.

– Kodėl stotyje? Namuose palauk...

– Aš išėjau iš namų. Taip reikėjo. Sėdžiu dabar stoties laukiamajam.

– Tikrai? Tada... tada būk ten, girdi? Niekur neik, mano žmogus kiek galima greičiau privažiuos ir viskuo pasirūpins, sutarėme?

– Aha.

Pokalbis buvo baigtas, o širdis daužėsi taip, lyg būtų atsitikę kažkas nepataisomo. Maskva... Platūs prospektai, nenutrūkstantis mašinų srautas, milijonų žmogeliukų skruzdėlynas. O gal niekam tikusi idėja? Kokia iš manęs sekretorė? Bet ką aš prarandu? Visada galėsiu nusipirkti bilietą į traukinį „Maskva–Kaliningradas" – ir vėl namie, vėl po mamos padu.

*

Stoties keleivių salė vis labiau tuštėjo. Jauna mergaičiukė nuo prekystalio nusirinko knygas. Nepastebėjau, kada dingo vaikinukas, pardavinėjęs muzikos įrašus. Artėjo naktis, o Arnoldo žmogus vis nesirodė. Surinkau jo numerį dar kartą ir sulaukiau paaiškinimo, kad nesiseka jo nutverti, matyt, prie jūros, betgi nemiegos ten, turi grįžti į poilsio namus...

Menka paguoda, ypač kai stoties duris pradėjo varstyti įtartinos išvaizdos piliečiai. Vienas net išdrįso manęs lito paprašyti, o jo draugužė, ne mažiau nuo alkoholio paburkusiu veidu, stebeilijosi į mano auskarus, lyg dvejodama, lupti juos iš ausų dabar ar luktelti, kol aš užsnūsiu ant suolo, kaip kad ramiai už mano nugaros svirpė vienas nuvargusios išvaizdos tipelis.

Lengviau atsidusau, kai valkataujanti porelė garsiai viens kitą pertardami, tarsi tęsdami niekada nesibaigiantį ginčą, išsinešdino iš salės.

Po valandėlės vėl pasigirdo balsai. Jauni ir įžūlūs. Vos užmetusi akį, nusukau veidą nuo sportiniais kostiumais vilkinčių skustagalvių. Jų buvo trys, visi gerokai įkaušę. Jie beregint aptiko mane, tūnančią ant suolo, ir nesidrovėdami ėmė aptarinėti mano išvaizdą. Krūtys, kojos, liemuo... Kalbėjo taip, lyg būčiau stoties kekšė ir keltų mano kainą, nors nesiruošė mokėti.

– Ei, mergaite, kuo tu vardu? – paklausė kažkuris.

101

Apsimečiau, kad neišgirdau. Širdis į kulnus nusirito, kai prislinko arčiau. Vienas iš jų, gliaudantis saulėgrąžas, klestelėjo greta manęs. Alkoholio dvokas užėmė man kvapą. O kitas, bene mažiausias ir, kaip spėjau pastebėti, atsikišusiais kaip japono skruostikauliais bei itin akiplėšiško veido, užsirūkė lyg savo kambaryje. Trečiasis, ne ką jaunesnis už kitus, susikišęs rankas į kišenes ir nutaisęs nugalėtojo pozą, paklausė:

– Tai ką veiksime, pupa? Draugausi su mumis?

– Nėra ko galvoti, – tarė kitas, spjaudantis saulėgrąžų lukštus. – Eime pas mus *ant ploto*. Muzikos pasiklausysi, išgersime ko nors... – ir deda man ranką ant šlaunies, aptakiausios vietos ieško.

– Patrauk savo nagus! – pralemenau.

Mano baimingas mykimas juos tik padrąsino. Nusijuokė viens per kitą, o tas neūžauga plėšriu snukeliu stvėrė man už rankos sakydamas:

– Ką čia su ja kalbėtis! Tempiam į mašiną, ir viskas!

Plykstelėjau iš pykčio, pabandžiau ištraukti ranką iš stiprių gniaužtų, tačiau tokios pastangos sukėlė tik arklišką jų juoką. Kitas, šveitęs šalin saujelę saulėgrąžų, kibiomis rankomis pačiupo už liemens. Amen, prapuolusi...

– Paleiskite, – maldavau, – na, būkite geri!..

Tačiau jie pasikikendami plėšė mane nuo suolo, mažiukas nieko nelaukęs jau grybštelėjo už krūtinės, ir tada per visą salę nuaidėjo:

– Palikite ją ramybėje!

Jie sutrikę atsitraukė ir ėmė dairytis, iš kur pasigirdo tas grėsmingas šūksnis. Nieko nelaukusi sprukau kuo toliau nuo apgirtusių ir aukos ieškančių skustagalvių. Spėjau stoties gilumoje pastebėti savo išgelbėtojo siluetą ir jo link skubančią trijulę.

Dieve, tie skustagalviai prilups mano užtarėją, reikia ką nors daryti!

Aikštelėje prie stoties išvydau kelis taksi automobilius. Puoliau prie vienos, prie kitos mašinos, sakydama, kad ten, keleivių salėje, muša žmogų, padėkite! Tačiau taksistai abejingai atrėždavo, kad tai ne jų reikalas. Skambink į policiją, telefono aparatas anava, už spaudos kiosko. Apmaudžiausia, kad neturėjau telefono kortelės, o mobilusis liko gulėti kelioniniame krepšyje, todėl visai sutrikau nebesumodama, ko stvertis.

Betgi turi kur nors netoliese būti policininkas! Juk stotis – gana judri ir nerami vieta naktį. Tačiau kad ir kiek žvalgiausi, prieš mano akis plytėjo nyki tuštuma. Dūzgė gatvės šviestuvai ir tyliai marmėjo radijo stoties muzika iš taksi automobilių.

*

Trinktelėjus stoties durims, mečiausi arčiau taksistų. Jei kas, šauksiu...

Tie patys!

Ketinau šmurkštelti į kurio nors taksi automobilio vidų, tačiau pasirodę skustagalviai visiškai nekreipė į mane dėmesio. Jie kiek pabėgėjo ir, tarsi netekę nuovokos, sustojo. Pasigirdo keiksmai. Mačiau, kaip tas neūžauga laikėsi už savo išsišovusių skruostikaulių, o kitas, kuris graibė mane rankomis ir taip skaudžiai stvarstė liemenį, drikiai nusispjovė. Parėkalojo ir dingo man iš akių.

Prilupo, primušė, o gal net visai...

Kračiausi tokios minties, tačiau šiurpus vaizdas – mano išgelbėtojas, gulintis kraujo klane, – stovėjo akyse.

Varstoma nerimo, nuskubėjau stoties keleivių salės link ir vos prisiartinusi išvydau lauke stovintį vaikiną. Prie jo kojų pūpsojo mano kelioninis krepšys. Jis knebinėjo savo rankinio laikrodžio apyrankę, ji, matyt, muštynių metu buvo sugadinta. Pasigirdus nedrąsiems mano žingsniams jis sužiuro į mane:

– Jūs Monika, juk taip? Aš nuo Arnoldo.

Neįstengiau atplėšti akių nuo savo išgelbėtojo veido, jis pasirodė matytas. Netgi labai... Ir staiga lyg koks žaibas perskrodė mano sąmonę.

– Tai jūs!.. Tas pats niekšelis, kuris pabėgo iš baro nesumokėjęs! Sakysite, nepamenate manęs?

Manyje prabudo visa nuoskauda, patirta tą nelemtą vakarą Palangoje, kai išgyvenau tokią gėdą, toookią, kad nors skradžiai žemėn prasmek! Ir nieko nebejaučiau – nei dėkingumo, nei susižavėjimo savo išgelbėtoju – jis panarino galvą ir apsimetė, kad labiausiai jam rūpi tabaluojantis laikrodis ir iš prakirstos lūpos besisunkiantis kraujas.

– Na, kas buvo, tas buvo, – sumykė jis. – Taip išėjo, ką čia bepakeisi?.. Na, neturėjau aš tada pinigų. Nori pasakyti, kad tau taip nebūna?

Koks įžūlumas! Sulygino!

– Niekšas, – griežiau dantimis, – nenoriu tavęs akyse matyti!

O jis lyg pasipiktinęs dėbtelėjo:

– Na nieko sau! Juk aš tave ištraukiau iš tų banditų nagų! Va, mano laikrodį sugadino ir į snukį spėjo užmesti, o tu – nenoriu matyti! Taigi lygu – vienas vienas...

Jis netgi mėgino nusišypsoti, bet sukruvinta lūpa beregint sutino, ir jo veidą iškreipė apgailėtina grimasa. Nieko jis nesupranta, nieko!.. Net neįsivaizduoja, ką man teko išgyventi!

Tačiau nebesijaučiau tokia pažeminta kaip tada, ir jo išvaizda kėlė vien užuojautą. Pagaliau – jis Arnoldo žmogus, ir toks sutapimas man išėjo tik į gera.

– Aš tau grąžinsiu tuos pinigus, – tarė jis. – Kiek ten sumokėjai?

– Tiek to, pamirškime, – atlyžau aš. – Tie bernai mane gerokai išgąsdino, ir jei ne tu, nežinau, kaip būtų pasibaigę.

Jis priminė savo vardą: Tomas. Mes nuėjome prie automobilio, ir aš nustebau, kad tai tas pats prabangus mersedesas, vežiojęs po Palangą.

– Arno mašina, su ja jis važinėjasi Lietuvoje, – paaiškino, – o aš tvarkau jo smulkius reikaliukus, tokius kaip šį vakarą. Dar šunį jo prižiūriu. Užkniso. Dukart per dieną vesk pasivaikščioti... O tave aš privalau apgyvendinti ir pasirūpinti, kad poryt iš pat ryto išskristumei į Maskvą. Seniai tu pažįstama su Arnu?

– Seniai.

– Tada... kaip čia pasakius, nieko nesakyk dėl tos neapmokėtos sąskaitos bare, gerai? Ir dėl muštynių. Jam nepatiks, jei apie tai papasakosi.

Linktelėjau. Man lengviau tylėti, nei leistis į tuščias šnekas. Kas buvo, tas buvo...

*

Paprašiau, kad Tomas prasuktų pro mano namus, ir kai mes prašvilpėme gatve, pastebėjau bute degant šviesą, o prie laiptinės – Vitoldo automobilį.

Še tau, kad nori! Atvažiavo! Prisistatė gražuolėlis. Na dabar mama suplukusi meiliausiais žodeliais speičia mano buvusią meilę į kampą, kol šis sutiks dar kartą lipdyti tai, kas nebepataisoma. Nieko jam nebejaučiu ir nė kiek nenoriu atsidurti tarp niekingų, nesuprantančių manęs žmonių. Prasideda naujas gyvenimo etapas.

Įsukus į Palangos plentą man magėjo iškvosti Tomą, ką jis žino apie mūsų abiejų darbdavį, tačiau pasakiusi, kad jį seniai pažįstu, pati sau užkirtau kelią. Jis vairavo atsainiai, lyg tai būtų jo automobilis. Vengė žvilgsnių susidūrimo. Gal mintyse keikė save, kad tame bare pasielgė kaip tikras sukčius, ir bijojo tokią nuostatą išskaityti mano akyse.

Asfaltas atspindėjo mersedeso šviesas, ir man atrodė, kad lekiame juodu ledu. Pro debesų properšas retkarčiais pasirodydavo žvaigždės. Vėsi naktis, bet jei žvaigždėta, didelė tikimybė, kad rytas išauš saulėtas. „Jūra ir smėlis, – užsisvajojau aš palaimingai kiūtodama ant didžiulės sėdynės, – kas gali būti geriau po tokios košmariškos dienos...“

– Monika... Prabusk, jau atvykome.

Nustebusi apsidairiau, iš kur tas švelnus balsas braunasi į saldų mano snūduriavimą. Aha, Tomas, o pro mersedeso stiklą matyti pažįstamų poilsio namų įėjimas.

– Arnoldas sakė, kad tavo kambariai kažkur trečiame aukšte, aš tau padėsiu surasti.

– Žinau, aš pati...

Tomas išlipo, atidarė automobilio bagažinę ir iškėlė mano kelioninį krepšį.

Administratorius pasisveikino su manim itin maloniai. Nepamiršo.

Tomas tylėdamas užnešė laiptais mano mantą, ir kai aš rakinau duris, nesitraukė, bandė užmegzti tarsi visai nekaltą pokalbį. Tačiau aš paskubėjau jam pasakyti labanakt, o jis įžūliai pareiškė, kad neturi kur galvos priglausti. Kad ir ant grindų, bent porą valandų snūstelti...

– Miegok mersedese, – nesutrikau. – O ką?.. Patogios sėdynės, grynas oras.

– Monika, nevaidink mažos mergaitės, gerai? Juk esame suaugę. Arnas nieko nesužinos, prisiekiu...

Mano veidą išpylė tamsus raudonis. Nejaugi jis mane laiko viena iš Arnoldo meilužių, kaip toji Viktorija iš Rygos...

– Luktelk, aš paskambinsiu jam, nes, matau, kitaip man nepavyks tavęs atsikratyti.

– Tu ką, – tyliai prašvokštė jis, – juokų nesupranti!.. Aš tik šiaip, bandydamas tave. Rytoj pasimatysime.

Įžengus į tamsų kambarį, mane apėmė nuostabus jausmas, tarsi aplink būtų virpėjęs oras. Rašteliai, tie vyriška ranka išraityti žodžiai vėl suplūdo man į širdį, ir, vos akys apsiprato su tamsa, nusigavau iki balkono. Bent paglostyti butelį, per laiko bangas atplukdžiusį mano iškankintai sielai tikėjimą, kad meilės netektis neišvengiamai artina naujo jausmo atsiradimą...

Butelis tebeglūdėjo balkono kampe. Jo žalsvas stiklas sugavo mano šešėlį, užstojusį blankią šviesą, kurią skleidė po balkonu rymantis žibintas. Pasilenkiau ir vos neaiktelėjau. Butelio gelmėje kažkas bolavo. Raštelis!

„Labai susikrimtau, kai tavęs neliko... Rašau labiau iš nevilties, nei tikėdamas, kad būsiu išgirstas. Tavo grakšti eisena jau pergalingai įžengė į mano neramius sapnus ir pasiliko ten. Dažnai įsivaizduoju, kad tu miegi šalia manęs, o už lango čiulba prabudę paukščiai. Girdžiu tavo alsavimą. Gėriuosi tavimi. Lyg nežemiškos gėlės pumpuras spindi tavo veidas. Laukiu to stebuklo, kada prabusi, kada išsiskleis tavo grožis. Ir taip kiekvieną rytą...

Sunku suvokti, kad net slapčia nebeišvysiu tavęs, o šį raštelį gali perskaityti kas nors kitas.

Pykstu ant savęs, kad buvau toks neryžtingas, bet aš tave surasiu, kaip ten bebūtų, aš rasiu tave...“

Andrius... Dieve, kaip gera, kad dar liko šiame pasaulyje nors viena artima siela...

*

Sidabrinis lėktuvo sparnas paniro į debesų maršką. Už iliuminatoriaus stojo pilkšva migla. Štai ir po viso debesų grožio, nusivyliau. Kai boingas iš Vilniaus oro uosto šovė aukštyn, danguje nebuvo nė debesėlio, ir mažėjantys miesto pastatai, tarsi pikto burtininko paversti žaislinėmis kaladėlėmis, mane be galo nugąsdino.

Pirmas mano skrydis – truputį nerimavau. Tačiau visą valandą iliuminatoriaus ovalas spindėjo tokia žydryne, kad aš nurimau. Galbūt padėjo ir stiuardesės įsiūlytas šampano šlakelis plastmasinėje taurėje.

O virš Maskvos karojo juosvas dangus. Lėktuvui pakibus po juo, išvydau miškingą vietovę, išraižytą vandens siūlelių ir keliukų, jie neatrodė tokie paslaptingi kaip žemiškoje tikrovėje. Kiek tolėliau plytėjo kolektyvinių sodų sklypai su mikroskopinio dydžio nameliukais.

Lėktuvas, apsukęs didžiulį ratą, ėmė leistis. Įsitempiau kaip katė, metama iš penkto aukšto. Akyse lyg trūkinėjanti filmo juosta ėmė slinkti šiurpūs aviakatastrofų vaizdai, matyti televizoriaus ekrane ir laikraščių puslapiuose. Kažkur girdėjau ar skaičiau, nepamenu, kad lėktuvai dažniausiai dūžta kildami arba leisdamiesi. Varikliai sustoja, važiuoklė neišsiskleidžia. Ausis užėmė įkyrus spengimas. Pro nosį kvėpuoti ar pro burną?..

Stengiausi nežiūrėti pro iliuminatorių. Susmukau krėsle, regis, tai truko amžinybę. Pagaliau lėktuvą krestelėjo nestiprus smūgis ir pasigirdo galingas stabdymo gausmas. Keleiviai pamažu ėmė rankiotis daiktus. Jų abejingos minos mane visiškai nuramino. Pagaliau Maskvoje...

Arnoldas mane pažino ne iš karto. Jis minutėlę spoksojo į mano ilgą, kulkšnis siekiančią suknelę. Ir plaukai nebevilnijo pečiais it laumės, o buvo susukti į griežtą kuodą, kaip kad, pamenu, mūsų matematikos mokytoja mėgdavo nešioti. Norėjau atrodyti dalykiška, o ne kokia lengvabūdė trumpu sijonėliu. Ir tik mano šypsena tarsi prikėlė jį iš numirusiųjų:

– Monyka!.. Kaip malonu! Labas, sesute!

Jis tikrai nuoširdžiai džiaugėsi mane matydamas milžiniškoje oro uosto salėje, o ir manyje prabudo tas šiltas jausmas, kai netikėtai susitinki gerą pažįstamą. Jis pabučiavo mane į skruostą, ir taip natūraliai, lyg iš tikro būčiau sesuo.

– Na, kaip kelionė? – teiravosi jis. – Pirmą kartą skridai? Kaip įdomu!.. O aš kartais savaitėmis vien iš lėktuvo į lėktuvą – toks darbas.

Arnoldas vilkėjo juodu brangios medžiagos kostiumu. Jam labai tiko pilkas, plieno atspalvio kaklaryšis, papuoštas deimantiniu smeigtuku. Akinantys balti marškiniai ir blizgantys pusbačiai. Atrodė lyg tikras užsienietis margaspalvėje keleivių minioje. Be paliovos šypsojosi, ir jei kas būtų paprašęs paaiškinti, kas per daiktas toji euforija, nedvejodama būčiau dūrusi pirštu į švytintį Arnoldo veidą.

Mes prisėdome prie laisvo staliuko oro uosto kavinėje. Aplink vaikštinėjo keleivių minios, skambėjo rusiška šneka, ir aš laikiausi akimis įsikibusi Arnoldo, lyg bijodama, kad tas didmiesčio žmonių srautas neįsiurbtų manęs ir nenusineštų kažkur į čia pat plytintį milžinišką miestą.

Naujutėlis juodas kaip degutas Arnoldo visureigis atrodė ne mažiau įspūdingai nei mersedesas. Jis paslaugiai tempė mano kelioninį krepšį, o aš glėbyje nešiausi polietileninį paketą.

– Duok, – tiesė ranką į jį, kai krepšys atsidūrė džipo bagažinėje, – čia dar yra vietos.

– Ne, aš jį palaikysiu ant kelių. Gali sudužti.

– Sudužti? O kas čia per daiktas?

– Butelis. Tuščias butelis nuo vyno.

– Tuščias? Kaip įdomu!

Jis metė į mane atsainų žvilgsnį ir atidarė man mašinos dureles. Įsiropščiau laikydama glėbyje Palangos šventenybę, kuri Arnoldui, kaip ir maniau, nesukėlė jokio prisiminimo.

Ne jo išpuoselėtų rankų pirštai vedžiojo man mielus žodžius.

Pajudėjus nuo Šeremetjevo oro uosto, pagalvojau, kad užmegzti pokalbį derėtų nuo mūsų bendrų pažįstamų, ir, nors troškau ką nors sužinoti apie Andrių, paklausiau:

– Kaip gyvena Viktorija?

– Kokia Viktorija?

Visa jo povyza ir mina bylojo, kad nepamena tokios.

– Na, toji manekenė iš Rygos...

– A... šita, jau ir pamiršau. Kiek tokių buvo!

Pastebėjau jo akyse abejingumą, tačiau mane pervėrė negera nuojauta. Arnoldas nepataisomas mergišius, ir aš ar tik ne dėl tos priežasties buvau pakviesta į Maskvą? Ir jis pats, tarsi pajutęs mano įtarinėjimus, žodis po žodžio ėmė griauti nepasitikėjimo sieną.

Skriejant miesto link, paklausė manęs, ar aš turiu vairuotojo pažymėjimą. Atsakiau, kad ne, bijau ir įsivaizduoti, kaip atrodyčiau prie vairo. Pasirodo, nuo to išnuomoto buto iki Arnoldo kontoros yra geras kelio galas, tad teks važinėti metro. Pamažu išsiaiškino, ar turiu įgūdžių dirbti kompiuteriu, ar moku naudotis faksimiliniu aparatu.

– Nieko, – ramino jis, – pramoksi. Svarbu, kad su anglų kalba susitvarkai. Supranti, Monyka, galima ir Maskvoje rasti neblogą specialistę, tačiau lietuvė geriau. Ir prie širdies, kaip sakoma, ir saugiau. Tu neįsivaizduoji, kiek konkurentų čia turime!.. Ir visi jie mėgsta pasiklausyti telefoninių pokalbių. Daug privačių firmų teikia tokias paslaugas. Žinoma, neoficialiai. O kai nurodymus imsiu dalinti lietuviškai, nagus nusigrauš, kol išsiaiškins, apie ką sukasi kalba.

Pasiteiravau, kas per darbas laukia manęs.

– Vykdyti nurodymus, – šypsojosi jis ir, pats suvokęs, kad tai skamba labai abstrakčiai, patikslino: – Kilnosi telefono ragelį, vaizduosime labai solidžią firmą, suvesi visus finansinius duomenis į kompiuterį, o dabar mėtosi visokie svarbūs popieriukai ant stalo ir po stalu. Tvarkos nėra. Ir apskritai biure bent vienas iš mūsų turi sėdėti nuo pat ryto, maža kas kokį bizniuką pasiūlys.

Klausiausi, o galvoje vis toji pati tuštuma.

– Tai kuo užsiima tavo firma?

– Viskuo. Lendame visur, kur galima uždirbti pinigus. Didelius pinigus. Iš pradžių tau mokėsime porą tūkstančių per mėnesį, neblogai?

„Na, pora tūkstančių litų neblogai, – greitomis sumečiau, – tačiau, kiek girdėjau, Maskvoje gyventi labai brangu." O Arnoldas, tirdamas mano reakciją ir neišskaitydamas veide džiugesio, tarstelėjo:

– Ne litų, o dolerių. Du tūkstančiai dolerių.

Žioptelėjau. Tai jau šis tas! Tačiau suskambo pavojaus varpas – ne už ačiū gi, dar neaišku į kokius reikalus teks įsivelti.

– Be to, – tęsė Arnoldas, – mes tau mokėsime už butą ir visokius ten patarnavimus. Tik maistu pati pasirūpinsi, bet kiek čia tau reikia, – metė žvilgsnį į mano figūrą, – plona kaip Coliukė, poros grūdelių per dieną bus gana.

*

Džipas pralėkė tiltu virš Maskvos žiedinės trasos. Čia prasidėjo platus prospektas.

– Va čia tau ir išnuomojome butelį. Du kambariai, suremontuotas, tiesa, ne visus baldus spėjome sustatyti. Paskambinsiu į kokią nors firmą, per vakarą surinks ir pagal tavo skonį sustumdys.

– O jūs kur gyvenate? Toli nuo manęs?

– Ne, visai arti, tačiau, – jis pritilo tarsi patvirtindamas man kilusius nuogąstavimus, – tau geriau nežinoti. Taip saugiau. Tokia ta Maskva – šiandien viršūnėje, rytoj dugne.

Man buvo keista, kad Arnoldas nieko neklausinėja, kodėl aš palikau namus. Matyt, jo pasaulyje įprasti kategoriški sprendimai, ir jis pats sukasi tarp žmonių, kurie be jokių skrupulų tvarko savo gyvenimą. Turtingą gyvenimą. Arnoldas spinduliavo orumu. Žiedas su briliantu, masyvus auksinis laikrodis, elegantiški drabužiai ir gražuoliuko veidas – tai tik detalės. Pati turtuolio laikysena žadina moterims norą gultis į lovą. Aš sudrebėjau nuo minties: o jei iš tikro man skirtas sugulovės vaidmuo?

Visureigis sustojo prie senoviško stalininės architektūros pastato. Pakilome į trečią aukštą, ir Arnoldas, atrakinęs duris, iškart įteikė raktą man:

– Tavo naujieji namai. Sveika atvykusi dar kartą.

Nedrąsiai pravėriau duris. Blizgantis parketas ir neišpakuoti baldai pasieniais. Pro aukštus kaip ir lubos langus plūdo ryto šviesa. Žingsniai sukėlė spiečių auksinių dulkių.

– Mažai laiko turėjau, – teisinosi Arnoldas sekdamas paskui, – vieną dieną, vos spėjau butą surasti ir šiokius tokius baldus užsakyti.

Bet jis pernelyg kuklinosi – virtuvėje dūzgė šaldytuvas, kūpsojo virtuvinės spintelės ir stalas, o pravėrusi duris į kitą kambarį išvydau puikiai įrengtą miegamąjį. Plati lova dunksojo po jaguaro kailį imituojančiu apklotu. Virš jos kabojo modernus lengvos konstrukcijos šviestuvas, primenantis laivo griaučius. Žingsnius sugėrė minkštas kilimas. Kambarys skendėjo prietemoje, nes avietinės spalvos užuolaidos buvo užtrauktos. Prie pat lango stovėjo veidrodis, sakyčiau, labai patogus, nes jame matei save visu ūgiu, be vargo galėjai pastebėti, dera vienokie ar kitokie bateliai prie suknelės ar kostiumėlio. Taip, sukneles teks pamiršti, ir gaila, kad tik vieną klasikinio kirpimo kostiumėlį užgyvenau iki šios akimirkos...

– Kaip?.. – išgirdau Arnoldo balsą už nugaros. – Visai nieko, tiesa? Gyventi galima.

– Dar klausi!..

Pasitraukiau kiek toliau nuo veidrodžio, tam, kad matyčiau Arnoldo atvaizdą, tūnantį netvarioje kambario šviesoje. Ūmai tapau budri. Pernelyg tylutėliai jis įsėlino į kambarį, pernelyg...

Skųsdamasis nuovargiu Arnoldas prisėdo ant lovos krašto, vienu judesiu prasisagstė švarką. Laukiau kito negudraus judesio – šit ištiesia rankas ir ima kalbėti, kaip aš jam patinku: kojos, figūra ir visa kita. Bet delsia, o aš niekaip neišsivaduoju iš stingulio, nesumoju, kokiais žodžiais nutraukti nemalonią tylą. Galimas daiktas, savimi pasitikintis vertelga prisimena moteris, kurias laikė savo glėbyje, ir atvirtęs guolyje pro akių plyšelius lygina mane su jomis.

– Eikš arčiau, Monyka. Noriu tau pasakyti vieną dalyką.

Arčiau? Ir taip mus skiria vos keli žingsniai. Įstengiau tik atsigręžti veidu į jį, veidu, kuriuo perbėgo baimės šešėlis. Netikėtai Arnoldas prajuko:

– Prisipažink, ką pagalvojai?.. Pamanei, kad lįsiu prie tavęs, kad prasideda tavo kaip meilužės karjera?

– Ne, visai ne... nieko panašaus, – sumikčiojau, nes jis buvo teisus.

– Tu man kaip sesuo, Monyka, kiek galiu kartoti? Prisiminiau vieną dalyką. Nežinau, tavo laikais taip būdavo ar ne, bet kai aš mokiausi, tai tikrai, – svajingai atsiduso jis. – Pasitaikydavo, kad bernai nusižiūrėdavo kokią simpatišką mergaičiukę iš žemesnės klasės ir imdavo ją globoti. Ne mergintis, o būtent – globoti. Visur užstodavo ir šokiuose visus netikusius bernus atbaidydavo. Nors ką aš čia šneku – visus į šalį stumdavome. Ir taip metų metus, ir tik paskutinėje klasėje, jei jausmas būdavo stiprus, pakviesdavome šokti, paskui lydėdavome iki namų. Laiptinė, pirmasis pasibučiavimas... – jis nutilęs sužiuro į mane: – Tau juokinga? Galvoji, ką tas senis paisto!

– Visai ne. Pasakok toliau.

O pati nutirpau: taigi man taip ir buvo su Vitoldu! Prisijaukino ir be gailesčio paliko.

– Ką aš tuo noriu pasakyti... Kad mūsų santykiai būtent tokie. Aš tave globosiu. Kaip seserį, kaip merginą iš žemesnės klasės. Turėjau vieną tokią. Labai daili, bet... matyt, nebuvo lemta mums sumesti skudurus į krūvą. Va šitaip, sesute.

– O aš, tavo akimis žvelgiant, – kokioje dabar klasėje? – pralinksmėjau.

– Kadangi Maskvoje naujokė, tai – pirmoje.

Po valandėlės, sutarę pasimatyti vakare, kai aš atsigausiu nuo įspūdžių, mes atsisveikinome. Paspaudėme viens kitam ranką, kaip ir dera bendradarbiams.

Apie Andrių taip ir neišdrįsau paklausti. Laukiau, kol prasitars, tačiau jis nė žodeliu neužsiminė. Nejaugi nuo pat pirmų žingsnių svetimame krašte Arnoldas taip nuožmiai ims mane globoti, kad raštelių šiluma taip ir liks prisiminimuose. Norėjau pamatyti Andrių. Labai. Kad įsitikinčiau, ar tikrai mano jausmui įsiplieksti pakaktų silpniausios kibirkštėlės.

Išsitiesiau ant dėmėtos lovos. Užsimerkiau. Vokų tamsoje išvydau jį. Štai lenkiasi prie manęs. Uždeda ranką ant liemens. Jaučiu jo alsavimą. Lūpų šilumą... Kas man? Nejaugi įsimylėjau? Bijau sau prisipažinti, kad Andrius, jo rašteliai, skleidžiantys mane gydančią energiją, atviliojo į šį milžinišką miestą.

*

Dar kartą iššniukštinėjusi visas buto pakampes, suglumusi klestelėjau ant minkštakrėslio. Neišpakuotose dėžėse aptikau televizorių, muzikinį centrą, virtuvinių indų rinkinį. Svetainėje stovėjo pradėtos rinkti indaujos rėmai. Pasienyje gulėjo svetainės baldų dalys, o virtuvėje nuostaba tik padidėjo pravėrus šaldytuvą – jo lentynos buvo užgriozdintos įvairiausiais produktais. Arnoldas viskuo pasirūpino!.. Toks dėmesys mane sujaudino. Juk kokia aš jam sesuo! Viso labo paprasta panelė iš Klaipėdos. Nusivylusi artimiausiais žmonėmis. Likusi viena it pirštas.

Po pietų daugiau iš smalsumo nei iš reikalo šmirinėjau po

aplinkines parduotuves. Kioskelyje nusipirkau rusišką žurnalą. Vos atsiverčiau pirmą pasitaikiusį puslapį, į mane pažvelgė ryški antraštė: „Ar tave kas nors myli?" Testas. Nekantraudama paėjėjau nuo spaudos kiosko ir įnikau studijuoti.

„Ar jums kas nors dovanojo gėlių be jokios progos?"

Na taip – Vitoldas.

„Ar dažnai paskambina vien tam, kad paklaustų, kaip sekasi?"

Vitoldas skambindavo vos progą ištaikęs...

Ir kiti atsakymai – Vitoldas, Vitoldas. Bet štai!.. „Ar esate gavusi laišką nuo asmens, kuriam simpatizuojate?"

Taip, taip! Andriaus rašteliai, nesulyginami nė su vienu laišku, kurį kada nors buvau gavusi.

Surinkau netoli pusšimčio taškų ir, kaip teigė testo sudarytojas, gyvenu apsupta meilės. Gyvenau, kadangi Vitoldas testo teiginius įgyvendina su kita moterimi. Rašteliai, iš tiesų vienintelis galios turintis atsakymas mano jausmų pasauléliui, pelnė šešis taškus. O tai reiškė: „Gaila, bet jūsų gyvenimas klostosi ne taip, kaip norėtumėte."

Žurnalas teisus – ne taip, kaip norėčiau. Aš nepanaši nė į vieną iš nuotraukos žvelgiančią gražuolę. Jos tokios jausmingos, dailiai išpieštais veideliais ir vilkinčios žvėriškai brangiais originaliais drabužiais, kurie tik paryškina kūno graciją ir, regis, nekaltai šypsenai suteikia smogiamosios jėgos. Ieškau bent mažiausio trūkumo, spuogelio ar apgamėlio, kuris pakuždėtų, kad žurnaliniai žvėreliai tokios pat veislės kaip ir aš, tačiau jų oda tokia lygi, lyg būtų ateivės iš kitos planetos. Va prie tokių kojų vyrai ir susirango it romūs naminiai gyvuliai.

Vėjo gūsiai trukdė atversti kitą žurnalo puslapį, tad nusileidau į požeminį metro tunelį. Ten virtinės skubančių miestelėnų. Nuslinkau palei mirgančius nuo įvairiausių niekniekių prekystalius ir kioskus ieškodama laisvesnės vietelės, tačiau žmonės voromis leidosi nuo gatvės, būriais plūstelėjo iš metro požemių, ir visi maskviečiai kabino tokiu greitu žingsniu, lyg būtų vykusios varžybos.

Stumtelėta užverčiau žurnalą ir pasidaviau bendrai skubėjimo nuotaikai. Nė nepajutau, kaip atsidūriau prie kito išėjimo. Ne tas, sumojau, aš atėjau iš ten... Pasukau ta kryptimi, iš kur mane ir atplukdė minia. Bet vos palypėjusi laiptais ir išvydusi vaizdą į prospektą supratau apsirikusi. Nusileidau vėl į požeminį perėjimą ir nuskubėjau prie kito išėjimo. Tačiau ir čia manęs laukė neatpažįstami namai ir parduotuvių iškabos.

Juk man visai į kitą pusę! Visai susipainiojau.

Vėl išnirusi į dienos šviesą, patraukiau ten, kur mačiau dunksantį panašios architektūros kaip ir manasis pastatą. Tačiau skaudus nusivylimas – ne tas!.. Prie mano namo žaliavo aukšti medžiai ir garsiai čirškavo žvirbliai, o šio namo kieme nė vieno suoliuko, be to, pirmame aukšte įrengta kažkokia kontora.

Dar po minutės greito ėjimo atsidūriau ant tilto, nuo jo atsivėrė nematyti vienas kitą gožiantys daugiaaukščiai pastatai. Tyliai aiktelėjau: kokia aš žioplė – pasiklydau! Susiradau rankinuke mobilųjį telefoną.

– Arnoldai, čia aš – Monika.

– Taip, sesute. Jau pailsėjai po kelionės?

– Aš pasiklydau...

– Ką?

Velniai griebtų tą mano skystą charakterį – kol bandžiau Arnoldui paaiškinti, kokie painūs ir klastingi metro požeminiai perėjimai, mano balse atsirado proverksmio gaidelės. Blogiausia, kad Arnoldas neprisiminė ir man išnuomoto buto adreso. Kažkoks skersgatvis prie Leningrado prospekto.

Aš irgi negalėjau nupasakoti, į kokį užkampį nuklydau. Tiltas, po juo tunelis, vos viena kita mašina pravažiuoja. Ir tik kai

116

išvardijau, kokius tolumoje matau reklaminius plakatus, jis lengviau atsiduso:

– Žinau, kur tu varlinėji. Gaila, dabar esu labai užsiėmęs, pietauju su vienu veikėju iš Dūmos... Ką čia sugalvojus? Būk ten, girdi? Paskambinsiu Andriui, jis atvažiuos.

*

Suglumusi žiūrėjau į mobilųjį telefoną rankoje. Man nepasigirdo – atvažiuos Andrius. O aš vėjo sutaršytais plaukais ir kone apsižliumbusi! Apgailėtina lyg benamė, valkataujanti Maskvos patiltėmis. Kaip tyčia, nei veidrodėlio, nei kokio lūpdažio. Išpuoliau į gatvę lyg per gaisrą. Bet vėl prisiminusi dailius snukučius iš žurnalo apsiraminau. Aš joms niekada neprilygsiu.

Ir nereikia. Nenoriu būti tarsi ateivė iš kitos planetos. Trokštu, kad atsirastų vyras, kuris nematuotų mano biusto godžiomis akimis, o panorėtų pažvelgti į manųjų akių gelmę – gal ten slypi kas nors tokio, ko nepajėgus užfiksuoti fotoaparatu nė vienas gyvas padaras.

Prabėgo minutė, ir kaip sapne nelauktai netikėtai ant tilto užlėkė automobilis. Cyptelėjo stabdžiai. Prasivėrė langelis, ir tamsių akių žvilgsnis pervėrė mane.

– Monika, paskubėk, čia draudžiama sustoti.

Aš sumedėjusiomis kojomis įveikiau atstumą iki durelių. Vos įlipusi su siaubu pamačiau, kad mano suknelė neklauso. Prilipo virš kelių, tačiau kol uždangsčiau įdegusias šlaunis, Andrius žiūrėjo tik į lėtai slenkančią gatvę.

– Šįryt atvažiavai? – paklausė. – Arnoldas nieko man nesakė. Ničnieko. Matyt, norėjo staigmeną padaryti. Užsiminė, kad šįvakar važiuosime vakarieniauti į kokį nors restoraną, ko gero, ten būtume ir susitikę.

Pro virpančias blakstienas, kaip moka tik moterys, aš stebėjau Andriaus melsvų gyslelių išvagotas rankas ant vairo. Nejudančius pirštus, kuriuose slypėjo magiška jėga, gebanti grąžinti tai, kas, rodės, negrįžtamai prarasta.

– O kaip įsikūrei? Arnoldas sakė, kad vieta nebloga. Prospektas ir metro stotelė, parduotuvės, kavinės...

Sėdėjau ir mekenau kažką lyg žado netekusi. Toks nelauktas susitikimas mane išmušė iš vėžių. Jo akys, regis, buvo dar tamsesnės ir skvarbesnės. Plaukai kur kas juodesni, nei matydavau ryškiausiose vizijose. O kaip atrodau aš?..

– Gal čia?.. Žvilgtelk, ar tik ne čia apsistojai?

Dirstelėjau pro langą, ir mane pagavo atoslūgis. Mano namas, tas pats...

Automobilis minkštai sūpuodamasis įvažiavo į kiemą, paskendusį žalumoje.

– Graži vieta, – dairėsi Andrius, – žaluma, ramybė. Girtuokliai jau prieš penkerius metus tokiuose namuose išpardavinėjo butus ir tupi mikrorajonuose.

Aš neskubėjau nei dėkoti, nei lipti iš automobilio. Galvoje sukosi maištinga mintis – pasikviesti jį į svečius. Šiaip, iš mandagumo – kavos puodelio. Pasisiūlysiu aprodyti kambarius, o pūstašonis butelis pūpso miegamajame ant staliuko ir atsispindi veidrodyje. Tyčia taip pastačiau. Kad niekieno, o svarbiausia – Andriaus žvilgsnis nepraslystų pro šalį.

Įkvėpiau gurkšnelį oro ir kiek galima paprasčiau tariau:

– Tai gal užeisi į svečius. Tiesa, ten netvarka, tačiau yra kur pasėdėti ir išgerti kavos.

Jis nusišypsojo, kaip paprastai atsitinka vyrams, kurie nežino ką daryti.

– Ačiū, Monika, už kvietimą, bet gal kitą kartą. Vežu pinigus žmonėms, negaliu delsti.

Turbūt neįstengiau paslėpti savo nusivylimo, ir jis pakartojo:
– Kitą kartą mielai. Atmink, man visada malonu tave matyti. Ypač čia, Maskvoje.

Kopiant laiptais mano galvoje aidėjo toji lengvai švysteleta banali frazė: „Malonu tave matyti..." Na, galėjo dar ką nors tokio pasakyti, kas padvelktų raštelių šiugždesiu. Jis buvo kaip nesavas. Mano netikėtas atsiradimas jį priblõškė. O gal prisibijo Arnoldo? Juk ką aš žinau, ką jis prikalbėjo apie mane? Gal Andrius laiko mane jo mergina? Todėl ir įspūdis toks, lyg vengtų manęs.

Bet tie rašteliai!.. Jie man nemeluoja, širdis kužda, kad nemeluoja.

*

Vakarienė trise praėjo sklandžiai. Arnoldo skoniu neteko suabejoti ir šį kartą. Restoranas švytėjo raudonu aksomu. Puošnios raižyto medžio kėdės. Žvakidės ant stalo, ir tos buvo paauksuotos. Kadangi netoli buvo Didysis operos ir baleto teatras, jame rinkosi prašmatni publika, tyliai grojo pianinas, ir aš pasijutau tarsi tikrame užsienyje.

Tiesa, iš pradžių, kai atsiverčiau padavėjo atneštą meniu, vos sulaikiau savo nuostabą: kavos puodelis – devyni doleriai! Į kitas kainas nebežiūrėjau. Skubiai užverčiau aplanką ir pareiškiau, kad pasitikiu savo boso skoniu. Tyčia girdint Andriui taip ėmiau vadinti Arnoldą. Kad niekam neliktų abejonių, jog vien perspektyvus darbas mane suviliojo, o ne holivudiška darbdavio išvaizda. Pastebėjau pagyvėjusius Andriaus judesius. Jis pasidarė kur kas kalbesnis, tauškė visokiausius anekdotus, iš jų labiausiai juokėsi Arnoldas, o ir man buvo be galo lengva šypsotis.

Po vakarienės nusčiuvau laukdama mažo stebuklo – Andrius pasišauna mane parvežti namo, o Arnoldas nė pusės žodžio. Juk mačiau, kad trūksta paprasčiausio komplimento, pakanka Arnoldui pirštu pamoti, ir viena iš tų dviejų merginų, visą vakarą žvilgsniais ryjančių mūsų kompaniją, mielai leistųsi į naują pažintį. Tačiau Arnoldas ištiesęs ranką galantiškai padėjo man atsistoti ir išlydėjo iš restorano.

Su Andriumi atsisveikinome gatvėje, o po pusvalandžio džipas sustojo prie namo, kuris dieną pabėgo nuo manęs kaip vaiduoklis. Arnoldas užtruko valandėlę, kol apžiūrėjo butą. Garsiai svarstė, nuo kurio galo imtis darbo, kad baldai, šviestuvai, kilimai ir visi kiti griozdai kiek galima greičiau suteiktų butui jaukumo. Kad jausčiausi kaip namie. Kelissyk tai pakartojo, lyg laukdamas išganingo kvietimo prisėsti, kol užvirs elektrinis virdulys, tačiau aš suvaidinau, kad mirštu iš miego. Ir jam išėjus pajutau, kaip mane erzina tokia broliška globa. Juk jei ne Arnoldo įprotis mane globoti, būtų palydėjęs Andrius. Mačiau, kaip atsisveikindamas jis užgniaužė atodūsį.

Palindau po dušu. Išsirinkau drabužius rytdienai. Laikas bėgo, artėjo vidurnaktis ir sulig kiekviena sekunde tirpo viltis, kad Andrius ras drąsos bent paskambinti, paklausti, kaip parvykome, ar patiko vakaras prabangiame restorane. Visokios mintys brovėsi į galvą, ir pati įtikinamiausia, kad Andrius... nenori sutrukdyti Arnoldui. Bijo net paskambinti.

O gal susižavėjimas, kuriuo pulsavo jo rašteliai, ėmė ir išblėso? O gal jis turi kitą, kuri nekantriai laukia jo, savo vienintelio? O gal...

Gana! Visai susipainiojau.

Užsivilkusi žydrus šilkinius naktinukus, prisiminiau, kaip jais džiaugdavosi Vitoldas. Švelnūs kaip mano kūno oda ir taip klusniai slystantys nuo pečių, sakydavo jis. Ypač žavėdavosi skeltuku šone, apnuoginančiu koją taip, kad buvo galima suprasti, jog po jais aš nieko nevilkiu.

Esu nuoga. Su ta mintimi užsitempiau apklotą iki smakro. Šiluma apgaubė mano kūną. Taip susisupau į apklotą, kad apėmė keistas jausmas – lyg šalia gulėtų dar kažkas. Jaudinantis artumas. Man reikia meilės, sudūsavau. Glamonių ir tylių vos ne vos suprantamų šnabždesių. Apsvaigimo po beprotiškų bučinių. Laisvės, kai iš tikro esi nuoga...

*

Pamažu nugrimzdau į sapną. Mano kūnas neteko svorio, tačiau suvokimas, kad patekau į pasaulį už realybės ribų, išliko. Žinojau, kad galiu prabusti kada panorėjusi. Suskaičiuoti iki trijų – ir aš vėl gyva. Mane apėmė svaiginantis pojūtis, tarsi kybočiau miglotoje erdvėje. Stebuklas! Pakanka kilstelti rankas – ir aš sklendžiu tarsi pati būčiau tik gebantis matyti rūko tumulas.

Po manuoju skrydžiu plyti bekraštis miestas. Saulės nuraibintos tuščios gatvės. Nematyti žmonių, jokio judėjimo. Gatvės kaip prarajos skiria namų sangrūdas. Žvilganti upė lyg gyvatė vingiuoja po tiltais ir pradingsta horizonte.

Toks aukštis nė kiek nebaugina, skrajočiau ir skrajočiau, tačiau pamatau raudono mūro arką ir beregint kaip žuvis praneriu po ja. Pakartoju tai dar keletą sykių, ir kaskart man pavyksta vis lengviau. Ir kai vėl, regis, vien minties jėga kilsteli mane aukštyn, už arkos pamatau pievelę, o jos pakraštyje oriai kūpso kaštonas. Žalioje lapijoje lyg sidabras šviečia žiedų žvakidės.

Žydintis kaštonas!

Sklendžiu žemyn. Šiltas vėjas lyg beformė būtybė sliuogia per kojas, slysteli švelniais krūtų kauburėliais, glusteli prie lūpų, ir kitą akimirką mane apglėbia kvapnus ir klampus it aliejus kaštono žiedų aromatas. Nieko nejausdama po kojomis nusigaunu

121

nuo vieno žiedo iki kito. Jų tiek daug!.. Sodrus ir toks jaudinantis kvapas, tarsi pirmasis erotinis potyris.

Žiūriu iš kaštono viršūnės į savo šešėlį. Ūmai jis virsta kampuotų formų siluetu. Vyriškas šešėlis pasiglemžė manąjį. Aiškiai suvokiu, kad tai sapnas. Galiu skraidyti, galiu prabusti. Galiu eiti ieškoti savo šešėlio.

Nudūrusi žvilgsnį žemyn, išvystu Andrių. Taip, tai jis guli po kaštonu, atmetęs rankas, tarsi kviesdamas mane į savo glėbį. Jis miega, ir tai man pasirodo be galo juokinga. Kur tai matyta – miegoti sapne! Kai galima mėgautis laisve, kurios prabudus niekada nepatirsi. Juk tai, kas nutinka šiame žydinčiame pasaulyje, niekada netaps nuodėme tikrovėje.

Tikėjausi, kad skrydžio dvelktelėjimas privers jį atmerkti akis, tačiau priartėjus prie jo veido akmeniniai vokai net nekrustelėjo. Kilo pagunda pabučiuoti į lūpas, palyginti, kuo toks prisilietimas skiriasi nuo anksčiau patirtų, bet tas mažytis oro sluoksnis, skyręs mudviejų kūnus, staiga sukibirkščiavo, ir aš suvirpėjau nuo tūkstančių švelnių adatėlių dūrių.

Saulės įkaitintų lašelių kruša. Iš proto varantis jaudulys. Užmigti, užmigti, amžiams likti su kaitinančiu virpuliu po širdimi...

Bet kitas pojūtis švelnumu pranoko visus kitus. Karščiu pulsuojantį šlaunų griovelį palietė kažkas kietas ir standus, ir pievos žaluma virto juoda bedugne, į kurią smigo mano kūnas, atgavęs visą žemišką svorį...

Beprotiškas kritimas. Rėkiau negirdėdama savo balso. Susiriečiau nujausdama triuškinamą smūgį, bet paskutinę akimirką susigriebiau – juk tai tik sapnas! Prabusk! Viens, du...

Praplėšiau akis, ir svaiginamo aukščio baimė išnyko sulig vienu krūptelėjimu. Lyg išnėrusi iš vandens, įkvėpiau oro. Tai tik sapnas...

Valandėlę klausiausi sunkių dūžių krūtinėje ir stebeilijausi į balzganus šviesos dryžius ant lubų. Vos krustelėjusi krūtinės iškilumu pajutau antklodės minkštumą. Su didžiausia nuostaba aptikau, kad mano kūno nedengia joks šilkas. Buvau nuoga ir, pasukusi galvą, išvydau savo naktinį apdarą, kerinčia poza kabantį ant kėdės.

Mano klausą pasiekė gatve nuvažiuojančios mašinos burzgimas, ir vydama bet kokią mintį apie sugrįžimą į šitą netobulą pasaulį užsimerkiau.

Lyg šiltą kvapą ant skruosto pajutau tamsą, kurioje dar sklaidėsi žiedų mirgesys. Susitelkiau ties šia jusline pagava. Labiau už viską troškau kuo greičiau susigrąžinti kaštono žydėjimą ir šešėlį po juo. Mano aistros nervas buvo visiškai atviras, ir vos pro tamsą tarytumei saulės atšvaitas prasiskverbė žiedų blyškuma, aš nėriau atgal į sapną. Kurį laiką tik dairiausi pro švelnias ūkanas, ir širdis suspurdėjo, kai vaizdas po vaizdo atradau tai, ko ieškojau: žalia parko pievelė ir vaiskioje šviesoje rymantis kaštonas. Vyriškas siluetas jo paūksmėje.

Gebėjimas atsiplėšti nuo žemės buvo dingęs, tačiau vėlgi manęs nepaliko žinojimas, kad visa tai tik sapnas. Vos žengiau žingsnį, mane pervėrė kaštoninių akių blizgesys. Jis pamojo man, lyg čia, po šiuo medžiu, būtų paskyręs pasimatymą.

„Tu miegojai, Andriau... Kaip kvaila – juk mes abu sapne!"

„Tai bent! – kraipė galvą stebėdamasis. – Sapne!.. Man to nėra buvę..."

Ir pažvelgė į mane, taip giliai įsiskverbė į mano mintis, kad permatė visus mano troškimus, tačiau paklausė:

„Tai ką veiksime?"

„Nežinau."

Nusijuokiau. Andrius atrodė nedrąsus, tarsi ne aš, o jis būtų nuogas. Sužiuro į mane. Mačiau, kaip jis tramdė nuostabą, susiprotėjęs, kad girdi kiekvieną mano mintį, kad tai vien sapnas, mes tokie laikini šioje užburtojo kaštono paūksmėje ir galime elgtis taip, kaip nieku gyvu negalėtume elgtis tikrovėje.

„O mes galėtume..." – jis priėjo prie manęs, pasilenkė taip arti, kad nuo tos artumos vėl pakvipo kaštonais, ir sukuždėjo... Išgirdau patį nepadoriausią žodį, kurį tik labai intymiomis akimirkomis vartoja įsiaudrinę ir nuovokos netekę meilužiai. Regis, lengvai bet kokius taurius jausmus purvinantis žodis, bet šįkart mano širdis sutvaksėjo nuo plėšrios aistros.

„Kodėl tyli? Norėtumei?.." – sušnibždėjo liesdamas klubų linkį, ir tas judesys nudegino mane tokiu tikrovišku jauduliu, kad vos įstengiau pralementi: „Taip."

Ranka siektelėjo mano apvalių šlaunų. Kietas smakras prie skruosto ir lūpos ant smilkinio. Geismas iš akių į akis, iš širdies į širdį... ir vėl pašėlęs lėkimas į bedugnę!

Ne! Aš nenoriu prabusti! Nė už ką!..

Pro miglotą mieguistumo šydą ant sienų prasimušė šviesos ruoželiai. Blykstelėjo ant butelio priešais veidrodį, kuriame lyg mažas mėnuliukas užtekėjo aistros palytėtas mergaitiškas veidas.

Antklodė buvo pabėgusi nuo mano peties, ir ieškodama jos krašto tapštelėjau per guolį. Pirštais užčiuopiau šilumą. Paskui švelnius plaukus, kurie ūmai tapo šiurkštūs, kaip ir oda po mano šiurpčiojančiais nuo susijaudinimo pirštais.

Nejaugi sapnas nepalieka manęs?..

Ir silpnas guolio siūbtelėjimas, tarytumei tolimas požeminis smūgis, nubloškė visas abejones – mano aistros žvėris atsekė mano pėdomis iš sapno į sapną ir tyko nelygaus mano alsavimo. Šiltas burnos kvapas nukaitino mano nugaros griovelį ir drėgnas bučinys susigėrė po oda.

Sapnuoju?

Atitraukiau ranką ir netyčia užčiuopiau raištį ant kojos. Ne, tokio aš niekada neturėjau, vadinasi, aš vėl magiškame pasaulyje, kur aš tarsi ir ne aš. Vien geidulys tikras.

„Andriau?"

„Aš čia, mieloji."

Mieloji... Kaip gera girdėti.

Jis uždėjo delną ant krūtinės pusrutulių. Kitas, lyg malšindamas maudulį, prigludo prie klubo ir, tarsi radęs ten rankeną, patraukė mano bejėgį kūną taip, kad mano putnūs sėdmenys užčiuoptų vyrišką gyvastį, ši tvinksnis po tvinksnio ėmė skverbtis pro jautriausias stygas instrumento, kuriuo aš virtau tą pačią susiliejimo akimirką...

*

Pratisas mechaninis ūžimas išbudino mane. Kambarys, visi daiktai jame buvo užlieti skaidrios ryto šviesos. Toptelėjo, kad girdžiu mašinų ūžimą. Prospektas vos per vieną kvartalą, juo išsiliejo transporto upės, ir apie ramybę rytais galiu tik pasvajoti.

Na, bet vakarykštis sapnas!..

Paglosčiau savo kojas, tingiai rąžydamasi čiuptelėjau už krūtinės. Vis dar nuoga. Nepamenu, protu nesuvokiu, kaip šilkiniai naktinukai atsidūrė ant kėdės. Matyt, kelionės nuovargis ir įspūdžiai, netikėtas susitikimas su Andrium apsuko man galvą ir pavertė mane lunatike. Kumščiais užsidengiau veidą tarsi gindamasi nuo sapno vaizdų, visu aiškumu išsirikiavusių akyse. Ar tas pašėlęs noras mylėtis, užvaldęs mane, yra toji riba, už kurios savo žydėjimo laukia bundanti meilė? O gal išsisukinėju nuo minties, kad mano prigimtyje yra daugiau ištvirkimo nei gebėjimo mylėti?

Juk meilės be švelnių glamonių, be giliai tūnančios ekstazės išsiveržimo beveik neįsivaizduoju. Todėl sapne aš jau kita būtybė. Atsiverianti visiems savo troškimams. O meilė – kaip neapčiuopiamas šviesulys, retkarčiais nuskaidrinantis sielą iki tamsiausių kerčių, jos ieškantiems nepagaunamas tarsi saulė žvejo tinklams.

Netgi sapne neišdrįsau Andriaus paklausti apie raštelius ar užsiminti apie jausmus, kurie atsirado jam rašant, o man skaitant. Rūpėjo vien aistros įvairovė. Buvau anapus tyrų jausmų ir atsidavusi vien kūniškiems malonumams. Bet tai tik sapnas, o jie dažniausiai nesipildo...

Pašokusi iš guolio, užsimečiau chalatą. Prisileidau vonią ir užsikaičiau kavinuką. Sukausi spėriai, nes iki dešimtos turiu būti žvali ir pasiruošusi vykti į darbą.

Panirusi į šiltą vandenį, nuploviau ne vien nakties prakaitą, bet ir tą miglą, kuria patvindavo mano atmintis prisiminus netolimą praeitį. Kiekvienas momentas iš mano buvusio gyvenimo, tai yra iš to laiko, kai mes buvome kartu su Vitoldu, man darėsi suprantamas. Jam į kraują įaugęs patogumo siekimas. Perspektyvi profesija. Padorus atlyginimas. Galimybė prisidurti iš šono. Greita karjera. O aš jam buvau tik jauna, pažadais guodžiama mergužėlė, kuriai privaloma skiesti apie meilę iki mirties, kad savaitgalio pasimylėjimai būtų kuo audringesni.

Ne, nebuvo tarp mūsų tos tikrosios meilės, tos laimės šešėlio, kuriame pasijusčiau saugi ir mylima. Buvau geidžiama, tas tiesa. Garbstoma susižavėjimo kupinais šūksniais, kai kaskart pasistengdavau jam suteikti vis didesnį malonumą guolyje. Juk paskutiniais savaitgaliais mes beveik nesibučiuodavome ir nesigilindavome į širdies reikalus. Vien toji pašėlusi kūnų trintis jaudindavo mus, o visa kita būdavo tik lėtai slenkanti laiko juosta iki kito savaitgalio.

Ir gerai, kad taip susiklostė mokyklos laikais pradėtas romanas. Jis privalėjo man kuždėti meilius žodžius. Žinojo tai. Antraip, nujautė, nebūtų paverges mano kūno.

Sudie, Vitoldai. Jei kada nors pasimatysime, nusijuoksiu tau į veidą, kad tokia ir likčiau tavo atmintyje.

*

Išlipusi iš vonios, pusvalandį staipiausi prieš veidrodį, kol likau patenkinta savo išvaizda.

Klasikinio kirpimo eilutė man tiko. Alyvinė spalva nuteikė raminamai. Žengiant pro skeltuką švystelėdavo lygi koja, tačiau neapnuoginta taip beprotiškai, kaip siūlė Silva.

Nesiekiu nieko gundyti. Noriu patikti. Andriui ir sau. Pagunda visada veda į nuodėmę, o jos ištaisyti neįmanoma. Galima melsti tik atleidimo, bet jis irgi jokio tikro džiaugsmo nesuteikia.

Pusryčiauti nesinori. Užteks kavos puodelio. Sukiodama jame šaukštelį, tirpinu cukrų, pamažu tirpsta ir mano pasitikėjimas savimi. Kas iš tos anglų kalbos, jei techniniai ir verslo terminai man tamsus miškas, o ir ekonomikoje žalia. Šiuolaikinis biznis, šiuolaikinės technologijos – bliūkštu nuo šių terminų.

Prieš akis iškyla Arnoldo kontora. Didžiulė tarsi gamykla, tik be kaminų. O aš tripinėju iš kabineto į kabinetą, ir iš kiekvieno po minutės pasigirsta: „Panele, o ką jūs išvis mokate?" Baugu ir nėra jėgų save drąsinti. Ramiau pasidaro tik pagalvojus, kad bet kada galėsiu susikrauti kelioninį krepšį ir grįžti į Klaipėdą, kur mama su „mieląja" pussesere kaupiasi naujam barniui.

O gal paskambinti?.. Labas, mamute, aš Maskvoje. Išvirstų iš klumpių.

Vėliau, ne dabar. Tegu pasijaudina, tegu įsisąmonina, kad man jų nuomonė niekada nebuvo svarbi.

Sučirškė durų skambutis, ir aš žvilgtelėjau į laikrodį. Pusė dešimtos, juk sakė dešimtą. Nespėjau nė prie kvepalų flakonėlio prisiliesti, o jau atvažiavo.

Atidariusi duris, išvydau žydru chalatėliu vilkinčią moterį. Rusvos akys į mane žvelgė draugiškai, nors aš tvirtai tikėjau, kad ji supainiojo butų duris.

– Jūs panelė Monika?.. Aš iš firmos, kaip ir tarėmės, – nutyksta, tarsi laukdama, kol prabusiu iš nežinios. – Firmos, kuri tvarko butus...

Ak, šit kas!

Galiausiai išsiaiškinu, kad ji porinėmis dienomis švarins šį butą, neporinėmis dirba vienu aukštu žemiau. Plaus, valys dulkes, šveis vonią ir kuopsis virtuvėje, žygiuos su siurbliu ir padės atsikratyti šiukšlių. Netgi patarė nesukti galvos dėl drabužių, kuriuos kartais jaunos, tokios kaip aš, panelės išmėto bet kur. Tik parodykite lentynėles ir pakabas kas kur, ir viskas gražiai suguls į savo vietas.

Kaip tik tada už tvarkdarės skarute apsiaustų pečių išdygsta Andriaus figūra. Vos pasisveikinęs jis kaipmat suvokia, apie ką sukasi kalba.

– Ateikite kitą kartą, – sako jis moteriai, jai prie kojų, pastebiu, stovi talpus kibiriukas su įvairiomis valymo ir dezinfekavimo priemonėmis. – Šiandien visą dieną čia bus surinkinėjami baldai, tad jokios naudos iš to švarinimosi.

Suskamba jo mobilusis telefonas. Andrius pusbalsiu kažką marmėdamas į ragelį įžengia į butą, ir vasarinis megztukas suboluoja apytuštėje svetainėje.

Atsisveikinau su paslaugia moteriške ir užvėrusi duris tarsi pagavau save į spąstus. Mes vienudu erdviame bute su veidrodžiu. Jaukioje jo paviršiaus migloje pleveno į vazą panašus butelis. Juk nustebtų jį pamatęs... ir neišlaikytų. Pažvelgtų į mane be apsimestinio abejingumo, žodis po žodžio įveiktų tą drovumą, nuo kurio abu kenčiame. Bent pasakytų – žinai, tu man patinki. Nebuvau tokios dar sutikęs. Nesusigaudau savo jausmuose, nesuprantu, kas man darosi.

Bet iš svetainės sklido jo balso nuotrupos, o aš jaučiausi taip keistai, tarytumei lengvo, miegui būdingo svaigulio apimta. Nesąmoningai uždėjau ranką ant šlaunies, lyg ir užčiuopiau rantytą, nuo nematomo kojos raiščio įsispaudusį ruoželį, tačiau jaudulys perėjo į mano lūpas. Jeigu jis ūmai, be gailesčio užlaužęs rankas pabučiuotų į lūpas, man viskas viskas staiga taptų aišku. Širdis neapgautų.

*

– Tu susiruošusi, Monika? – suaidėjo visa svetainė.

Jis artėjo maigydamas tą prakeiktą telefoną ir, metęs trumpą žvilgsnį į mane, nuslinko prie durų. Apsimečiau, kad niekaip negaliu susitvarkyti batelių sagtelės, ir paprašiau, kad jis atneštų mano rankinuką.

– Kur jis?

– Ten, kažkur miegamajame.

Andrius dingo už durų, o aš sustingau laukdama. Šypsosis, jis būtinai šypsosis, kai mudviejų žvilgsniai vėl susitiks. Butelis išduos, kokie man brangūs jame stirksoję popieriaus ritinėliai. Bandžiau susigaudyti, kur veda jo žingsnių bilsnojimas, įsivaizdavau, kaip jis suglumęs stovi prie veidrodžio, tačiau žingsniai nutilo ir mano klausą vėl pasiekė paskubomis tariami žodžiai: „Negali būti!.. Nesąmonė! Gerai, atvažiuosiu ir viską išsiaiškinsiu..." Vėl kažkam prisiskambino.

Netrukus Andrius išėjo iš kambario. Paniuręs, prispaudęs mobilųjį telefoną prie skruosto ir tuščiomis rankomis. Pamiršo rankinuką, teko jį pasiimti pačiai.

– Atsirado šiokių tokių problemų, – teisinosi jis, kai mes leidomės laiptais žemyn, o išėjus į saulės nutviekstą kiemą, lyg kitomis akimis nužvelgė mane. – Gerai atrodai. Kaip rimtos firmos sekretorė.

– O jūsų nerimta?

– Pati nuspręsi.

Jis prisivertė nusišypsoti. Mačiau, jo nuotaika buvo tragiška.

Telefonu pranešta žinia jo kaktą išvagojo rūpesčių raukšlėmis. Paslėpęs akis po saulės akiniais, išvairavo automobilį į judrų prospektą. Važiavo greitai, lenkdamas visas mašinas ir vis kažkam skambindamas. Pokalbiai buvo trumpi. Vos keletas mįslingų žodžių. Apie susitikimo laiką ir vietą.

Žiūrėjau į padūkusiai lekiančių mašinų srautą. Sekiau netikėčiausiose kelio vietose atsiveriančią miesto panoramą ir stengiausi negalvoti apie sapną, kurio pranašingumas pamažu blėso. Jį užgožė Andriaus nekalbumas, ir viską suverčiau greitam važiavimui. Jis neturi kitos minties, kaip tik aplenkti pasimaišiusią mašiną ir prasmukti, kol sankryžoje dega žalia šviesa.

– Pasuk ten, – vis dar netikėdama įsispoksojau į grakštų raudoną plytų statinį. – Toji arka. Matai?..

– Mums kaip tik ten ir reikia.

Po minutėlės automobilis prašvilpė po ja, ir Andrius susidomėjęs paklausė, kodėl man parūpo šita raudonų plytų siena.

– Kaštonas... – sumurmėjau. – Kažkur čia turėtų būti kaštonas.

– Ne ten žiūri. Va jis, kitoje pusėje.

Dirstelėjau pro jo atloštą galvą. Kuplus kaštonas, stulbinamai panašus į aną, iš kito pasaulio, rymojo žalios pievelės pakraštyje. Tai bent!

– Tu buvai čia kada nors, kad žinai tą medį? – Andrius atrodė nustebęs.

– Taip, buvau...

Pagalvojau apie sapną. Pasakyti?.. Ne, nesupras. Mano sapno vizija jam sukels nenuspėjamų minčių. Norėčiau žinoti, apie ką jis galvoja, kai vogčiomis žvilgteli į mane. Šaltas akių blyksnis.

Kvailas ir beprasmis sapnas. Mane apima nenugalimas noras viską užmiršti, išnykti, ir aš užsimerkiu.

*

Pagaliau privažiavome grakštų stiklo ir betono pastatą, dvylikos aukštų langais išdidžiai spoksantį į kitapus gatvės susigūžusius tipinius penkiaaukščius.

– Va čia mes ir įsikūrėme, – Andrius žvalgėsi laisvos vietelės automobiliui. Pastatė jį netoli įėjimo, virš jo – skaitau ir netikiu – parašyta „Hotel".

– Juk tai viešbutis, – pralemenau.

Andrius žiūri nieko nesuprasdamas. Ūmai iškaitau. Karštis lyg niežulys apipuolė kūną. Akyse pagavo lakstyti laikraščių antraštės, trimituojančios apie liūdną lietuvaičių dalią užsienio bordeliuose. Du tūkstančiai dolerių per mėnesį... Kokios dar abejonės?

– Kas tau, Monika? Ko tokia išblyškusi? Tau bloga, taip?

Ir dar klausia!

Nukreipiu žvilgsnį į vieną pusę – matyti gatvė, duriu į kitą – aukštos tvoros, saugančios viešbučio teritoriją. Svarbiausia, be panikos. Bet neištveriu, tiesiog savaime išsprūsta:

– Na, šito aš tikrai nesitikėjau!

– Ko nesitikėjai? Apie ką tu čia šneki?

– Nieko nesupranti? – piktai blėsteliu akimis.

– O ką turiu suprasti?

– Viešbutis, – rodau į iškabą virš stiklinio įėjimo. – Arnoldas gali padvigubinti atlyginimą, bet aš ten kojos nekelsiu.

Andrius išpučia akis. Naivumo įsikūnijimas!

– Ką? Neaiškiai pasakiau?.. – suvirpu įsiutusi. – Gal angliškai arba rusiškai pakartoti?

Staiga jis persimainė. Apie jo akis atsirado smulkių raukšlelių. Atsilošė sėdynėje ir... pasileido kvatoti:

– Viešbutis!.. Acha cha, supratau!.. Tu... tu pagalvojai, kad mes sąvadautojai?

– Sakysi, ne taip? – piktinuosi. – Man gana!..

Puolu ieškoti durelių rankenos. Andrius stveria man už alkūnės, laiko viena ranka, kita šluostosi ūmai ištryškusias juoko ašaras, bet sako visai rimtai:

– Atleisk, bet šitas nesusipratimas, šitas *bajeris* pateks į metų topą. Eime, aš tave palydėsiu.

– Kur?

– Iki biuro. Paskubėk, aš turiu daug reikalų. Nebijok, viskas liks tarp mūsų.

– Kas – tarp mūsų?

– Na, kad tu palaikei mane ir Arnoldą sąvadautojais.

Ak, šit kaip... Nejaugi klystu? Nors kur girdėta, kad tokią ankstybę naktinės „esmeraldos" drumstų prabangaus viešbučio ramybę.

Ir žingsnis po žingsnio nepasitikėjimas ėmė nykti.

Mes patekome į erdvų vestibiulį. Užverčiau galvą ieškodama lubų, ir mano akys užkopė į tokį aukštį, kad vos neparklupau priešais pertvarą, už kurios stovėjo viešbučio administratorius.

– Ji su manimi, – tarė jam Andrius.

Tačiau, vos pastačiusi koją ant blizgančio vestibiulio marmuro, sustojau kaip įkirsta. Raminama žaluma. Vešlios nedidukių palmių vėduoklės. Tarp egzotiškos augmenijos išsislapstę ir apie gurgantį fontaną surikiuoti staliukai buvo užkloti samanų spalvos staltiesėmis. Baltos servetėlės iš tolo švietė kaip sniego piltuvėliai. Gėlės prie fontano, gėlės vestibiulio pakraščiuose. Gražu. Skambėjo instrumentinė muzika susiliedama su trykštančio vandens almėjimu. Stikliniai permatomi liftai be garso kopė siena, ir kai jie atsidurdavo aukščiausiame taške, žmonės juose atrodė kaip vabalėliai gintare.

– Man irgi čia patiko, kai pirmąkart atėjau, – tarė Andrius. – Ko norėti – prancūzų viešbutis. Priprasi, – ir kai pasukome prie lifto, žinovo tonu pridūrė: – Čia gera virtuvė. Rekomenduoju.

Mintyse nusišypsojau – ačiū. Nesunku numanyti, kokios tos prancūziškos kainos. Mano atlyginimas kaipmat virs lietuvišku.

*

Liftas vos pajudėjo ir sustojo. Antras aukštas. Jis visas, kaip spėjo paaiškinti Andrius, išnuomotas įvairioms firmoms, o va ano koridoriaus gale – konferencijų salė.

Arnoldas pasveikino mane ypač džiugiai. Jis kėlėsi iš sunkaus odinio krėslo, ir prie ko tik prisiliesdavo mano akys, kiekvienas menkniekis, nuo rašiklio iki kabyklos prie durų, dvelkė prabanga. Stalas, lentynos, netgi sienų apdaila buvo raudonmedžio, ir aš pajutau, kaip toji rausvuma prislegia mane vienut vienutėliu klausimu – ar aš sugebėsiu susitvarkyti su tuo darbu, kurį Arnoldas nori man patikėti?

– Kaip atvažiavote? Normaliai? – teiravosi Arnoldas paslaugiai pristumdamas man kėdę prie stalo. – Na matai, Monyka, va taip ir gyvename. Nelabai akivaizdu, kad čia viešbutis, tiesa? Lyg restoranas koks...

– Monikai buvo staigmena, kad mūsų biuras yra viešbutyje, – tarė Andrius, – maniau, kad tu jai minėjai.

– O kas yra? Kas nors ne taip?

– Ne, nieko. Jai čia patinka.

Dėkinga žvilgtelėjau į Andrių. Tarp mūsų. Šaunuolis. Pagaliau ir pirmą paslaptį užgyvenome. Nekantravau pradėti gilintis į savo pareigas, bet Arnoldas numojo ranka – neskubėk. Aprodė mano darbo kampą – kompiuterį, spausdintuvą, kopijavimo, faksimilinį aparatus... Taręs, kad turi skubiai pasikalbėti su Andriumi, išskubėjo atgal į savo kabinetą.

Kėdė buvo minkšta ir patogi, nesunkiai galėjai ir snustelti joje. Po ranka stovėjo ir kavinukas. Pažiūrėjau – nė lašo vandens.

Porcelianiniai puodukai ir peleninė greta. O joje voliojasi nuorūka, ant kurios filtro moteriškų lūpdažių pėdsakas. Kažkokia madam sėdėjo šioje kėdėje. Lyg nudiegta atsistojau. Kas ji tokia ir kodėl nebedirba? Et, ar ne vis vien...

Apžiūrėjau knygas lentynoje. Verslo katalogai ir žinynai buvo mažai vartyti ir kvepėjo spaustuvės dažais. Paėmiau vieną aplanką iš apatinės lentynos, iš jo pabiro popieriaus lapai, primarginti ranka. Skaičiai, vardai. Maišalynė kažkokia. Kituose dviejuose aplankuose buvo gautų ir išsiųstų faksimilinių pranešimų kopijos anglų kalba. Valandėlę skaitinėjau ir padėjau į vietą, supratusi, kad kalba sukasi apie medienos partijas. Aha, vadinasi, eksportuoja į Angliją medieną. Gal Sibiro kedrus? Kaip angliškai „kedras"? Stvėriau čia pat gulėjusį storą Oksfordo žodyną. Taip ir maniau: „ceder".

Durys į kabinetą buvo praviros, ir aš nenoromis suklusau išgirdusi garsų Arnoldo keiksmą. Andrius kažką jam sakė, bet Arnoldas nebesuvaldė balso:

– Kas daugiau galėjo žinoti apie mūsų sandėlius?.. Tik savi! Savi išdavė! Tu važiuok ten, o aš šoksiu pas Bašminovą. Pabandysiu ką nors per *efesbė* išsiaiškinti... Paimk!

– Nereikia.

– Sakau, paimk dėl visa ko!

– Nereikia, dar ką nors netyčia nušausiu.

Susmukau į kėdę. Juk jie apie ginklą kalba! Skubiai atsiverčiau ant stalo gulėjusį kažkokį žurnalą. Tokią mane, neva skaitinėjančią, ir užtiko iš kabineto išėję vyrai.

– Žiūrėk, – išgirdau Arnoldą sakant, – Monyka. Žiūriu ir negaliu patikėti, kad mano sesutė čia.

– O ji tikrai galėtų būti tavo sese, – Andrius žiūrėjo čia į mane, čia į savo draugą ieškodamas bendrų bruožų, – bet rimtai panašūs! Veido forma, smakras *tip top*...

– Eik jau, eik! – stūmė jį pro duris Arnoldas. – Kitą kartą geriau apveizėsi. Važiuok ir iš ten susuk man į mobilų, gerai?

Likome vienudu. Laikas, atrodė, bėga nedovanotinai bergždžiai, todėl paprašiau Arnoldo, kad bent parodytų, kaip nusigauti į firmos duomenų bazes kompiuteryje, bet jis tik susijuokė:

– Manai, aš moku tuo kompiuteriu naudotis? Tik įjungti. Prie jo sėdėdavo Felicija, net elektroninius laiškus už mane rašydavo. Ji žino, kad nuo šiandien turime savo darbuotoją, tad ateis ir tau viską paaiškins.

– O ji atleista, taip?.. Aš jos vietoje?

Klydau. Ji buvo iš gretimo biuro, ir tik turėdama laisvesnę valandėlę pripuldavo ką nors išversti į rusų kalbą ar išsiųsti kokį faksą.

Apskritai, kaip paaiškino Arnoldas, šitoks biuras tik mados ir prestižo reikalas. Visi pagrindiniai reikalai sprendžiami viešbučio restorane. Muzika, jauki aplinka gerai nuteikia verslo partnerį, bet dabar, kai tokia daili sekretorė gali klientui išvirti kavos, drąsiai bet kokį bankininką į svečius pasikviestų.

Ir tarsi pavargęs ieškoti žodžių, Arnoldas nukirto:

– Felicija tau viską paaiškins, o man metas čiuožti į miestą, – ir jau išeidamas: – Na, Monyka, nusišypsok, kad man sektųsi.

Vargiai išspaudžiau šypsnį, nes pastebėjau rankos judesį: Arnoldas kažką vikriai įgrūdo į švarko kišenę. Juodas ir sunkus daiktas. Pistoletas – sumojau. Nejau kitaip neįmanoma tvarkyti reikalų, kaip tik apsiginklavus? Juolab kad mediena visai ne gangsterių verslas, tad iš kur tokie pavojai?

*

Pasirodžius Felicijai, aplink tarsi nušvito nuo oranžinių jos plaukų. Pavydžiai nužvelgiau puikios medžiagos kostiumėlį. Ryškiai dažytos lūpos ir tokios pat raudonos spalvos bateliai nuostabiai derėjo prie jos rausvų karoliukų apyrankės ir purpurinių švarkelio sagų.

– Sveika, mergyt! – pamojavo dažytais nagučiais. – Oi, kokia tu gražutė! Taip Arnoldas ir sakė – atvažiuos lėlytė, ir visos antro aukšto raganos susidegins ant laužų. Mes jam raganos. Nemyli mūsų... Juokauju, aš juokauju. Juk tu žinai, kad tavo brolelis moka elgtis su moterimis. Niekada neužgaus. O kaip asistuoja damai! Lyg koks grafas. Pridegti cigaretę? Prašau... Ai, ką aš čia kalbu! Eime į apačią. Būtinai reikia atšvęsti tavo pirmą darbo dieną, kitaip nesiseks. Na, drožiam!..

Mane sutrikdė Felicijos greitakalbė. Net ausys suskaudo. Tačiau nuo jos sklido toks jaukumas, kad, regis, dar vakar sėdėjome virtuvėje, be saiko girsnojome kavą ir narstėme viena kitos bėdas.

Kėliausi nuo kėdės dvejodama, o ji vis ragino. Neturėjau jokio ūpo leistis žemyn, į dirbtinį sodą, į brangaus restorano nasrus. Bet nesinorėjo ir užsispirti. Juk niekada nelaikiau savęs šykščia, tačiau ir paskutinių santaupų nešvaistydavau kaip papuolė.

Mes iškaukšėjome į koridorių. Felicija žengė kraipydama klubus. Rankos vos sulenktos per alkūnes. Išdidžiai pakelta krūtinė. Manekenės eisena. Silva bandydavo taip vaikščioti. Mirk iš juoko. Tačiau Felicija, nors ir aptakios figūros, tačiau tokia gracinga ir kupina pasitikėjimo, kad tokia eigastis nesukelia jokios pašaipos.

Laiptais nusileidome į vestibiulį. Kur ne kur prie staliukų sėdėjo jauni ir pagyvenę vyrai. Iš jų laikysenų matyti, kad jie dažnai čia lankosi. Madingai apsikirpę ir elegantiškai apsirengę. Turbūt visi užsieniečiai. Mums pasirodžius, vienas – rausvais kūdikio žandukais – pasitaisė kaklaryšį ir paslaugiai parodė ranka į laisvas kėdes prie jo staliuko, tačiau Felicija, šaltai jam nusišypsojusi, nusivedė mane prie krūmo baltais žiedais. Už jo dunksojo staliukas dviem. Šviesiai žalia staltiesė paslėpė mūsų kojas nuo raudonskruosčio akių.

Vos Felicija išsitraukė plonytę cigaretę, tarsi iš krūmo išniro padavėjo ranka. Spragtelėjo žiebtuvėlis.

– O tu nerūkai? – nusistebėjo jinai. – Ne?.. Na ir teisingai. Arnoldas neleidžia?.. Kai jis pasakė, kad jo sesutė atvažiuoja, pagalvojau, jau kažko prisidirbo vargšelė... Aš teisingai spėju? Ne?.. Tiek jau to, nenori, nepasakok. Tiesa, kuo tu vardu?

– Monika.

– Monika? O pavardė ar tik ne Levinski? Chi chi chi... Na na, tik neužsigauk. Tokia jau aš – nerimta. Mano vardas – Felicija. Nieko sau vardelis, tiesa? Kaip vienas mano meilužis pastebėjo – skamba kaip aukštos įtampos laidų dūzgimas. Kadais buvau užsiveisusi meilužių kaip blusų, ir visiems mano vardas kliūdavo. Tie idiotai tvirtindavo, kad mano vardas seksualus. Felicija, o pakeitus vieną raidę – *felacija*, įsivaizduoji?.. Garbė Dievui, kad tą dalykėlį Maskvoje vadiname *minjetu*, tačiau tai menkai guodžia... O koks tavo kojytės dydis?

– Trisdešimt septintas.

– Oi, *mamočka!* – suplojo ilgomis plaštakomis Felicija. – Taip ir maniau! Parodysiu, turiu savo kabinete tokius batelius!.. Kulniukas dvylika centimetrų. Spalva... – ji ėmė dairytis. – Va! Kaip to *kretino* marškiniai, alyvuogių spalvos. Pamatysi – numirsi... Tik šeši šimtai *baksų*.

Vyriškis, į kurį smiliumi bakstelėjo Felicija, ėmė apžiūrinėti švarko atlapus lyg ieškodamas bjaurios dėmės, kurią mes pamatėme. Neišlaikiusios suprunkštėme.

Meniu gulėjo ant staliuko, bet Felicija nė nežvilgtelėjusi užsakė dvi taures brangiausio šampano. Laimė, kad paskutinę akimirką persigalvojo dėl deserto, ir aš lengviau atsikvėpiau išlikus vilčiai, kad sukrapštysiu pinigėlių už pasisėdėjimą prancūzų viešbučio restorane.

– O kuo verčiasi Arnoldas? – įsidrąsinusi paklausiau.

– Tu nežinai, kuo užsiima tavo brolis? – išplėtė ir taip didžiules akis Felicija.

– Jis mažai apie tai su manimi kalba.

– Ir teisingai. Mums nebūtina žinoti visų smulkmenų. Svarbu atspėti šefo nuotaiką. Kai prasta, paguosti, nesipainioti po kojomis, o kai gera – palaikyti tonusą. Nors mano Vasia viską daro atvirkščiomis. Kai nudega kokiame biznyje, tądien pasakoja anekdotus. Abu juokiamės per prievartą. O kai sekasi, tai vaiko kaip šuo katę. Tada telefonas netyla, vos spėju susigaudyti, kas dėl ko ieško mano šefo, kam meluoti, kam ne...

– Bet tas verslas ne visai švarus?

– Monika! – užjaučiamai pasižiūrėjo į mane Felicija. – Nešvarus! Pamiršk tą žodį. Yra tik nelegalus, nes kitokiame grašius uždirbsi. Na, pakeliame taures už tai, kad tu čia!..

Ji draugiškai mirkteli. Dzingteli stiklas. Paliečiu lūpomis taurės kraštelį, o Felicija spokso nepatenkinta. Ji maktelėjo šampano gerą gurkšnį, o aš kaip viščiukas tik snapelį suvilgiau.

– Ko tu tiek mažai?..

Ginuosi miglotomis frazėmis apie neva laukiantį darbą. Net nespėjau kompiuterio įsijungti, o čia šampanas.

– Aš gi tau paaiškinsiu. Svarbiausia sekti pinigų judėjimą. Iš kišenės į kišenę, iš banko į banką, iš *ofšoro* į *ofšorą*. Juk žinai, koks užuomarša kartais būna tavo brolis. Vaikšto galvą rankomis susiėmęs, aimanuoja: Felicija, nesusigaudau, kur prapuolė trisdešimt gabalų, o pas mane viskas čia, – kepštelėjo nagiuku smilkinį, – na, kartais dar užsirašau. Taigi, Arnoldai, sakau, juk tu tam storuliukui iš „Elektrostalio" paskolinai... O Maskvoje taip – neprisiminsi, į kieno kišenę savo pinigėlius įdėjai, peržegnok. Na ir ką? Kaip husaras ant kelio priklaupia, rankutes nubučiuoja, kadangi jau buvo atsisveikinęs su ta krūvele dolerių...

– O Andrius?

– Kas? Andriuša? Aha... supratau. Parūpo, tiesa? O jis, sakyčiau, visai nieko vaikinas.

Felicijos šypsenėlė įskelia manyje kibirkštį. Čirkšteliu it degtukas:

– Aš tik šiaip!.. Turėjau omenyje – koks jis. Charakteris, blogi įpročiai, na... kaip firmos darbuotojas.

Oranžinė gražuolė garsiai išpučia cigaretės dūmą.

– Jis idealus. Kaip vyras, ta prasme. Koks jis meilužis – nežinau. Žodžiu, rimtas. Ką daugiau apie jį galiu pasakyti, jei su juo aš nieko nieko... Labas, viso gero. Gerai atrodai – ačiū. Na gal kiek bejausmis tas Andriuša, nes negirdėjau, kad telefonu kalbėtų su kokia mergina. O mano Vasia!..

Ir Felicija su intymiomis smulkmenomis ir pikantiškomis detalėmis iškloja porą meilės istorijų, į kurias iki ausų buvo įklimpęs jos viršininkas. Vos su žmona neišsiskyrė. Ši, pasiėmusi pistoletą, vyro meilužes medžiojo po visą Maskvą, tačiau galų gale vėl nugalėjo tvirta nerūdijanti meilė, ir ji atleido savajam, kaip pasakė Felicija, patinui.

*

Pistoletas. Tas Arnoldo judesys vis tebestovėjo akyse. Paklausiau, ką reiškia tas atsitiktinai nugirstas žodis – *efesbė*...

– Specialioji tarnyba, ji, panašiai kaip Amerikos FTB, gaudo *žulikus*, tik mūsiškius. O jų Maskvoje žinai kiek? Juodukai ypač pavojingi. Turiu omeny čečėnus. Užtat čia, viešbutyje, – kaip Dievo užantyje. Apsauga, kameros visur, joks banditas su savo pretenzijomis neprasmuks į biurą. Tiesa, o tu žinai, kad virtuvė čia klasiška? Upėtakį ruošia fantastiškai. Paragaujame?..

Neslėpsiu, buvau alkana, tačiau upėtakis plius šampanas...

– Tiek jau to, – atsileido Felicija, – vis vien teks pietauti su

139

Vasia, kitą kartą, gerai? Na, eime... – ji stojosi ir, pastebėjusi, kad dairausi padavėjo ir siekiu rankinuko, atlaidžiai nusišypsojo: – Liaukis, Monika, juk šampanas firmos sąskaita. Už viską moka mūsų *diedai*. Žinai, kiek kainuoja jūsų biuro nuoma per mėnesį? Septyni tūkstančiai dolerių. Maniškis mažiau, nes toks ankštas, kad vos krypteliu užpakaliuką – Vasios peleninė, žiūrėk, ir lekia nuo stalo. Todėl nekvaršink sau galvos dėl nieko. Eini į darbą, visas pinigines namie palik.

Įtampa atslūgo. Silva, ko gero, delnais trintų, sužinojusi, kad viskas, kas meniu surašyta, – nemokamai.

Felicija nutempė mane parodyti savo bosui ir pakeliui spėjo papasakoti, kad jų firma verčiasi nekilnojamuoju turtu ir dar kai kuo, apie ką nevalia kalbėti.

– Vasilijau Pavlovičiau, susipažinkite, – vos pravėrusi duris į kabinetą šalia manojo, sučiulbo mano naujoji pažįstama, – tai Monika, Arnoldo sesutė.

Stambus vyriškis raudonu švarku atsistojo iš krėslo. Vienoje rankoje laikė ragelį. Jame plyšojantis balsas buvo girdėti net ten, kur mes stovėjome. Įbedė pilkšvas akis į mane, ištiesė plaukuotą leteną, ant jos riešo tabalavo masyvi auksinė grandinė. Spūstelėjo mano ranką pabrėžtinai švelniai.

– Malonu, malonu... – šiepėsi atvirai nužiūrinėdamas mano biustą ir kad suriks į ragelį: – Ne tau, *durniau!* Juk pasakiau, septintą *babkės* ant stalo, o šiandien kelinta? Jau devinta!.. Nepudrink tu man mazgų, o sakyk tiesiai – kada?..

– Nykstam, – stumtelėjo mane Felicija, – Vasia kalbasi su skolininku.

Išeidama ji pačiupo kažkokią dėžutę iš apatinės lentynos, ir kai atsidūrėme Arnoldo biure, Felicija iškilmingai iškratė iš jos dailius batelius. Kulniukas lyg subtilus moteriškas durklas. Metalinis. Spindi. Oda švelnutė. Taip miela glostyti, nors prie širdies glausk.

140

– Aha, patinka! – nudžiugo Felicija. – Tavo kojytei kaip tik. Apsiauk, pamatysi visą grožį.

Rikiuodama mintyse atsiprašymo žodžius, kad ne mano nosiai tokios puošmenos, šmūkštelėjau koją į kurpaitę.

– Kaip nulieta! – aikčiojo Felicija.

– Bet aš...

– Ką? Neturi pinigų? Būta čia ko! O brolis kam? Jis privalo pasirūpinti savo sesute. Aš tuoj...

Felicijos rankoje atsirado mažiukas mobilusis telefonas, ir vienu pirščiuku ji suspaudė kažin kokį numerį. Arnoldui, toptelėjo, tačiau buvo vėlu ką nors pakeisti.

– Arnoldai... Felicija. Ne, nieko neatsitiko... Puikiai jaučiasi, va, stovi greta sudėjusi rankas kaip angelėlis. Taigi meldžiasi... Kodėl? Batelius pamatė, kuriuos tas *kretinas* iš Italijos man atsiuntė. Užtat, kad nemokėjo angliškai ir nesusikalbėjome. Nupirko vienu dydžiu mažesnius, o tavo sesutei kaip tik... Taip, žinoma, kad reikia... Ką padaryti? Aha, gerai.

Stovėjau nutirpusi. Kokia gėda! Tie bateliai, anksčiau pasivaidenę kaip meno kūrinys, nebeatrodė patrauklūs. Anei kiek. Kur aš su tokiais žirgliosiu? Prie kokios efektingos vakarinės suknelės gal ir tiktų...

– *Yes!* – spragtelėjo pirštais Felicija mikliai nugrūdusi telefoną į vidinę švarkelio kišenėlę. – Antras stalčius po dešinei, antras po dešinei, kad tik nepamirščiau.

Oranžinės garbanėlės lyg liepsnelės prapleveno pro mane. Felicija, užlindusi už stalo, ėmė duotis po stalčius. Netrukus džiugiai atsikvėpė:

– Štai jie, *baksai baksiukai*. Ojoi, kokie aprašinėti. Na nieko, Lienočka kitą savaitę su savo *frantu* skrenda į San Franciską, o ten ir išterliotus dolerius ima. Žiūrėk, atskaičiuoju lygiai šešis šimtus. Viens, du...

„Viens, du – prabusk, Monika. Bateliai tavo.“

141

Jaučiausi bjauriai, lyg Silvos kailyje. Bet ar aš galėjau ką nors pakeisti? Šokti įrodinėti, kad Arnoldas visai man ne brolis, o aš jam nei meilužė, nei... tiesiog – niekas? Felicija būtų nepatikėjusi ir pažiūrėjusi į mane kaip į trenktą.

– Arnoldas prašė jo elektroninio pašto dėžutę patikrinti, – suzurzgė įjungiamas kompiuteris. – Jei kokia *lialka* parašė, turėsiu darbelio. Vėl kurpsiu laiškelį: „Oi, ilgiuosi!.. Oi, negaliu! Kada pasimatysime, mano kregždute?" Žinom mes tokias meiles!

Blykstelėjo monitorius. Po vikriais, įgudusiais Felicijos pirštais sutauškėjo kompiuterio klaviatūra.

– Kartą priskreto prie tavo broliuko viena gražuolė. Nuotraukas visokiausias siuntinėjo. Tai su žaisliniais meškiukais, tai prie židinio nusipleškinusi, ir vis nuoga, visas savo grožybes atvėrusi... Meniškos nuotraukos, nieko neprikibsi, net juoktis nebuvo iš ko. Tačiau kokias žinutes siuntinėjo!.. Mielasis, Arnoldėli, čia tavo balandėlė... Saldžiai, oi, kaip saldžiai murkė, o pabaigoje vis su prašymu lįsdavo: „Gal galėtumei vis dėlto tuos kailinukus nupirkti..." Visos žinutės baigdavosi prašymais, ir ne kokių ten kvepaliukų ar apatinio trikotažo, bet vis kailinių. Na, galvoju, prašyk prašyk, matyt, Arnoldas tau jų šiame gyvenime nebenupirks, kad ir nuoga su krokodilais paveiksluotumeisi. Ir ką tu manai?.. Ji pradėjo siųsti nuotraukas, kur savo grožybes dangstė puikiausių kailinių skvernais! Arnoldai, sakau, tu trenktas ar ką, kiek tu šiai katytei išleidi? Tūkstančių tūkstančius!.. O jis šypsosi. Nemoka net susigėsti – jis toks. O tu dar jaudiniesi dėl kelių šimtų dolerių už batelius, kurių tu tikrai esi verta... O, yra! Vėl kažkokia paukštytė parašė. Nagi nagi...

Felicija nuožmiai suraukė išpešiotus antakius. Spitrijosi į monitorių, kol jame atsirado žinutės tekstas.

– Na ir rašo! Vienos klaidos. O, nuotrauką atsiuntė. Tuoj

pažiūrėsime, kaip ji atrodo. Sprendžiant iš klaidų, mokinukė dar, ir mokosi atsilikusiųjų mokykloje... Eikš, Monika, dirstelėsi, argi tau neįdomu?

– Bet juk tai asmeniška, negalima knistis po svetimą pašto dėžutę.

– Negalima! Tu kai pasakysi!.. Kokie asmeniškumai? Sekretorė turi viską žinoti apie savo šefą. O šiuo atveju ir apie brolį. Tu manai, kad jei Arnoldas nesišvaistytų pinigais, o durstytų galą su galu, prie jo pleiktųsi visokios jauniklės?

Nieko aš nemanau. Arnoldo pasaulis man tolimas ir svetimas. O kodėl jis su manimi elgiasi itin pagarbiai, to nė pati dorai negaliu paaiškinti.

Monitoriuje pamažu atsirado nuotrauka: blondinė trumpais šortais ir su teniso rakete rankoje. Minutėlę buvo tylu, paskui pasigirdo Felicijos krizenimas:

– Chi chi chi, koks egzempliorius!.. O kojų ilgumas! Ir liesa kaip ką tik gimęs veršelis.

– Aš ją mačiau, – įsižiūrėjau į pažįstamus veido bruožus. – Buvome susitikusios Palangoje. Viktorija iš Rygos.

– Kas ji tokia? Nejaugi sportininkė?

– Girdėjau, kad manekenė.

– Žinoma, – atsiduso Felicija, – kas daugiau ji bus, jei ne manekenė. Tik podiumui toks gangreninis grožis ir tinka. O skiedžia, kad patinka žaisti tenisą. Jai tavo brolelis patinka, kas čia dar gali būti neaišku? Tuoj aš jam paskambinsiu, – ir jau laukdama, kol atsilieps Arnoldas, suniurnėjo: – Nejaugi ir tai tenisininkei pirks dažytus audinės kailinius? Gal pakaks naujų šortukų iš turgaus?.. Alio, Arnoldai, yra žinutė tau... Gerai, skaitau: „Meilas, Arnolda. Nigaliu be tavys tvertis..“ Aš neišsidirbinėju, skaitau, kaip parašyta, su visomis klaidomis... O toliau kas – myliu, noriu, myliu. Tiesa, nieko nerašo apie kailinių dydį, bet jos pečiai kaip Čiapajevo... Taip, yra nuotrauka... Kokia ten – erotinė! Su šortukais jinai ir laiko teniso raketę.... Taip, teniso. Iš kur man žinoti, kas jai šovė į galvą. Ką sakai? Ištrinti?.. Aha, supratau, bus padaryta, – ir jau man nenustygdama: – Arnoldas liepė siųsti ją kuo toliau. Malonumėlis!

Jos miklūs pirštai ėmė lakstyti klaviatūra, o aš, stovėdama už oranžinių Felicijos plaukų kupetos, ėmiau skaityti:

„Miela Viktorija, džiaugiuosi, kad jums patinka tenisas, bet aš labiau mėgstu žaisti kortomis. Kaip tik dėl to artimiausiu metu nepavyks mums pasimatyti. Ir niekas nekaltas, tik tos prakeiktos kortos, mat pralošiau savo automobilį, visus pinigus ir rytoj eisiu į banką užstatyti savo buto. Pirkėjas kompiuterį išsineš šį vakarą. Todėl neberašyk man. Jei pavyks nors kiek atsilošti, lauk manęs... O kol kas sudie. Neliūdėk. Tavo Arnoldas."

– Na kaip, Monika? – loštelėjo kėdėje Felicija: – Kaip manai, pamirš toji paukštytė tavo brolelį ar ne?..

– Sąmojinga, bet kažko trūksta. Nelabai įtikinama, – tariau aš, nors visa tai man nepatiko. Ir ne todėl, kad pavyduliaučiau, esu tos nuomonės, jog nedera kištis į dviejų žmonių santykius, kad ir kaip jie klostytųsi.

– Nėra šiandien nuotaikos, – pritarė mano abejonėms Felicija. – Būdavo, ir smagiau atsikirsdavau. Tiek to, siunčiu...

– O kaip baigėsi su ana kailinių mėgėja?

– Kuria? A, tu apie tą su meškiukais?.. Et, labai banaliai. Ji buvo ištekėjusi, todėl pakako man parašyti, kad nuotraukytes parodysiu jos vyrui, ir ji tylutėliai pasitraukė. Arnoldas jos lyg ir nepasigedo. Juk merginų pas jį – va! – brūkštelėjo delnu per kaklą Felicija ir, žvilgtelėjusi į sieninį laikrodį, susizgribo: – Oi, bėgu pažiūrėti, kaip mano Vasia gyvuoja. Jei anekdotų nepasakos, vadinasi, viskas gerai. Tada vėl pas tave...

Bet Felicijai vos pakilus prasivėrė durys. Ant slenksčio išdygo pats Vasilijus Pavlovičius.

– Mergaitės, prisiminiau vieną neblogą anekdotą...

– Eime, Vasenka, papasakosi man, – Felicija pasižiūrėjo į mane vos sulaikydama šypseną, – Monika turi darbo. Netrukdykime jai.

*

Iki darbo dienos pabaigos prakiurksojau prie kompiuterio. Felicija užbėgdavo tik kelioms minutėms, kad parodytų, kaip kapstytis Arnoldo firmos HMB duomenų banke. Buhalteriją tvarkė ateinanti finansininkė, o mano pareiga tik surašyti pirkimo ir pardavimo operacijas. Glumino pinigų sumos. Šimtai tūkstančių dolerių. Tiesa, tokie skaičiai mirgėjo tik šalia spalvotųjų metalų partijų. Varis ir nikelis. Šalia retųjų metalų grupių – ne tokios įspūdingos sumos, tačiau nenoromis vis galvojau, ar verta išvis dar ką nors dirbti, jei mano darbdaviai sugebėjo susikrauti tokį kapitalą? O gal visos apyvartinės lėšos iš banko? Paskola ar panašiai...

Po pietų atgijo telefonas. Vis ieškojo Arnoldo arba Andriaus, ir man atsakius, kad nežinau, kur jie, dažnas susidomėdavo – o kas čia tokia kalba su vos vos juntamu akcentu?.. Ne vien smalsumas pasigirsdavo jų balsuose, bet ir atgrasios gašlumo gaidelės. Matyt, turtingiems vyrams moterys būtinos kaip deguonis. Kas vakarą – vis su kita. Laisvalaikio leidimo būdas. Nuo vienos pinigų operacijos iki kitos.

Po eilinio Felicijos pasakojimo, kaip Arnoldas su viena brangiausių „Gold palace" kazino prostitučių savaitei skrido į Las Vegasą, paklojo ten tūkstančius dolerių, susidariau apie jį galutinę nuomonę.

Mergišius, lovelasas, donžuanas...

Nei teigiama, nei neigiama nuomonė. Kodėl?.. Juk jis mane vadina savo sesute. Nors man – tai tuštoka sąvoka. Visų pirma jis mano darbdavys ir nei man rūpi, ką jis veikia laisvu laiku, nei ten ką.

Kai Arnoldas įžengė į biurą, laikrodis rodė be penkiolikos penkias.

– Kaip sekėsi?

– Ačiū, neblogai, – ir prisiminusi, kaip kvailai išėjo su tais Felicijos įpirštais bateliais, ėmiau mykti: – Man nemalonu, bet Felicija dėl visko kalta. Nereikėjo man tų batelių, bet ji...

– Nepradėk. Smulkmena visa tai, smulkmena.

– Bet...

– Na tegu bus firmos dovana, – nesileido į ilgas kalbas, – penktą parvešiu tave namo. Dar daug darbų manęs laukia.

Jis nuėjo į savo kabinetą. Aš išjungiau kompiuterį. Susitvarkiau popieriais ir aplankais apkrautą stalą. Įsimečiau į rankinuką lūpdažius, kurių taip ir neprireikė nuo pat ryto. Tik batelius paimti nekilo ranka. Tegu būna kur buvę. Jei dar kartą Arnoldas užsimins, gal tada...

Ketindama pranešti, kad aš jau susiruošusi, pravėriau duris į boso kabinetą. Arnoldas linksojo virš stalo. Keista, nenatūrali poza, ant kaktos užkritusi plaukų sruoga. Ypač mane sukrėtė kažkoks svetimkūnis, styrantis Arnoldo šnervėje. Dolerio banknotas, naujutėlis, traškantis ir susuktas į plonytį vamzdelį. Pasigirdo trūksmingas įkvėpimas... Mane perliejo šaltis – ūmai suvokiau, kad tie balti milteliai ant veidrodinės plokštelės – ne kas kita, kaip narkotikai.

Arnoldas atšlijo nuo stalo, piktokai blykstelėjo akimis į mane, pastėrusią iš nuostabos.

– Belstis reikia, Monyka, o ne landžioti kaip...

Su kuo jis mane mintyse sulygino, taip ir nepasakė. Susivaldė. Atgalia ranka persibraukė panosę. Vikriais pirštais išlygino dolerio banknotą. Veidrodinę plokštelę patrynė į švarko rankovę ir paslėpė ją po telefono aparatu. Seifas, siekiantis jo pečius, bu-

146

vo atlapotas visu gražumu. Vienu mostu jis užtrenkė sunkias seifo duris, bet spėjau pastebėti, kad jo lentynėlės tirštai prigrūstos dolerių pakelių.

– Aišku, geriau būtumei nemačiusi, – rakindamas seifą kalbėjo Arnoldas, – bet tavimi aš pasitikiu. Nesi iš tų kobrų, kurios mano, kad pažintis su turtingais reikia išnaudoti. Prisijaukinti juos, priglostyti ir kuo daugiau naudos sau išpešti. Vėliau triumfuoja, manydamos, kad apsuko galvą man, o aš juk už viską sumoku. Už meilę, už pasistaipymus, netgi, atsiprašau, už *minjetą*. Tai kuris iš mūsų garbingesnis? Tas, kuris parduoda savo netikrus jausmus, ar tas, kuris už viską ploja pinigus?

Jis žvelgė į mane suglumęs, tarsi nujausdamas, kad šneka bet ką, kad tik netylėtų.

– Aš nieko nemačiau, – tariau išeidama iš kabineto, – manęs čia net nebuvo.

Dolerių prikimštas seifas, ant stiklo baltuojantys milteliai pranašavo nelaimę. Mane užvaldė kone isteriška būsena. Norėjosi bėgti kuo toliau nuo to vaizdo, griaunančio ramybę. Vien spengsmas galvoje. Lyg būtų įvykę kažkas baisaus ir nepataisomo.

Iki automobilio ėjome tylėdami. Arnoldas sekė paskui ir tik priėjus duris aplenkdavo mane, kad jas atlapotų, bet darė tai nerangiai, vengdamas žvilgsnių susidūrimo. Apmaudas kraipė jo veidą, ir kai džipas pajudėjo, Arnoldas išdrįso pažvelgti į mane:

– Nebijai važiuoti su manimi?

– Kodėl?

– Juk matau, kad laikai mane narkomanu. Visiškai žlugusiu žmogum. Bet taip nėra...

– Žiūrėk į kelią, – jo liguistai spindinčios akys man pasirodė nemalonios. Nors kažin ar kada nors buvo atvirkščiai. Gyvenimo patogumai, kurių beatodairiškai gviešiasi turtingieji, atbukina žvilgsnį ir be kvaišalų.

– Taip nėra, Monyka, – pakartojo jis. – Nesu narkomanas, patikėk.

Arnoldas buvo prislėgtas neaiškios kaltės, ir mano tariamas abejingumas jį dar labiau vertė muistytis.

– Po galais! – šūktelėjo jis. – Juk sakau tau – nesu narkomanas. Ne-su! Žiūri į mane kaip į paskutinį *degradą*. Jei kada ir prireikia kokaino dozės, tai tik kartą per mėnesį. Kar-tą!.. Kai reikalai ima griūti. Kad dieną naktį be miego galėčiau dirbti. Tai tarsi vaistai. Suteikia žvalumo, ir viskas. Tiki manimi, Monyka? Sakyk – tiki?..

Sužviegė stabdžiai. Džipas kaip įkaltas sustojo vietoje. Nuo kito automobilio, metančio melsvą dūmelį priešais šviesoforą, skyrė vos keli centimetrai. Vos išvengėme susidūrimo. Arnoldas susikeikė. Ir vėl prispiriamai pasižiūrėjo į mane – tikiu?

– Man tas nerūpi, – tariau atsigavusi nuo staigaus stabdymo. – Juk sakiau – aš nieko nemačiau.

Arnoldas apmaudžiai plekštelėjo per vairą.

– Supranti, Monyka... Mūsų sandėlius išplėšė. Turime nemažų nuostolių. Sandėlyje buvę darbininkai sumušti, suguldyti ligoninėse. Galva plyšta nuo rūpesčių.

– Apvogė? – suklusau aš.

– Išplėšė. Atvažiavo su kaukėmis ir automatais, gerai, kad nieko nenupylė.

– Kas atvažiavo?..

– Banditai, kas daugiau! Suuodė, kad turime kontrabandinių prekių, ir puolė... Ai! Kam visa tai pasakoju! Tai mano problemos, vien mano tragedija. Ir užpuolimai, ir kokainas. Be tokių sukrėtimų neįmanoma užkalti milijonų.

Taip ir maniau – galop visos teorijos atsimuš į pinigus. Magiška jėga, apverčianti pasaulį aukštyn kojom. Bet tuoj susigriebiau – o pati! Argi nedžiūgavau, sužinojusi, koks mėnesinis atlyginimas manęs laukia?.. Ne man teisti...

*

Kuo giliau džipas brovėsi į miestą, tuo dažniau stabčiojo. Mašinos lyg pavargusi kariauna traukė gatvėmis. Susitvenkdavo ties sankryža, aprimdavo ir vėl urgzdamos užgrobdavo atsivėrusias asfalto tuštumas.

Ramus vakaras. Virš miesto kybojo delno dydžio debesėliai. Saulės nurausvinti namai. Langai, žarstantys saulėlydžio gaisrą. Visureigio gaubtu slystantį klevo lapą ilgesingai palydėjau akimis. Rudenio melancholija braunasi į mano vienatvę.

Nenoriu būti viena.

Nenoriu.

– Tu nebijok, – dirstelėjo į mane Arnoldas, pamanęs, kad dėl prastos nuotaikos kalti pastarieji įvykiai jo verslo pasaulyje, – biure esi saugi. Viešbutyje kiekvieną žingsnį seka kameros ir ten joks pavojus negresia. Tiesa, pamiršau priminti, kad apačioje esančiame restorane nesugalvotumei kartais brukti padavėjui pinigų. Už viską...

– Žinau. Man sakė Felicija.

Arnoldas sureagavo netikėtai:

– Ką dar jinai sakė? Pasakojo apie mane? Kad aš amžinai paskendęs meilės reikaluose?

– Netikros meilės.

– Tikros ir nėra. Gal tie, kurie nebijo vargo ateityje, tuokiasi iš meilės, bet abejoju. Normalios moterys bijo skurdo kaip velnio, o vyrams kas?.. Jei nesiseka šeimos išlaikyti, ima gerti ir į viską nusispjauna.

– Arba ima vartoti narkotikus, – įgėliau, bet Arnoldas kraipydamas galvą nusišypsojo:

– Kažin. Kokaino gramas Maskvoje iki šimto dolerių traukia. Nebent žolytę gali rūkyti, bet degtinė Rusijoje pigiausia.

Vakaro sutemose pastatai darėsi neatpažįstami, ir tik toji reklama ant daugiaaukščio sienos priminė man, kad artėju prie namų, savo laikino būsto milijoniniame mieste.

– Rytoj gali neatvažiuoti manęs pasiimti, – tariau. – Pati nusigausiu iki viešbučio. Metro prie pat namų, pora persėdimų, ir aš vietoje. Felicija man viską nupasakojo, tau bus mažiau vargo.

– Koks čia vargas, – keistai šypsojosi Arnoldas, – kai kam tai bloga naujiena.

– Kam?

Jis tiriamai pasižiūrėjo į mane.

– Nenujauti?

Papurčiau galvą.

– O sako, moterys turi intuiciją... Andrius ketino rytoj pas tave užvažiuoti, kad nuvežtų į darbą.

– Andrius? – vaizdavau abejingą. – O kuo čia jis dėtas?

O kraujas taip ir plūstelėjo gyslomis – nujaučiau, dievaži, nujaučiau, ką tuoj tuoj išgirsiu, bet Arnoldas neskubėjo. Mėgavosi tylos pauze, ir kai ji tapo nebepakenčiama, netgi nelogiška, tarė:

– Įsimylėjo jis tave. Iki ausų. Turėjai tai pastebėti. Tragedija, kad jis neturi jokių šansų. Sakysi, ne taip, sesute?

Jo balsą, perdėtai žvalų, nusmelkė pavydas. Laimė, mašina jau riedėjo ūksminga alėja, slepiančia mano daugiabučio namo kiemą. Buvo pernelyg mažai laiko, kad išsiduočiau, kokio svarbumo naujiena išsprūdo Arnoldui.

– Tau vaidenasi, – myktelėjau. – Nuo kokaino.

– Na, na, na!.. Andrius ne toks. Tik nesugalvok jam prasižioti, ką šiandien matei. Užpjautų negyvai. Ir ką tau pasakiau, tegu lieka tarp mūsų. Gaila man jo. Įsimylėjęs vyras dažniausiai primena Ivanušką kvailelį. Žiopčioja apie tave gaudydamas menkiausią smulkmeną. Bet šiaip jis nepiktybinis, kaip ir aš.

Lipdama laiptais prisiminiau šitą niekam tikusį palyginimą.

Nepiktybinis, toks kaip aš... Pamanyk! Arnoldas, šaudantis akimis į kiekvieną dailesnę merginą, lygia greta stato šalia savęs Andrių, liūdesio ir rimtumo įsikūnijimą.

Tik liūdni vyrai sugeba mylėti, o linksmi tik išduoti. Na nebent prieš tai palieka kokią brangią dovaną, kad savijauta nekeltų pasibjaurėjimo, kuris kartais vyrus persekioja po atsitiktinių meilės ryšių.

*

Arnoldas biure pasirodydavo retai. Užbėgdavo tik tam, kad pasiimtų mano sudarinėjamą sąrašą žmonių, ieškančių darbo telefonu, ir minutėlę sugaišdavo prie seifo. Pinigai keliaudavo man nežinoma kryptimi. Arnoldas juos sukraudavo į odinį lagaminėlį, ir kartais jam prireikdavo mano pagalbos, kad suveiktų užraktai.

Nors, kaip minėjau, buhalterija man sekėsi nekaip, tačiau didelių mokslų nereikėjo, kad beveik tiksliai nustatyčiau lagaminėlio vertę. Septyni pakeliai vienoje eilėje. Iš viso jų buvo keturios. Vadinasi, du šimtai aštuoniasdešimt tūkstančių. Ir taip kelis sykius, kol netekau jėgų stebėtis.

Tik pamanyk, šmėsteldavo mintis, iš seifo išgaravo daugiau kaip milijonas dolerių. Tarsi užsikrėčiau ta olimpine ramybe, kuria šviesdavo Arnoldas. Bemiegės naktys neįspaudė jam nė žymės nuovargio. Kokaino poveikis?..

Stengiausi apie tai negalvoti. Taip atsitikdavo ir tada, kai pasirodydavo Andrius. Jo paliktus spalvotųjų metalų pavyzdžius aš privalėjau nuvežti į Chemijos institutą spektrinei analizei ir parvežti sertifikatą, liudijantį metalo grynumą. Taigi apgailestaudamas, kad pačiam striuka su laiku, užkraudavo šį nesunkų darbelį man. Šnekteldavome apie visokius niekus, ir Andrius vėl dingdavo kelioms valandoms.

Kad bent užuomina patvirtintų, jog tiesą Arnoldas sakė. Kur tau!.. Net komplimento pašykštėdavo, bet pastebėjau, kad susibėgus mudviejų žvilgsniams jo akys sprūsdavo šalin. Po pirmų, tegu ir nekalčiausių, sakinių jis prikimdavo. Pirštai karštligiškai įnikdavo vartalioti automobilio raktelius. Ir kartą išeidamas vos nesuklupo lygioje vietoje.

Komiškas jaudulys.

Norėjau tikėti tuo, kad jis neabejingas man, tačiau kaskart likusi viena imdavau ir suabejodavau – o gal Andriaus keistas elgesys vien dėl nuovargio?.. Juk mačiau, kokie tamsūs ratilai po akimis ir veido raumenys sustingę. Visai nusivaręs nuo kojų, o Arnoldas lyg koks negailestingas prievaizdas skambina kas penkiolika minučių: pasakyk Andriui tą, pasakyk aną... Su vienu susitikti, iš kito paimti pinigus. Tai iki Tulos nuvažiuoti, tai neužmiršti, kokie reikalai Riazanėje laukia. Kai Andrius man paskambindavo, visada girdėdavau variklio ūžimą. Vis kelyje ir kelyje.

Kartą neiškenčiau. Draugiškai paklausiau:

– Pavargai?

Jis tik atsiduso. Milijonieriaus atodūsis, tačiau toks gilus, tarsi iš po žemių.

– Mielai su tavimi pasikeisčiau vietomis, bet, gaila, nemoku vairuoti automobilio.

– Ačiū, Monika... Man nieko nereikėtų, jei tik tu būtumei šalia.

Net nebepamenu, kokiais žodžiais atsisveikinau, o gal jų visai nebuvo. Spaudžiau pypsintį ragelį saujoje. Suvirpau nuo pagaliau prasiveržusio nedrąsaus prisipažinimo. Aš jam reikalinga!.. Svaigulys lyg vyno išgėrus. Apėmė jausmas, kurį sunku ir nusakyti. Prieš tą jausmą nublanko visa jaunystės patirtis, o ir ateitis nebeatrodė tokia miglota. Lyg pro debesies kraštelį švystelėjus saulei.

– Kas tau? – išgirdau Felicijos balsą, pypsintis ragelis delne jai sukėlė nerimą. – Kas nors atsitiko? Vėl kokios nesąmonės vyksta?

Vasios sekretorė išsprogino dažytas akutes, lyg papūga pakreipė savo oranžinį kuodą. Tai mane prajuokino.

– Kas tau?.. Juokiesi? Tau visi namie?

Šypsojausi, negalėjau susikaupti. Norėjosi kvailioti, kaip kartais atsitinka merginoms, kurios nujaučia artėjančią smagią permainą. Juk buvimas šalia to, kurį širdis graso pamilti, paverčia gyvenimą dideliu nuotykiu. Įžiebia viltį patirti tikrą meilę. Felicija nieko nenutuokia apie tyrų jausmų pasaulį, į kurį patekus viskas iškart atsidurtų savo vietose.

– Šiandien mano nuotaika kuo puikiausia, – nuraminau ją. – Nekreipk dėmesio.

Pasisiūliau išvirti kavos, ir kol tupinėjau apie elektrinį kavinuką, Felicija klestelėjo į mano vietą. Užmetė akį į kompiuterio monitorių.

– Ką čia skaitinėji?

– Lietuviška spauda, – tariau. – Įdomu, kas dedasi namuose.

Felicija tingiai vartė elektroninio laikraščio puslapius, ieškodama nuotraukų, kuriose puikuotųsi vyriški ir, be abejo, patrauklūs veidai, tačiau nė vienu jų nesižavėjo. Sėdėjo skeptiškai sučiaupusi dažytas lūpas ir staiga kad sušuks:

– *Mamočka!* Juk tai tu, Monika! Tavo nuotrauka, žiūrėk!

Viską metusi puoliau prie ekrano.

„Dingusi be žinios...“

Šiurpas iki pėdų nutekėjo. Juk taip ir turėjo atsitikti! Kiek ruošiausi paskambinti į namus, bet vis atidėliojau. Ir še kad nori – dingusi! Vaje...

– Ką čia rašo? – spirgėjo Felicija. – Paskaityk, paskaityk!

– Rašo... kad, – vapėjau apstulbusi, – šitą... na, kad aš ieškoma, kad išėjusi iš namų ir negrįžusi.

– Kaip tu grįši, jei sėdi čia, Maskvoje? Jie ką, nežino? Ar jiems visiems *firikt?*.. Bet nuotrauka graži. Tau palaidi plaukai labiau tinka nei susukti į kuodą. O kodėl tau nenusidažius kokiu violetiniu atspalviu? Arba kaip aš, netgi ryškiau galima...

O man lyg kas širdį į kumštį suspaudė. Mama, jaudinasi ji. Visais varpais skambina. Net respublikinę paiešką paskelbė. Privalau paskambinti. Tuoj pat.

– Klausyk, o Arnoldas?.. – atsitokėjo Felicija. – Negi niekas nežino, kad tu pas brolį Maskvoje?

Aš nieko neatsakiau. Paskambinau į informacijos tarnybą ir sužinojusi Lietuvos kodą ėmiau rinkti namų telefono numerį. Atsiliepė mama. Pasakė „alio" ir sunkiai sualsavo į ragelį.

– Mama, labas, čia aš, Monika.

Pasigirdo aiktelėjimas. Ir kad prapliups:

– Kur tu, dukrele?.. Ar turi sveiko proto? Kur tu valkiojiesi!.. Alio! Ar girdi mane?

– Girdžiu, mama, aš tave gerai girdžiu.

– O Dieve, galvojau, kad kas tave nudaigojo... Tuoj pat grįžk namo, girdi? Aš tau palakstysiu! Atsirado principinga! Kur tu esi?

– Maskvoje.

– Aš tau parodysiu Maskvoje! Sakyk teisybę!

– Na, mama!.. Juk minėjau, kad man siūlė darbą Rusijoje, o aš ir sutikau. Taip atsiradau Maskvoje.

Išgirdau, kaip susijuokė Skaistė ir vis kartojo: „Ji meluoja, meluoja, meluoja..."

– Galiu pasakyti savo telefoną Maskvoje, – ramiai pareiškiau, – jei netikite, paskambinkite ir įsitikinkite.

– Monika, vaikeli, klausyk manęs atidžiai, – ir mama beveik sušnibždėjo: – Vitoldas viską tau atleido. Jis pasiruošęs tave vesti, girdi?

Oho! Ką ten mama prišnekėjo, ką prižadėjo, jei Vitoldas ūmai persigalvojo?

– Mama, tau jis patinka?

– Kas, dukrele?..

– Na, Vitoldas.

– A, taip, žinoma!

– Na tada pati ir tekėk už jo. O man puikiai sekasi čia. Žodžiu, esu sveika ir gyva. Pasiilgau jūsų. Visus bučiuoju. *Ate!*

Ir padėjau ragelį. Ryšys su širšių lizdu nutrūko. Būtent taip įsivaizdavau namus Klaipėdoje, kuriuose, be kandžiosios pusseserės, atsirado ir vargšas nuskriaustas mano jaunikis. Neabejojau, jog mama griebėsi įvairiausių pažadų, kad išsaugotų, jos nuomone, dar daugiau žadantį jaunikį. O kad mano širdis mirtinai sužeista, niekam nė motais.

– Na ir kaip? – apžiūrinėjo savo nagučius Felicija. – Išsiaiškinai, kodėl ieško?.. O gal čia Interpolas?

– Regis, ruošėmės gerti kavą? – akimis ieškojau kavinuko, bet Felicijai iš galvos neišėjo telefoninis pokalbis. Teko aiškinti jai visas aplinkybes, privertusias mane sprukti iš namų.

– Dėl jaunikio? – jos akyse sužibo smalsumas.

Po minutėlės mes sėdėjome prie pamėgto staliuko viešbučio restorane, ir sulig pirmu vyno gurkšniu pajutau, kaip nuskaidrėjo siela. Pajutau, kad apie Vitoldą galiu pasakoti nesikankindama dėl atsakymo, kodėl jis taip niekšiškai su manim pasielgė.

Tai jau praeitis. Tolimas netikros meilės miražas.

*

Laukiau savaitgalio, laukiau jo tingios ramybės, kuri stoja vien prabudus ir neišsisklaido iki pat pirmadienio. Viena jaukiame bute, mintimis su Andriumi.

Arnoldui pasakiau, kad Felicija ketina mane pavedžioti po parduotuves, o jai – atvirkščiai, sumelavau, jog Arnoldas pasišovė man aprodyti miestą.

Andrius trankėsi kažkur Rusijos gilumoje. Metalurgijos kombinate sudarinėjo kontraktą – tik tiek žinojau.

Visą šeštadienį prakiurksojau prie televizoriaus. Junginėti kanalus ir laukti, kol jis paskambins, – kankinantis užsiėmimas. Atgijus telefonui, kaskart spurdančia širdimi šokdavau atsiliepti į skambutį, tačiau ragelyje pasigirsdavo pakilus Arnoldo balsas, gromuliuojami žodžiai: „Tai vis namuose sėdi? O Felicija? A, dar neatėjo... O gal kur nors pavakarieniauti lekiame? Pavyzdžiui, į kinų restoraną?.. A, soti. Taip, taip...“ Siūlė ir į kino teatrą, netgi į spektaklį, tačiau aš atkakliai laikiausi versijos, kad tuoj pasirodys, va, bene jau lipa laiptais Felicija.

Melavau ir neraudau.

Kaip ir biure kalbėdama su tais interesantais, kurių Arnoldas nepageidaudavo matyti. Ir tokios pastangos nenuėjo perniek.

Andrius paskambino. Buvo ne mobiliojo telefono ryšio zonoje, todėl per traškesį vos girdėjau balsą. Tačiau jokie trukdžiai neįstengė paslėpti švelnaus jo sutrikimo ir nedrąsos, su kuria jis tardavo mano vardą. Telefonas išsijungdavo, bet jis paskambindavo vėl. Ir tik pabūgęs minties, kad drumsčia mano ramybę, atsisveikino tardamas „iki pasimatymo“.

Ką aš apie jį sužinojau? Jis už mane penkeriais metais vyresnis. Buvo vedęs, tačiau vaikų nesugyveno. Žmona ištekėjo už užsieniečio, apie ją kalbėjo be jokios ironijos ar nepagarbos, kurios neva nelaimingi vyrai stveriasi kaip špagos. Mylėjo nemylėjo – tiek toli pokalbis nesiekė.

Ir gerai.

Nenoriu jo įsivaizduoti šalia kitos moters. Pernelyg skaudu. Veju šalin visas mintis, kad jis turtuolis, bet aiškiaregės balsas gręžia smegenis – sutiksi turtingą... Na ir bala nematė! Kam lemta išsipildyti, teišsipildo, bet man jo rašteliai brangesni už visus milijoninius kontraktus.

Buvo jau po vidurnakčio, kai jis paskambino dar kartą.

– Nemiegi, Monika? Atleisk, kad neduodu ramybės.

– Nieko, viskas gerai.

– Norėjau tau palinkėti labos nakties.

– Tik tiek?

– Na, ne visai... Norėjau išgirsti tavo balsą.

– Ir viskas?

Stojo keistas džiugesys – aš viena tamsiame kambaryje ir jo kuždesys... Na, pasakytų ką nors tokio! Toookio, kad susileisčiau vietoje.

Jis nutilo.

– Na, pasakyk ką nors... – neištvėriau.

– Ką? Nežinau, ką pasakyti...

Mane pagavo nusivylimas – pokalbis artėjo į aklavietę. Tylos pauzė blėsino jaudulį. Nebuvau tikra, kad tarp mūsų mezgasi kas nors daugiau nei laikinas susižavėjimas. Ir tada, iš toli toli, pro laidų gaudesį atsklido:

– Man sunku be tavęs. Žinau, kvailai nuskambės, bet tavęs pasiilgau taip, lyg visą praėjusį gyvenimą būtumėm praleidę kartu. Noriu jį susigrąžinti. Toks tas jausmas.

– Man malonu tai girdėti...

– Rimtai? Galiu tave pakviesti į pasimatymą?

– Nežinau.

O vidinis balsas plyšojo: „Ko išsisukinėji? Nevaizduok šaltos ir abejingos! Labai jau drovi! Sakyk atvirai!..“

Bet Andrius buvo atkaklus. Jaudinantis bruožas, išduodantis, kad esi geidžiama.

– Šiaip pasitrankytumėm po Maskvą, – kalbėjo jis. – Nesiūlau nieko, kas tau nepriimtina. Man gana, kad būsiu šalia tavęs.

Matysiu tavo akis kada tik panorėjęs. Gal ir keistas noras, bet šiandien didesnio neturiu.

– O slapto noro jokio?..

– Slapto? – jis buvo nustebęs, gal ir priblokštas mano minties gijos, bet tuoj susitvardė. – Slaptų norų nėra, yra tik troškimai. O jie niekuo nesiskiria nuo paslapties, todėl...

– Oi, kaip įdomu! Juk jeigu mes draugai, – patogiau susirangiau sofoje, – tada kokios paslaptys?

– Atskleisti?

– Aha.

Ragelyje kurį laiką buvo tylu.

– Na nežinau... – abejojo. – Bijau, kad ko nors tokio nepagalvotumei.

– Manęs nereikia bijoti, – paprastai tariau, o krūtinę užliejo šiluma, lyg jo balsas sloptų ir vėl pasigirstų čia pat, už nugaros, už mano peties, nuo kurio netyčia nuslydo šilkinė petnešėlė. – Ar negali būti su manim atviras?

Aš jį provokavau. Troškau įsibrauti į slaptus minčių užkaborius ir vis dėl to paties – ar tikrai aš jam reikalinga? Tai tarsi žaidimas, neturintis aiškių taisyklių, ir pralaimi tas, kuris netikėtai užkimsta.

– Alio, Andriau?

– Aš čia.

– Tai ko tu labiausiai trokšti?

Jis keliskart atsikvėpė lyg žengdamas per nematomą mus skiriantį barjerą.

– Trokštu įsivaizduoti, kaip tu dabar atrodai. Pavyzdžiui, kaip tu apsirengusi?

– Apsirengusi?

– Taip.

– Aš jau su naktiniais. Šilkiniai ir tokie... na tokie su petnešėlėmis.

– Kokios spalvos?

– Mėlyni, bet dabar tamsoje atrodo kaip juodi.

– Jie trumpi?

– Žinoma, trumpi. Nesiekia kelių.

– O kas po jais?..

Mano oda šiurptelėjo tarsi nuo prisilietimo. Švelnaus ir lydimo trūksmingo kvėpavimo.

– Ką vilki po naktiniais? – šnibždėjo tolimas balsas.

Lyg skausmas, lyg malonumas numaudė paširdžius. Apmiriau. Vien virpulys gyslose.

– Nieko...

– Tu po naktiniais nieko nevilki?

– Ne. Juk aš ką tik iš vonios.

– Tai tu nuoga?

– Taip. Aš nuoga.

Trumpa pauzė.

– Monika... Mano troškimas – kada nors atsidurti šalia tavęs tokios.

– Gražus troškimas.

– Tikrai? O aš bijojau, kad ne taip mane suprasi. Juk tai meilė, Monika... Meilė, ir nieko daugiau. Jau nebe mano paslaptis.

Strėnas perliejo karštis. Dievaži, tokį prisipažinimą turėjau įsidėti į širdį, visu jos plakimu suvokti, kad girdžiu mylimą balsą, kad esu mylima, bet mane nusmelkė vienut vienas troškimas – atiduoti savo kūną goslioms glamonėms, atsiduoti...

– Monika, tu nesupykai?

– Visai ne. Galvoju apie tai, ką tu pasakei.

– Pagalvojai – nieko sau fantazija.

– Kodėl?.. Mūsų troškimai sutampa.

– Tikrai?.. Tu net neįsivaizduoji, kaip man tai malonu girdėti! Kaip gerai, kad paskambinau tau. Labos nakties, Monika.

– Labanakt.

Nuėjau į miegamąjį.

Iš kiemo plūstanti šviesa nugludino aštrius lango kampus, lubomis nudrykusi dėmė buvo panaši į arkos tuštumą. Tuštuma, už kurios žydi kaštonas ir skleidžiasi skaisti nuoguma. Veidrodyje atsispindėjo butelio žalsvumas. Raminamas spindesys, tačiau ne šiąnakt. Vos sumerkusi akis, sulaikiau kvėpavimą, bijodama netekti palaimos.

Noriu susapnuoti kaštoną.

Noriu netekti savojo šešėlio.

＊

– Kokia tu pasikeitusi! – tvirtino Felicija, kai pirmadienį susitikome viešbučio vestibiulyje. – Spindi kaip žvaigždutė. Gerai savaitgalį praleidai?

– Puikiai.

– Na nieko, pasidalinsi su manim tuo stebuklingu laisvalaikio leidimo būdu. Vėliau, gerai?

Lapė toji Felicija. Viską nori žinoti. Kodėl liūdna, kodėl linksma. O šypsena – užuomina į bemiegę naktį.

Biuro durys buvo atrakintos. Arnoldas sėdėjo savo kabinete. Keista, niekada taip anksti neatsibelsdavo. Išgirdęs durų virstelėjimą, iškišo galvą iš savo kabineto.

– Labas, Monyka. Užeik pas mane.

Spėjau pastebėti, kad Arnoldas atrodė nekaip. Lėtų apsukų, paraudusiomis akimis. Kaklaryšis persisukęs, o ant švarko rankovės tamsavo dėmė, turbūt kavos, nes puodeliai pilni tirščių.

– Šūdas, – prakošė man įžengus į kabinetą, – vario kainos krinta, o toks kontraktas po nosimi. Dar nėra buvę tokio staigaus kritimo. Paskambinsi tiesiai į biržą, po to vokiečiams. Padėsi man susigaudyti.

Jis pastūmė netvarkingai surašytus, daug kartų rašikliu pariebintus telefonų numerius.

Taip prasidėjo nauja mano darbo savaitė. Pilna nusivylimo, nes po pirmo skambučio į Londoną šiaip ne taip išsiaiškinau, kad vario pozicijos prekyboje nukrito keliasdešimčia dolerių. Metalo supirkimo firma Vokietijoje nieko guodžiamo irgi nepasakė. Kol kas stebi, kaip įsibėgės prekyba biržoje. O tai reiškė tik viena – Andrius negrįš iš Čeliabinsko, kol padėtis rinkoje netaps aiškesnė.

– Ir dar kaip tyčia miltukai baigėsi! – širdo Arnoldas. – Nėr kur dingti nuo tos idiotiškos savijautos, kai žemė tarytumei slysta iš po kojų. Na nieko, jei dievulis užtrenkia langą, įlįsiu pro plyšį, bet savo milijoną užkalsiu.

Paprašė paruošti faksogramą. Jos turinys man pasirodė keistas: „Gerbiamas sere. Pranešu, kad jūsų siūlomos „markutės" tinka mano kolekcijai. Pirma partija turi būti tokia, kaip ir kalbėjome su jūsų „filatelistu" Maskvoje. Norėčiau aptarti mokėjimo sąlygas. Su pagarba – HBM direktorius A.Petrauskas."

Išverčiau į anglų kalbą, išspausdinau kompiuteriu, ir kol fakso aparatas rijo popierių, Arnoldas neaišku kam grasino:

– Jei pasakys, kad grynais už vieną mokėti aštuonias, pasiųsi juos velniop. Paskambinsi ir pasakysi jiems – eikite šikti! Sugebėsi?

– Bet kodėl? – numykiau. – Nejaugi nori pasirodyti toks nekultūringas? Kaip paskutinis chamas.

– Kokia kultūra? Kokia?.. – skeryčiojosi Arnoldas išraudęs kaip vėžys. – Kai gali prarasti milijoną!

Tačiau po valandos „filatelistai" atsiliepė, ir visos jų fakso pranešime išdėstytos sąlygos pradžiugino Arnoldą. Trynė delnus. Nenustygo. Užgulė telefoną, prieš tai pareiškęs, kad šis popiergalis jam pats mieliausias.

Žiūrėjau į spausdintą tekstą, kurio mįslingo turinio nė nebandžiau perprasti, o akyse sušvito rašteliai iš butelio.

Kokie nepanašūs džiaugsmai ir koks nesuprantamas man šis gyvenimas, tarp biuro baldų, šaltos bejausmės technikos ir svajonių, kurios sukasi vien apie pinigus.

Koks pavydėtinai laimingas buvo Arnoldas, vėl į ragelį prabilęs būdingu didžiam vertelgai tonu. Ir kaip sugniuždavo, kai ateities horizonte iškildavo nelaimės šmėkla, kurios skaudžiausias smūgis buvo pinigų praradimas.

Kitą dieną vario kainos biržoje vėl smuktelėjo, ir apie Andriaus grįžimą į Maskvą nebuvo nė kalbos. Laukti, kartojo Arnoldas, kai retomis akimirkomis pasimatydavome, reikia laukti, kol nusistovės kainos rinkoje.

Andrius nebeskambino, tarsi nujausdamas, kad man pernelyg sunku klausytis tolimo jo balso, kad visi telefoniniai pokalbiai darosi beprasmiški prieš nenugalimą norą pamatyti viens kitą.

Vieną popietę Arnoldas pasikvietė mane:

– Važiuosime į banką, Monika, noriu atrodyti solidžiai, taip sakant, su sekretore, kaip visų rimtų firmų vadovai. Vis dėlto paskola keli šimtai tūkstančių dolerių. Reikia padaryti bankininkui gerą įspūdį.

*

Kaip turi atrodyti solidžios firmos sekretorė? Nusivaliau makiažą, vien lūpas perbraukiau neryškiu lūpdažiu. Plaukus viršugalvyje susivijau į dar standesnį kuodą. Gaila, regėjimu nesiskundžiu, nes akinukai suteiktų kur kas daugiau dalykiškumo nei klasikinis kostiumėlis, įgrisęs iki gyvo kaulo. Kasdien su vienu ir tuo pačiu drabužiu. Greičiau atlyginimas, bent įsigysiu ką nors panašaus į ekstravagantiškus Felicijos apdarus.

Bet visas jaudulys nuėjo perniek, kai įžengėme į komercinio banko valdytojo kabinetą, apstatytą prabangiais odiniais baldais.

Prirūkyta, sklaidėsi alkoholio kvapelis, o pats bankininkas išsitaršiusiais marškiniais drybsojo krėsle nemokšiškai papsėdamas cigarą. Tuo mano nuostaba nesibaigė – banko valdytojas įsakmiu mostu lyg įkyrias muses nuvijo dvi ilgais dailiai iššukuotais plaukais ir liaunų figūrų merginas, jos mums užėjus į kabinetą nesutriko ir toliau lyg niekur nieko masažavo bankininko sprandą, pečius. Maigė, lyg šis būtų didelis pliušinis žaislas.

– Cigarą? Viskio? O gal kavos? – siūlė banko valdytojas.

– Degtinės, – tarė Arnoldas, – su svarbiais žmonėmis geriu degtinę.

Bankininkas davė ženklą savo stainioms gražuolėms, ir netrukus ant ąžuolinio stalo dunktelėjo du stiklai degtinės. Siaubas, ir man įpylė...

Buvau sutrikusi, ir aplankas tarsi rogutės slydo nuo mano kelių, tačiau bankininkas nesiteikė žvilgtelėti į Arnoldo popierius, liudijančius nepriekaištingą firmos finansinę padėtį.

– Man skambino ponas Voroninas, skambino ir prašė tau padėti. Kada tau reikia pinigų? Rytoj bus gerai?

Jiedu įniko aptarinėti įvairias smulkmenas. Derybos, įsikišus kažkokiam Voroninui, ėjo sklandžiai, o aš neįstengiau atplėšti akių nuo bankininko sekretorių, labiau panėšėjančių į viešnamio merginas. Vos kuri viena prisiartindavo prie cigarą dūmijančio bankininko, šis grybšt – ranka nekaltai surasdavo šlaunį, plekštelėdavo per užpakaliuką. O šios tik rodė lygius baltus visai neaštrius dantukus.

Seksualinis priekabiavimas, – pamaniau, – dar viena turtingosios Maskvos grimasa. Jaučiausi nekaip, lyg stebėdama draudžiamus dalykus, lyg pati tapusi kabinete vyraujančios žemos aistros liudininke.

Paraginta Arnoldo, prisiverčiau nuryti lašą degtinės. Fu! Mane atidžiai stebėjo bankininkas. Išsisketojęs odiniame krėsle, žvilgančiu nuo prakaito veidu, jis buvo panašus į vabalą, dūstantį nuo sotumo. Netgi tada, kai Arnoldas skaičiavo ir į lygias krūveles dėliojo kyšį už paskolą, jis įžūliai įsispoksojo į mano švarkelio prasagstą, į lomelę tarp dviejų krūtinės iškilumų. Tarsi vėdindamasi aplanku prisidengiau krūtinę.

– Graži sekretorė, – užgniaužė bankininkas tingų žiovulį, – ir iš kur jūs, lietuviai, tokių imate?

Arnoldas susimuistė.

Pakvietė bankininką minutėlei prisėsti ant odinės kanapos kabineto gilumoje. Ničnieko negirdėjau, apie ką jie kalbėjosi, bet jaučiau, kaip jie mane nužiūrinėja nuo galvos iki kojų. Apie mane šnekučiuojasi ar aptarinėja paskutines sandorio smulkmenas?

*

Vos išėjus iš bankininko kabineto, Arnoldas džiugiai apkabino mane.

– Monyka! Tu neįsivaizduoji, koks svarbus buvo šis susitikimas. Dabar galėsiu disponuoti bet kokiomis sumomis! Tu man atnešei sėkmę, tu!..

Ir vėl pinigai!

Išsivadavau iš glėbio. Jie visi pamišę! Lyg vabaliukai, netekę nuovokos ir ropojantys nuo šiugždančių pinigų pakelių prie liaunų, juodu akrilanu aptemptų kojų.

– O kas tas Voroninas? – paklausiau, kai visureigis skriejo viešbučio link.

– O!.. Milijonus varto. Kietas biznierius. Nafta, metalai, alkoholis ir dar bala žino kas. Lietuvoje turi draugų, keletas ir jo verslo imperijoje dirba. Pagaliau ir aš esu jo partneris. Tu irgi, – žvilgtelėjo į mane, – tu, Monyka, man ne vien kaip sesuo, bet lyg ir talismanas koks.

– Kada grįš Andrius? Nežinai?

– Pasiilgai?

Nuraudau. Šit kaip lengvai išsidaviau.

– Matau, kad pasiilgai, – be jokios ironijos ar pavydo tarė Arnoldas. – Ką gi, džiaugiuosi, jei jūs susidraugavote. Duok Dieve, kad viens kitu nenusiviltumėte.

– Tai dėl Andriaus nieko neaišku?

Arnoldas įdėmiai žvelgė į mane. Tai mane erzino, bet sykiu ir patiko. Pajutau, kad šalia manęs žmogus, kuriam ne vis vien, kaip susiklostys mano gyvenimas milijoniniame mieste, kur iš pirmo žvilgsnio vienatvės paukštis skleidžia savo sparnus.

– Sakyk – tu jį įsimylėjai?

To dar betrūko!.. Imsiu mat atvirauti. Kaip tik todėl ir trokštu išvysti Andrių, kad susigaudyčiau, kas man darosi. Sapnų nuotrupos, naktinio telefoninio pokalbio pauzės, kuriose tvenkėsi visa jausmų prasmė, vis tebešmėkščioja atmintyje. Andrius, vien jo atsiradimas mano gyvenime, dovanojo šitas laimingas akimirkas ir sužadino netikėtą aistrą.

– Grįš tavo Andrius, jau greitai grįš, – kalbėjo Arnoldas nerūpestingai žvelgdamas į kelią. – Šį savaitgalį Voronino dukters vestuvės. Kvietė ir mus. Tad rytoj Andrius – kas bus, tas – pasirašys su gamykla kontraktą. Kiek jau nukrito metalo kainos, žemiau nebėra kur... O tokiuose susibūrimuose kaip milijonieriaus dukros vestuvės privalome dalyvauti. Pažintys ir proga parodyti pagarbą visai Voronino giminei. Bus linksma. Turi kokią vakarinę suknelę?

– Kaip? – nustebau. – Aš irgi turėsiu ten dalyvauti?

– Žinoma, – linktelėjo Arnoldas, – Andrius paglobos. O ką? Visai nieko pora, sakyčiau, labai perspektyvi pora.

Nukaitau, tik šįkart iš dėkingumo. Tačiau mintis apie vakarinę suknelę tarytumei elektros srovė nukrėtė mane. Ką daryti?.. Mielu noru, jei ne Andrius, atsisakyčiau pagundos iš arčiau žvilgtelėti į rusiškas vestuves, suruoštas, pasak Arnoldo, nesukant galvos dėl išlaidų.

Felicija, tik ji gali padėti.

Parsiradusi į biurą, iškart paskambinau jai.

– Anokia bėda, – tarė ji išklausiusi mane, – nesijaudink, ką nors sugalvosime.

Tačiau jau sėdint restorane dirbtinio akacijos krūmo pašonėje buvau priversta atlaikyti negailestingą Felicijos kritiką. Krūtinė mano menka, tad suknelė didele iškirpte man netiks. O va kojos lyg ir nieko, tad skeltukas neprošal, tačiau spintoje tokio vakarinio apdaro neturinti. Ir pagaliau jos suknelės vienu dydžiu tikrai per didelės.

Tada aš griebiausi šiaudo: išsinuomoti. Jei ji paskolintų kiek pinigėlių, gal rasčiau ką nors sau tinkamo?

Felicija suraukė nosytę ir dar įnirtingiau ėmė kramtyti saldainiuką.

– Tuose vakarinių rūbų nuomos salonuose, žinai, tokie skudurai, nors nusišauk! Tau reikia ko nors efektingo. Voronino dukters vestuvės!.. Tu neturi žalio supratimo, kas tai per oligarchas! Visa bulvarinė Maskvos spauda ten sukinėsis. Bet pala! Tu gi su Arnoldu ten eisi?

– Ne! Šįkart noriu apsieiti be jo pagalbos. Ir apskritai jis man joks brolis.

– Kaip tai? Jis visą laiką tvirtino...

– Tai tik šiaip, tarsi žaidimas toks.

– Bet klausyk, Monika!.. Vadinasi, jūs – meilužiai.

Man nusviro rankos.

– Jokie mes meilužiai. Išprotėjai – beveik penkiolikos metų skirtumas.

– Na ir kas? – nesutriko Felicija. – Vyresni vyrai visada įdomesni. Kai aš turėjau romaną su Saša Rinkovu... Žilaplaukis, mielas dėdulė, dėstytojas iš GITIS'o, tai nunešdavo iki lovos ir kiekvieną pėdos pirštelį išbučiuodavo. Žinai, koks jausmas? Nieko nelieka. Kūno, ta prasme... Skrajoji, tik širdis plaka stipriai ir keistai. Tiesa, po pasimylėjimo dėdulė stverdavosi vaistų. Imdavo dusti, mat astmininkas buvo...

– Felicija, kitą kartą papasakosi. Padėk man išsisukti, sugalvok ką nors, – jau maldavau ir kaip svarų argumentą pridūriau: – Supranti, ten bus Andrius, todėl...

– Andriuša? – ji pastebimai pagyvėjo. – O ką? Tarp jūsų kas nors yra?

– Manau, kad taip.

– Oho! Sveikinu! Kiek sykių aš bandžiau jo dėmesį atkreipti, ir nieko. Geležinis kažkoks... O tu – atėjai, pamatei ir pasiėmei! Įdomu, įdomu... – ji delniuku pasirėmė smakrą, ir jos veidas įgavo nuodėmklausės išraišką. – O kaip lovoje? Turbūt stiprus, ką? Potencija tiesiog iš akių trykšta.

Fu, kokia toji Felicija! Akimoju viską suvulgarina.

Ji uždavė aibes kvailų klausimų. Vis apie Andrių. Nė į vieną jų neatsakiau. Ausyse – tik melodingas fontano čiurlenimas. Ir staiga Felicija negrabiai kepštelėjo mano riešą.

– Sugalvojau! Yra idėja! Irka, ji Vsevolodo meilužė, o tas pūzras turi modelių agentūrą.

– Na ir kas? – nemačiau, ko čia džiūgauti.

– Kaip tai – kas! Taigi modelių agentūra! Jis turi būrį pažįstamų dizainerių. Iš naujosios kolekcijos galėsi rinktis sau suknelę! Bet būtinai, paklausyk – su skeltuku! Įsivaizduok – stovi tokia nekalta, mirksi akutėmis ir tik žingsnį žengt, kojytė švyst, o vyrams žandikauliai ir atvimpa...

– Man tai visai nerūpi, – bandžiau gintis, bet Felicija prunkštelėjo:

– Tada vienuolės abitą apsivilk! Manai, patiksi Andriušai? Tu negali jam padaryti gėdos, supranti?.. Ir suknelė turėtų kainuoti bent dešimt tūkstančių *baksų*, kitaip tarp naujųjų buržujų atrodysi kaip bufetininkė. Tu šito nori?

Tiesą pasakius, širdis kuždėjo tik viena – noriu pamatyti Andrių. Noriu būti panaši į moterį, apie kurią jis galbūt svajoja.

– Be to, – tęsė Felicija, – tau reikia kokio nors subtilaus daikčiuko. Na, kažin kokiom brangenybėm manęs *frajeriai* nelepino, tačiau auskarus su deimančiukais aš tau paskolinsiu, ir toji pati Irka, Vsevolodo meilužė, tokių subtilių papuošalų turi, numirti gali!.. Nieko, kaip nors iškaulysiu... Dar reikės Nadiušos melsti, kad skirtų tau valandėlę. Ji visažistė, dirba kino studijoje. Tau tokį veidelį nupieš, kad savęs nepažinsi. Ir dar! Visai pamiršau. Šukuosena... O jeigu rimtai – imtum ir nusidažytum kaip aš – oranžine arba violetine spalva? Ko šypsaisi? Tu gerai, Monika, pagalvok...

*

Vyrams trūksta supratingumo. Vestuvių išvakarėse Arnoldas susizgribo, kaip aš atrodysiu naujųjų rusų draugijoje. Net nepastebėjo, kad jau dvi dienos aš taikausi kuo anksčiau išsmukti iš darbo. Kad mano veide rusena nuovargis, nes Felicija iki išnaktų mane vedžiojasi pas drauges ir stebėtinai lengvai priverčia jas atidarinėti papuošalų dėžutes. Laiptinės, butai, Felicijos draugių vardai – viskas susijaukė galvoje. Tačiau pagaliau aprimau – atrodysiu tinkamai. Ypač kai atsirado vakarinė suknelė. Iš Judaškino kolekcijos.Vienintelis modelis. O grožis!..

Suknelė, pasak Felicijos, – nokautas. Kai ją užsivilkau, netgi Irina, be galo lepinama savo meilužio, turtingo madų pasaulio šulo, spalvingų ir brangių skudurėlių prigrūdusi visus buto kampus, neišlaikiusi aiktelėjo.

Suknelė krito nuo apnuogintų pečių it vanduo. Medžiagos faktūra be galo keista, vien žurnalų nuotraukose regėta: nuberta smulkučiais žvyneliais, vieną akimirką blizgančiais tarsi nušviesti saulės, o kitą įgaunančiais melsvą vandens švytėjimą.

Kai žvelgiant pro gilų skeltuką pasirodydavo koja, Felicija imdavo klykti: „Mirsiu! *Mamočka*, kaip gerai mano Monika atrodo!" Irina tampė lūpą, pagaliau apsimesdama abejinga pareiškė, kad suknelė kaip suknelė. Panorėtų, kasdien tokia vilkėtų. O visas grožis – aš, toji boba iš Lietuvos, jauna ir daili, todėl ir rūbas traukia akį. Bet ji maivėsi. Rankomis siūtos suknelės puošnumas nenuginčijamas, ir aklas pasakytų.

Tad Arnoldui tik padėkojau už rūpestį. Suknelės grožis skaidrino sielą, ir apsilankymas pas visažistę ir šukuosenų meistrę manęs nebebaugino.

Būtina išsimiegoti ir jaustis žvaliai.

Rytoj, jau rytoj išvysiu Andrių. Gal jis į mane pasižiūrės įsimylėjusiomis akimis? Tokios minties sūpuojama nugrimzdau į miegą.

Septintą ryto į buto duris paskambino Felicija. Na, ji tikra šaunuolė! Atvežė masyvią apyrankę, puoštą mėlynais akmenukais. Tiks prie suknelės, kaip tik tokio akcentėlio ir trūko.

Paskubomis išgėrėme po puodelį kavos, ir Felicija savo mažučiu, bet greitaeigiu automobiliu bundančiais Maskvos prospektais ir gatvėmis nuskraidino pas kirpėją.

Pora valandų kantraus sėdėjimo.

Neprieštaravau, kad mano šiaudinius plaukus kiek pašviesintų ir susuktų plonomis sruogelėmis. Felicija tvirtino, kad toks laisvas šukuosenos stilius ne tik kad labai tinka prie melsvų mano akių, bet suteikia ir seksualumo. Žinoma, ji kiek perdeda. Seksualumą gali bet kur įžiūrėti. Turi tokią trečią visa reginčią akį, kuri ir vakarinio žibinto švytėjime įžvelgia šį tą erotiško.

Dar valandėlę sugaišome pas visažistę, ši labai įdėmiai išstudijavo menkiausiai pastebimus veidelio trūkumus, apipylė patarimais, kaip dažyti akių vokus, kaip lūpoms suteikti brandžios moters putlumo, o jeigu šitaip paryškinsiu viršutinę akies liniją, žvilgsnis taps gilesnis. Sklidinas žydros šviesos...

Kai sugrįžusi apsivilkau suknelę ir atsistojau priešais veidrodį, mano smilkiniai sudilgčiojo. Sunkiai pažinau save. Stebuklas! Kone pritūpiau iš susižavėjimo. Dailios garbanos gražiai rėmino veidą. Aukšti skruostikauliai. Migdolo formą įgavusios akys. Keistas jausmingumo ir nekaltumo derinys. Štai ką daro grimas ir profesionali šukuosenų meistrė. Atrodžiau kaip viena tų žurnalinių būtybių, kurių nepriekaištinga išvaizda stumdavo mane į neviltį ir versdavo dūsauti prie veidrodžio.

– Na, žinai!.. Dešimt balų! – gėrėjosi Felicija. – Kaip iš paveiksliuko – Merlin Monro! O jeigu skeltuką džyrkšt dar dar porą centimetrų, kad vos vos kartais pasimatytų ta sagutė, prilaikanti kojinę...

– Liaukis, Felicija. Būsiu panaši į kabareto šokėją.

– Na jau! Kabareto šokėjos mūvi pirštines iki pat alkūnių. Na, ženk žingsniuką!

Saldus jaudulys kaustė eiseną. Tačiau Felicija liko patenkinta. Nusprendė, kad mano eigastis veržli, tarsi šokiui pasibaigus, ir grakštumo jai nei pridėsi, nei atimsi. Kojytė pasimato ir dingsta. Ir kuklu, ir erotiška.

– Klasė! – prisidegė ji plonytę cigaretę. – O jei krūtinę turėtumei bent tokią kaip mano, vyrai dėl tavęs prarastų protą. Kokį norėtumei, girdi? Akyte mirktelėtum – ir tavo. Taip, taip! Tie vyrai, juk žinai, visi mergišiai. Vos gundomai nusišypsai, jiems, kaip Pavlovo šuniui pagal skambutį, žiūrėk, ir tįsta seilė.

Nusišypsojau savo atvaizdui veidrodyje. Nesąmones pliauškia toji Felicija. Andrius ne toks. Vos pažvelgs man į akis, jos viską pasakys.

Buvo jau po vidurdienio, kai paskambinęs Arnoldas pranešė, kad netrukus jie būsią po namo langais, būk pasiruošusi. Felicija dalijosi savąja patirtimi iš aukštuomenės vakarėlių, bet nesistengiau atidžiai jos klausytis. Man viskas panėšėjo į žaidimą, kuriame labiausiai vertinamas gundytojos talentas, bet iš manęs prasta viliokė ir dėl to nė kiek nesigraužiu.

Probėgšmiais žvilgtelėjus į amforišką butelį, Felicijos balsas tįso, lėtėjo, o dienos skaistumas virto baltu ilgesio vaiduokliu.

Pasiilgau Andriaus, nors, be rąštelių, klajonių sapne ir ano keisto naktinio telefoninio pokalbio, ničnieko tarp mūsų nebuvo. Bet argi ne po tokio jausmų lietaus, lašas po lašo, kaptelėjimas po kaptelėjimo visas mergaitiškas fantazijas pasiglemžia skaidrus krištolinis jausmų srautas?

— Jie atvažiavo! — šūktelėjo vis pro langą besidairanti Felicija. — *Mamočka!* Tu tik pažiūrėk! Kokia mašina!.. O kaip tavo berniukai atrodo! Kaip šiuolaikiniai husarai!

Ir ji kone berniokiškai švilptelėjo.

Nejudindama užuolaidos pažvelgiau žemyn, į kiemą. Didžiulis baltas kadilakas. Sniego ryškumo smokingais vilkintys Arnoldas ir Andrius. Abu su juodais akiniais. Žiūrėjo užvertę galvas į namą, kol Felicija rankos mostelėjimu parodė, kad pastebėjo.

Pasitraukiau nuo lango. Gražioji nerimastis tarytum užleido vietą man nesuvokiamam jauduliui. Vos išvydau Andrių, mane ėmė kankinti abejonė. Kam visas šitas maskaradas? Nerimta. Tokia *išsičiustijusi* ir nusigrimavusi esu panaši į lengvabūdę, siekiančią apžavėti vyrą, lyg iš tikro jis būtų tik klientas...

— Aš bijau, Felicija.

Ji tik naiviai išsprogino akis:

— Ko tu bijai, brangioji? Atsipeikėk!.. Karieta, kaip sako, paduota, husarai laukia, o tu visai neatrodai kaip kokia pulko kekšė. Ak, man kas jaunystę grąžintų, oi, kiek vyrų paklūpėtų man! Pagaliau, Monika, juk tai tik nuotykis! Pasižiūrėsi, kaip linksminasi tie pižonai... Na! Nusišypsok! Va, va šitaip... Puikumėlis!

– Jei ne tu, Felicija, tai...

Man pritrūko žodžių. Pasijutau tokia laiminga, kad ketinau šitą mielą oranžinę raganiukę išbučiuoti, bet ji sudraudė, sakydama, kad tausočiau lūpų dažus, kol ateis laikas.

– O tas Andriuša visai nieko, – dar sykį metė žvilgsnį į kiemą ir paragino mane: – Skubėk, širdele. Kai grįši, man viską viską papasakosi. Įsidėk į galvą kiekvieną smulkmeną.

*

Laiptinės prietemoje nelyginant kas nušvito. Smokingo baltuma. Andrius. Jis lipo į viršų, o aš leidausi žemyn. Sustingau tarsi pažadinta iš saldaus sapno ir ištremta į apgailėtiną laiptinės pilkumą, visiškai netinkamą vietą tokiam lauktam susitikimui.

Jis išgirdo mano žingsnius. Pakėlė galvą, pažvelgė į mane aiškiai apstulbęs. Kitą akimirką jam iš rankų išpuolė saulės akiniai. Barkštelėjo ir liko gulėti po kojomis. Stipriau įsitvėręs į turėklus, jis išlemeno:

– Monika, čia tu?

Nusijuokiau, ir skambus mano juokas tarytum atgaivino jo atmintį. Tiesė man ranką, lyg sveikindamasis, lyg norėdamas padėti įveikti tuos kelis mus skiriančius laiptelius, bet vos neužmynė juodųjų akinių, lenkėsi jų paimti, ir tokia judesių sumaištis pralinksmino mane.

– Vos pažinau tave, – teisinosi sutrikęs. – Atrodai kaip... kaip nežinau kas! Matai, net sutrikau.

Andrius žengė arčiau ir sustojo per vieną laiptelį. Tarp troškimo ir baimės paliesti mane. Tarp drovumo ir aistros, atsispindinčios mūsų akyse.

– Džiaugiuosi tave matydamas, Monika.

– Aš taip pat. Sveikas sugrįžęs.

Jis pakėlė nuo cementinių laiptų pakopos akinius, ir mes išėjome į kiemą. Arnoldas, mane išvydęs, šūktelėjo:

– Eik tu sau!.. Monika, tavęs neįmanoma pažinti!

Kadilakas pro buto langą atrodė kur kas mažesnis. Suabejojau, ar toks didžiulis griozdas sugebės išsukti iš kiemo. Arnoldas padėjo man įsitaisyti ant plačios sėdynės, muštos balta oda. Priešais mane – baras su raudonmedžio inkrustacija, telefono pultas ir netgi televizoriaus ekranas.

Vėl pasijutau tokia menkutė prieš tokią prabangą, tačiau Andriaus artumas, jo žvilgsnis, kuriame išskaičiau daugybę neišsakytų prisipažinimų, mane ramino. O ir Arnoldas, pastebėjęs, kokia aš įsitempusi, lyg juokais kalbėjo:

– Bala nematė tų vestuvių. Šiaip manęs jos nė kiek netraukia. Juk niekuomet degtine nesigundžiau ir ikrų nemėgau, tačiau metas suktis aukštesniame lygyje. Be pažinčių Rusijoje esi niekas. Nulis. Bet jei degtinės negersi, sunkiai, oi, sunkiai reikalus išjudinsi. O tu, Monika, atsipalaiduok. Pabūsi mūsų vizitine kortele. Nusiteik, kad važiuojame į spektaklį, bet mes būsime ne aktoriai, o žiūrovai. Tegu Voronino žentas vaidina laimingą, protingą ir visokį kitokį...

Laiko dar buvo į valias. Mūsų kadilakas po poros valandų turėjo įsilieti į jaunojo kortežą, tad vairuotojas brovėsi į kitą miesto galą per patį centrą, pralėkdamas pro Kremlių ir laviruodamas Sodovoje Kolco mašinų kamšalynėje.

Arnoldas tarsi gidas rodė pro šalį bėgančius restoranus, barus, kazino ir užeigas, kuriuose jam teko būti. Andrius sėdėjo priešais mane, ir kai Arnoldas atsiliepė į mobiliojo telefono tilindžiavimą, kiek pasilenkė į priekį.

– Žinai, kad tau šįvakar gresia pavojus?

– K-koks pavojus?

– Labai rimtas. Tave pagrobs.

– Mane? Kas?.. Argi rusiškose vestuvėse yra koks nors panašus paprotys, kaip grobti viešnias?

– Aš tave pagrobsiu, – pro juodus akinius jaučiau skvarbų žvilgsnį. – Neišsisuksi. Tvirtai apsisprendžiau.

173

O Arnoldas, tik viena ausim nugirdęs, vidury telefoninio pokalbio sukluso:

– Kas ką pagrobė?.. Rodė per *teliką,* taip?

Mes pratrūkome nesuvaldomai kvatotis. Mūsų paslaptis. Kokia niūri atrodytų ši vaiski diena, jei ne žūtbūtinis noras būti kartu.

– Monika... Gal tu gailiesi, kad šitaip viskas klostosi? – nutilus juokui pašnibždom paklausė Andrius. – Juk dėl pagrobimo, suprask, tik šiaip... galima sakyti, pajuokavau.

– Jeigu pajuokavai, tada gailiuosi.

Andrius tarsi maldai sudėjo delnus. Gink Dieve, nejuokauju. Buvo tame judesyje šventumo ir pagarbos, ji nelyginant aureolė apgaubė mane.

Kadilakas ėmė lėkti be stabčiojimų. Skriejome užmiesčio plentu, kol pasimatė beržų giraitė. Pasukome asfaltuotu keliuku. Tarsi balti balti blyksniai pramirgėjo medžių kamienai, ir mūsų kadilakas išniro priešais vilą, apsuptą aukštos tvoros.

– Jūs tik pažiūrėkit! – sujudo Arnoldas. – Na nieko sau...

Jis bakstelėjo į automobilių vorą, surikiuotą prie vartų į kiemą. Tokie pat ištaigūs balti kadilakai kaip mūsiškis, bet priekyje jų puikavosi dar prabangesnis dvylikos metrų ilgio linkolnas, neabejotinai laukiantis jaunavedžių. Kitai palydai buvo skirti naujutėlaičiai mersedesai išsprogusiomis lempomis. Jie man priminė išprotėjusius vabzdžius. Pernelyg menkus, kad gabaritais prilygtų amerikietiškiems automobiliams.

Smalsiai nužvelgiau pasklidus svečių būrius ir kieme, ir prie mašinų. Drabužių puošnumas rėžė akis, bet, geriau įsižiūrėjusi, svečių margumyne pastebėjau ir beskonių derinių, kaip antai toji dama, sugrūdusi stambią krūtinę į perregimą suknelę. Neestetiška. Nors vyrams yra kur akis paganyti.

Per visą kiemą dunksojo stalas, mirgantis nuo vaisių piramidžių ir lūžtantis nuo įvairiausių užkandžių. Gėrimų buteliai žvil-

174

gėjo saulėje, tačiau svečių armija į juos nesigviešė – prie kiekvieno nešini padėklais skubėjo tautiniais rūbais vilkintys padavėjai. Kiemas skendėjo linksmame mugės šurmulyje, ir aš tarp dekoltuotų damų, seksualiai apsinuoginusių panelių tarsi ištirpau.

Teisi buvo Felicija, kad nėra ko būgštauti. Svarbu – aukščiau galvą ir nepasiduoti liūdesiui. Liūdėti nebuvo kada. Tik kiek nesmagu pasidarė, kai viena ponia, žibanti deimantų vėriniu, ėmė aptarinėti mano išvaizdą. Garsiai pareiškė, kad mano suknelė neabejotinai Judaškino darbo. Žinanti jo stilių.

Tačiau šalia Andriaus jaučiausi kaip už mūro. Jis tą pačią minutę užstojo mane nuo priekabių ir smalsių žvilgsnių ir surado ramesnę vietelę po lauko skėčiu, kur stovėjo kelios laisvos kėdės.

*

Arnoldas nardė tarp turtingos publikos kaip žuvis vandenyje.

– Praktiškai jis nieko daugiau ir neveikia, tik kaupia ir kaupia vertingas pažintis, – paaiškino Andrius, – ir vėliau, suprantama, tai duoda didelę naudą. Ranka ranką plauna ir milijonus išplauna. Be pažinčių nė vieno doro kontrakto nesudarytume. Luktelk čia, Monika, sulakstysiu iki stalo. Mačiau ten ąsotėlį rusiškos giros, o gal ko užkąsti?

Pasakiau, kad numalšinti troškulį neprošal, bet alkio dar nejaučiu.

Andrius pradingo minioje. Arnoldas stovėjo svečių būryje ir kažką mandagiai dėstė solidžios išvaizdos vyriškiui.

Iš kažkurio kiemo galo atsklido darnių balsų choras. Etnografinis ansamblis užtraukė liaudišką dainą, o aš spoksojau į neregėtus viešnių apdarus, spindinčius papuošalus ir vis neatsikračiau minties, kad turtingieji nuo paprastų mirtingųjų skiriasi ne vien manieromis, bet ir paprasčiausia veido mimika. Jie pripratę

175

juoktis, veiduose nematyti apatiško nenoro galvoti apie rytdieną. Nejau vien pinigai, besaikis jų švaistymas gali suteikti tiek nerūpestingumo?..

Staiga šiurptelėjau – kažkas uždėjo ranką ant mano nuogo peties. Delno šiluma nusmelkė odą. Toptelėjo, kad kažkas mane supainiojo su kita, ir tikėdamasi sulaukti atsiprašymo atsigręžiau į vyrą, nepastebimai prisėlinusį už nugaros.

Išvydau apskritaveidį jaunuolį glotniai prilaižytais plaukais. Jis demonstravo porcelianinių dantų blizgesį ir toli gražu nebuvo sutrikęs. Žvelgė į mane liguistai ir įžūliai. Rankos nepatraukė, ir aš nustėrau, kai ji slystelėjo po suknelės iškirpte siekdama krūtinės kalnelio.

– Kur tu, balandėle, buvai anksčiau, a?

Lyg nudeginta atšlijau. Smogiau delnu jam per plaštaką. Skambus plekštelėjimas atkreipė netoliese vaikštinėjančių svečių dėmesį. Arnoldas irgi jau žvalgėsi per žmonių pakaušius. Nepažįstamasis sutrypčiojo.

– Ui, kokia tu!.. Su charakteriu. Man patinka tokios, tiesiog dievinu kates, kurios mėgsta braižytis... – ir pasilenkęs pusbalsiu tarė: – Prižadėk, kad kitą kartą būsi švelnesnė...

– Nešdinkis iš čia! Chamas kažkoks...

Tas įžūlus tipas nė kiek nesutriko. Paglostė mano pečius liečiančias garbanėles, vyptelėjo ir nekaltai susikišęs rankas į kišenes, vis pašaipiai pasižiūrėdamas į mane, įsimaišė į svečių minią, ji pagarbiai suošė jį pasitikdama.

Pripuolęs Arnoldas išsklaidė visus neaiškumus.

– Tai Slava, būsimasis Voronino žentas!.. Kam tu taip su juo? Negražu...

– Negražu? Jūs visi išprotėjote! Jis visų akivaizdoje grabinėjasi, o aš ką?.. Šypsotis turiu?

– Monyka, jis Voronino žentas, supranti? Jis pajuokavo, o tu kaip žvėriukas, dievaži, negerai elgiesi!

Savo ausimis netikėjau – Arnoldas kalbėjo gana griežtai! Jam nerūpi, kad jaučiuosi įžeista, tarsi toji landi ranka būtų kėsinusis mane sumurdyti į purvą, kurio pro turtų klodus tokie savimylos turčiai kaip tas pasipūtėlis jaunikis nebepastebi.

– Žinai ką, Arnoldai!.. Nepatinka mano elgesys, mielu noru dingstu iš šito *bordelio.*

– Nusiramink, Monyka, aš viską sutvarkysiu. Būk čia...

Iškaitęs Arnoldas nusiyrė per minią, blaškėsi, kol susirado tą gražuoliuką, bet veltui gūžiausi laukdama bent stumtelėjimo, be to paprastai neapsieina vyriški kivirčai. Jis atsargiai uždėjo ranką ant jaunikio peties ir, sprendžiant iš nuolankios pozos, puolė atsiprašinėti, o gal net melsti man atleidimo.

Šlykštu.

Sugrįžęs Andrius pastebėjo mano pabjurusią nuotaiką. Pastatė ant staliuko padėklą su gira ir neramiai sužiuro:

– Kas nors atsitiko?

Papasakojau, su kokiu išsišokėliu teko susidurti.

– Gaila, manęs nebuvo, – apmaudžiai tarė jis.

– Tavęs? Įdomu, kaip tu būtumei pasielgęs?

Andrius pasipiktinęs pažvelgė į mane:

– Tau dar kyla klausimų! Tik į snukį tokiam veikėjui.

– Jaunikiui? – pasibaisėjau aš.

Jis ilgai laikė įsmeigęs į mane savo kaštonines akis. Siekė mano rankos, bet persigalvojo.

– Prieš nieką nesustočiau, Monika, kad apginčiau tave. Kas man tas Slavikas! Tu mano didžiausias autoritetas. Tik prieš tave galiu atsiklaupti ant kelių.

Tarsi išgirdau, kaip grėsmingas jo balsas padėjo tašką, o mano širdis dunktelėjo ir sustojo. Nesitikėjau to išgirsti. Maniau, kad tie laikai, kai vyrai nebijodami kraujo kaunasi už savo moteris, jau seniai praėjo. Šalia jo pasijutau tokia saugi, net nežinau, kada paskutinį kartą toks jausmas buvo mane apėmęs. Nebent vaikystėje, kai visas pasaulis žėrėjo vaivorykštės spalvomis.

– O Arnas ką? Bandė aiškinti, kad turi būti švelni? Linktelėjau. Ir tuoj pasigailėjau, kad taip padariau. Jis pamojo Arnoldui. Įsakmiai, visai ne kaip draugui.

– Nereikia, Andriau, tik nepradėk aiškintis, – skubiai tariau ir pagalvojau – negerai, jei per mane kiltų nors menkiausia scena.

Bet buvo per vėlu. Arnoldas atskubėjo prie mūsų, o Andrius lyg karštu vandeniu perlietas pakilo nuo kėdės.

– Jei kada tu, – dūrė pirštu Arnoldui į krūtinę, – turėsi kokių pretenzijų Monikai, pirma kreipkis į mane, gerai?

– O kas yra? – vaizdavo nustebusį Arnoldas. – Nesuprantu, kokios problemos?

– Problema ta, kad Monika mano mergina. Mano. Supratai?

– Tavo? Nuo kada jinai tavo?

– Nuo šio pasaulio atsiradimo, tik mes ilgai nesusitikome.

– O, kaip vaizdingai kalbi!

– Liaukitės jūs! – man darėsi koktu, kad jie viens kitą varsto aštriais žvilgsniais. – Aš norėčiau išgerti ko nors stipresnio.

Arnoldas mano noro stvėrėsi kaip skęstantis šiaudo ir, sumurmėjęs, kad velniai žino, kas čia vyksta, neišgėręs nesusigaudysi, pradingo minioje, užgulusioje vaišių stalą.

– Baltas smokingas, o vidus supuvęs, – mąsliai ištarė Andrius vėl prisėdęs šalia. – Bet tik toks derinys laukiniame versle padeda uždirbti pinigus.

– Ačiū tau, – netvėriau iš dėkingumo, – ir būk geras, pamirškime tuos nesusipratimus.

Tikrai, kokia vis dėlto puiki diena. Kada dar buvo tokia išpuolusi, kad dėkočiau, iš visos širdies dėkočiau dviem žmonėms, kaip šiandien – Felicijai ir Andriui?.. Ir Arnoldas. Juk galima ir jį suprasti. Jam šis turtingų žmonių sambūris – tik dar vienas šuolis gaudant savąją sėkmę. Todėl atkakliai lenda, braunasi į pačią respektabiliosios publikos tirštumą ir išsijuosęs mala liežuviu. Be paliovos šypsosi. Dedasi linksmu ir sąmojingu, nors iš tikro – apsukriai naudojasi galimybe įbrukti svarbiems žmonėms savo vizitinę kortelę. Ir aš tapau vien tokių aplinkybių auka. Juk nė karto nebuvo pakėlęs prieš mane balso. Nė karto nesistengė manęs užgauti. Sesute vis vadino...

*

Arnoldas atnešė mielas iš tošies padarytas stiklinaites, sklidinas aitrios degtinės.

Andrius sėdėjo abejingas ir nė skersomis nežiūrėjo į padėklą. Atsidėjęs klausėsi minios klegesio ir lyg pro uždangą besiskverbiančios liaudiškos dainos. Arnoldas kumštelėjo jį, nestipriai sudavė į petį.

– Na, pasikarščiavau, juk būna!.. Nesipykime, ir tu, Monika, atleisk man.

Jis tai ištarė stebėtinai lengvai, laikydamas ranką ant krūtinės. Nuoširdi atgaila, ir nejaukumas ištirpo.

– Andriau!.. – kalbino draugą Arnoldas. – Nesėdėk toks surūgęs. Bene rusų nepažįsti. Jie nepraeis pro gražią moterį jos neužkabinę. Juk tavo Monika, tavo, ar aš ką sakau? Juk mes komanda, o ne gauja avantiūristų. Viskas eina pagal planą. Dideli darbai laukia, ir vos kelios partijos „markučių" nusės Maskvoje, pažadu – mausime kur nors į Kanarus. Geriausią viešbutį užsakysiu ar vilą ant vandenyno kranto. Jachta, kateriai, palmės... – ir tyliai, tarsi nenorėdamas, kad aš išgirsčiau, pridūrė: – Tu žinai, Andriuk, kad tiek nedaug liko ir susišluosime milijonus. Na!..

Arnoldas pakėlė besvorę stiklinaitę. Degtinės šlakelis suvilgė masyvų žiedą su briliantu. Andrius pasekė draugo pavyzdžiu, neįkyriai paragino mane. Nesinorėjo sujaukti stojusios rimties, todėl paklusau, tačiau stiprus alkoholio kvapas taip smogė į šnerves, kad neištvėrusi smarkiai susiraukiau.

Arnoldas susijuokė:

– Pažvelk, Andriau!.. Ji graži net tokia – susiraukusi.

Nieko sau komplimentas. Jiedu įsmeigė susižavėjimo kupinus žvilgsnius į mano rankas, krūtinę, skruostus ir akis. Pajutau, kaip toks dėmesys užima visą mano širdį, visą ištisai. Geras jausmas. Netekus jo, liktų vien tuštuma tarsi stovint po vienišu gatvės žibintu. Man pasirodė, kad aš atsidusau iš laimės, o tamsiosios Andriaus akys blykstelėjo dar niekada vyro akyse neregėtu švelnumu.

O tuo metu svečių minia siūbtelėjo iš kiemo. Ji pasidalijo į dvi dalis: jaunikio palydą ir išlydinčius tą arogantišką pasipūtėlį. Limuzinai ėmė rikiuotis į šventišką vorą.

Šurmulys, juokas, spalvoti balionėliai ir kaspinai.

Man darėsi linksma, nors senovinė viduramžiška stiklinaitė liko nenugerta. Jau toks šleikštus man pasirodė degtinės kvapas. Ypač kai sujudus svečiams vėjelis pagavo nešioti švelnų kvepalų aromatą, o moteriškų apdarų grožis skleidėsi mano akyse tarsi ryškiaspalvis žiedas. Viena už kitą prabangesnės suknelės. Šilkinės ir šifoninės, siuvinėtos ir neregėto audinio, spindinčio po kiekvieno judesio. Erotiškos, modernaus ir romantiško stiliaus. Pabrėžiančios grakštumą ir slepiančios brandžios figūros trūkumus. Brangakmenių mirksniai, auksinių papuošalų geltoni žybtelėjimai. Bus apie ką papasakoti Felicijai. Tik bėda, kad mano atmintis, pernelyg neišlepinta tokių įspūdžių, per silpna sugaudyti ir užfiksuoti kiekvieną aukštosios mados detalę.

– Kas šioji publika? – pasiteiravau Andriaus, kai mes ėjome prie savo kadilako. – Kuo jie užsiima?

Jis nuoširdžiai patraukė pečiais.

– Neteko pernelyg domėtis. Turbūt galime pavadinti naujaisiais rusais. Ir kuo turtingesni, tuo sunkiau nuspėti, kokia auksinė žuvelė pildo jų norus.

Įlipome į kadilaką. Dunktelėjo durys. Klegesys nuslopo. Girdėjau savo alsavimą, jaučiau Andriaus žvilgsnį. Likome vienu du, uniformuotas vairuotojas, atskirtas pertvara, buvo nematomas.

Mano koja išslydo pro suknelės skeltuką. Mane nusmelkė keistas jausmas. Lyg po puošniu rūbu nieko nevilkėčiau. Andrius tik palingavo galva tarsi sakydamas: čia tai bent pagunda!.. Bet pakako tvirtai suglausti kojas, timptelėti suknelės kraštą ir intymumo įspūdis išnyko. Žvelgdamas man į akis, jis ranka siektelėjo mano kelių. Švelniai prisilietė, ir kojos suvirpėjo. Jis irgi tai pajuto. Kai prabilo, jo balsas buvo slopus:

– Aš kraustausi dėl tavęs iš proto, Monika...

Išplėčiau akis. Norėjau, kad jis tai kartotų be galo be krašto, kol tokių svarbių žodžių reikšmė susiplaks su neramiu širdies tuksenimu. Kol jis ryšis savo lūpomis...

Kadilako durelės atsilapojo iki galo. Arnoldas. Bet pirma jo į saloną brukosi kažkokia mergina.

– Susipažinkite – Sveta, – galantiškai laikydamas lipančios brunetės rankutę, pristatė Arnoldas, – kitur nėra vietos, ji važiuos su mumis.

Nauja pakeleivė pažvelgė į mane susidomėjusi. Mačiau, mano suknelė jai padarė įspūdį. Netgi neiškentė nepačiupinėjusi. Aiktelėjo. Paklausė: kieno čia darbas?.. O kas mane taip meistriškai išdažė? Jos klausinėjimuose ir žvilgsnyje neišskaičiau jokio priešiškumo. Nevaizdavo pasipūtusios, nors jos suknelė – tikras meno kūrinys. Ažūrinė. Numegzta iš stiklo skaidrumą primenančių siūlų. Ji tarsi gyvatės oda spindėjo ant įdegusio kūno. Tankiai sumegzta liemenėlė seksualiai apsivijusi krūtinę. Versačės modelis. O kai Sveta sužinojo, kad esu iš Lietuvos, susižavėjusi suplojo rankomis – taip gerai kalbu rusiškai!.. To pakako, kad nuo tos minutės taptuméme ne vien bendrakeleivémis, bet ir bičiulémis.

*

Jaunikis įlipo į savo linkolną. Po jo stojo į eilę septyni kadilakai, o už jų aštuoniolika mersedesų. Kavalkada brangių automobilių pajudėjo. Plente stabtelėjo, susirikiavo į tvarkingą eskortą ir tarsi traukinys patraukė Maskvos link.

– Dabar mes važiuojame pas jaunąją, o paskui – į metrikacijos biurą, – dėstė man Sveta. – Slavikas turės sumokėti išpirką už jaunąją. Pilną maišelį auksinių monetų.

– Auksinių? – nustebau aš.

– Na taip, caro Nikolajaus rubliais.

– O ką? – įsiterpė Arnoldas. – Doleriai netinka?

– Argi jie auksiniai?.. Negražu kažkokiais popiergaliais išsipirkinéti jaunąją, o juo labiau Voronino, o ne kokio ten Kolios Kerasino dukrą!

– Aukso vertės nuotaka, – taikliai mestelėjo Andrius, regis, rimtu balsu, bet dar rimčiau pasižiūrėjo į mane. – Bet yra tokių nuotakų, kurios vertos viso pasaulio aukso. Ką tada daryti?

– Akmenį po kaklu ir į pirmą šulinį! – nesutriko Sveta ir toliau sau varė: – Vyras privalo išlaikyti moterį, kas čia dar neaišku?.. Kas jau kas, bet Voronino dukra nusipelnė tokio vyro. O Slavikas – oho, koks fabrikantas! Vien Dagestane trys alkoholio gamyklos, o Pamaskvėje?..

Arnoldas, matyt, mintyse suskaičiavęs patikslino:

– Iš viso penkios.

– Būtent... Todėl jam tas maišelis auksinių monetų buvęs nebuvęs.

Sveta kalbėjo mostaguodama plonomis rankomis. Ir pati kauléta, smailiomis alkūnėmis. Veidelis pailgas, o vyšnių raudoniu

182

dažytos lūpos degė po blyškais skruostais. Nieko, simpatiška. Arnoldas lyg pakerėtas negalėjo atitraukti nuo jos akių. Krito į širdį? Kažin. Juk ir anksčiau buvau pastebėjusi tokį žvilgsnį. Kiekvieną savo aistros objektą jis pasitikdavo su tokiu pat beatodairišku susižavėjimu ir su dar didesniu abejingumu pamiršdavo.

Kol pasiekėme jaunosios namus – ištaigingą kotedžą prestižiniame miesto rajone, – Sveta spėjo papasakoti, kad vestuvių pokylis vyks „Metropolio" restorane. Svečių priskaičiuota per du šimtus, o juos linksmins beveik šimtas estrados artistų.

Numirsiu, pagalvojau, kol sulauksiu tokios programos pabaigos, dievaži, numirsiu.

Kažkoks panašus jausmas atsirado, kai ant kotedžo laiptų pasirodė jaunoji. Žydru dangumi skriejo pūkiniai debesėliai, o jos suknelė buvo tokia pat lengva ir balta, nusagstyta perlais, pečius dengė lūšies kailis. Nieko nėra gražesnio už baltą vestuvinę suknelę. Apsirengi tokią vieną vakarą ir jau gali ramiai numirti.

Jaunosios mama, daili stotinga moteris, šluostėsi ašaras, kai Slava lyg karžygys priklaupė ant vieno kelio ir ištiesė nuotakai ranką. Tą pačią, kuria bandė siekti mano suknelės iškirptės. Žvangantis maišelis pasiliko jaunosios tėvo rankose. Ponas Voroninas. Smalsiai jį nužvelgiau. Žilstelėjęs ir visai nerusiško veido. Prakaulaus, retais antakiais, tačiau be galo skvarbaus žvilgsnio. Jis susikaupęs stebėjo, kaip jaunikis įteikia būsimai žmonai rožių puokštę. Nediduke, tačiau kiekvienas žalias gėlės lapelis buvo pažymėtas nelyginant perlamutriniu lašeliu.

– Tai perlai... – sekė kiekvieną mano akies krypsnį Sveta. – Kiekvienas rožės lapelis nusagstytas perlais. Gražu, tiesa? Ir kaip tinka prie suknelės. Fantastika!

Auksinės monetos. Lūšies kailis. Perlai, perlai... Aš sapnuoju atmerktomis akimis.

Vestuvinis eskortas pajudėjo.

Kiekvienoje miesto sankryžoje stovėjo milicijos automobilis su blyksinčiais švyturėliais, ir mes lėkėme nesustodami.

Sveta purkštavo, kad metas gerti šampaną, tačiau Arnoldas nerado taurių. Jos į kadilaką parkeliavo po jungtuvių ceremonijos, Mendelsono maršą griežiant styginiam kvartetui. Krištolinės ir sunkios, dar kvepiančios šampanu, kurį pats jaunosios tėvas pilstė iš šešių litrų talpos butelių.

– Tu matei? Matei, koks jaunosios vestuvinis žiedas? – nenustygo Sveta. – Baltasis auksas, o briliantas kaip riešutas. Turbūt kokie keturi karatai!

Nejaučiau to pavydo, kuriuo buvo persmelktas Svetos balselis. Toji aplinkinių pasigėrėjimą kelianti prabanga manęs niekaip neužgavo. Nė lašo pavydo ar pašaipėlės. Kaip sapnas, iš kurio norėjau prabusti. Kad Andriaus žodžių negožtų tas mugės šurmulys. Kad visame pasauly būtume tik mudu...

Po ceremonijos santuokų rūmuose vestuvinis kortežas prospektais ir bulvarais nuskriejo į Vorobjovo kalnus.

Čia pasitiko trankus maršas. Pažvelgiau pro langą – karinis orkestras. Koks pusšimtis kariškių. Spindintys variniai trimitai.

Kiekvieną išlipusį svečią pasitikdavo ilgakasės merginos liaudiškais rūbais ir su padėklais rankose, ant jų puikavosi juodieji ikrai, saldainiai ir šampano taurės.

Vėl sveikinimai jauniesiems. Arnoldas sugebėjo prasibrauti prie Voronino. Ką jis ten pasakė, kokiais žodžiais pamalonino milijonieriaus savimeilę, bet jie įniko šnekučiuotis lyg seni pažįstami. Pamečiau juos iš akių, kai apžvalgos aikštelėje pasirodė jaunoji. Ji laibose rankose laikė du balandžius. Kai jie lyg balti žaibai purptelėjo į dangų, orkestras užgrojo smagų rokenrolą, o vakarėjančią padangę, ten, kur ką tik išnyko porelė balandžių, nutvieskė fejerverkų pliūpsniai. Vos pasibaigus ugnies siautėjimui, virš ūžiančios minios pakibo sraigtasparnis. Jis suko ratus berdamas ant jaunųjų gėles.

– Fantastika! – dūsavo Sveta. – Kaip viskas puikiai organizuota. Sako, kad šitas gėles net iš Olandijos atvežė. Koks grožis!..

Ji prasitarė, kad jos tėtušis irgi nemenkas šulas. Vadovauja vienai pono Voronino akcinei bendrovei. Visokiose naujųjų rusų vestuvėse jai teko garbė dalyvauti, bet šios savo užmojais pranoksta visas regėtas.

Aš praradau ir jėgas, ir norą stebėtis, kai jaunuosius pasitiko čigonų ansamblis. Ugningas šokis susiliejo su gitaros skambesiu. Pasirodžius dviem karietoms, įkinkytoms po tris žirgus, ir aš pasileidau ploti.

Jaučiausi kaip cirko vaidinime. Toks smagumas apėmė. Ypač kai dresuotojas mikliai privertė mešką atsistoti ant užpakalinių letenų. Jaunieji lipo į karietą, kuri turėjo juos nuvežti į restoraną, o rudoji šauniai atidavė jiems pagarbą pakeldama prie galvos dešinę leteną. Argi ne cirkas?

– Tau patinka? Monika, tau patinka? – spygavo Sveta ir mūktelėjo šampano lyg bijodama, kad pritrūks kvapo viskuo stebėtis ir gėrėtis.

Kai po žirgų kanopomis sudundėjo asfaltas, svečiai pakluso kariškai komandai: „Šampano taures – į žemę!" Dūžtančio stiklo skimbčiojimas užgožė šūksnius, linkinčius laimės.

Karietos iškilmingai nutolo alėja. Taip ir liko akyse besiplaikstantys vėjyje iššukuoti žirgų karčiai.

Arnoldas grįžo susirūpinęs. Mat nugirdo apie dovaną jauniesiems. Ponas Voroninas ruošiasi jauniesiems įteikti džipą, o jis irgi nupirko dovanų visureigį. Toks sutapimas – kandžiojo lūpą. Bet Sveta kiek nuramino, sakydama, kad dažnai panašiose vestuvėse dovanojami džipai, ir Gerasimovas, savininkas naktinio klubo, kuriame ir susipažino jaunieji, taip pat nupirko automobilį, nors gal ir ne džipą.

*

Iki restorano, prie kurio tarsi kiaulės prie lovio grūdosi automobiliai, nusigavome greičiau nei karietos. Jų čia laukė ne ką mažesnis svečių būrys nei gausi mūsų palyda. Pastebėjau minioje žinomų veidų. Iš verslo laikraščių, kuriuos, regis, dėl šventos ramybės ant darbo stalo laikė Arnoldas. Taip pat vienas kitas iš televizoriaus ekrano, politikas ar šiaip estrados artistas.

– Žiūrėk! – šnypštė Sveta, akimis vos rodydama į stotingą merginą blizgančia suknele. – Nepažįsti? Tai juk Valerija, dainininkė tokia. Nenustebčiau, jei restorane dainuotų ir pati Ala Borisovna.

O aš vis pasigesdavau Andriaus, tačiau nesuprantamu būdu pajutęs mano nerimą jis kaipmat atsirasdavo. Paimdavo už rankos, sprausdavo mano plaštaką į kietus ir šiltus delnus. Lyg būčiau maža mergaitė, pasiklydusi svetimoje minioje.

– Neliūdėk, Monika, – tarė jis, kai sekundę likome vieni, – aš tave padarysiu laimingą. Kitokios svajonės nebeturiu.

– O noro?

Jis suprato mano užuominą. Prisiminė telefoninį pokalbį. Noras sužinoti, ką aš vilkiu vidurnaktį. Palietė mano smilkinius pirštais ir taip sugavo mano žvilgsnį. Jis žiūrėjo į mano lūpas, ir galėjau prisiekti, jį buvo užvaldęs visai kitoks noras nei kad priminiau, bet tarsi iš po žemių išdygo Sveta.

– Nesutrukdžiau? O ten, salėje, įsivaizduojate, ką mačiau? Gazmanovą! O dar sakė, kad gros...

Jos balsas nuplaukė į šalį. Visomis slaptomis galiomis stengiausi išsaugoti silpnutį šilumos dvelktelėjimą, lyg šilkinio drugelio sparno plastelėjimas nugairinusio mano lūpas, kai jų taip ir nepasiekęs Andrius atšlijo.

Atkaukšėjo karietos. Žirgai lėkė gražia *zovada*. Jaunuosius minia pasitiko garsiais šūksniais. Visuotinė euforija. Visuotinis žengimas į orgazmą, kokį tik gali sukelti pinigų švaistymas.

– Kada tu mane pagrobsi? – lietuviškai, kad nieko nesuprastų Sveta, paklausiau Andriaus, o šis nė sekundę nesuabejojęs:

– Aš tik apie tai ir galvoju! Bėgam dabar?

Apglėbė mane per liemenį. Mūsų kadilakas stovėjo vos už kelių žingsnių, bet Sveta stvėrė mane už rankos:

– Kur, kur!.. Praleisi patį įdomiausią momentą! Dabar visi įteikinės dovanas.

Nusprendėme, kad nei šis, nei tas pasišalinti, kol nesibaigė dovanų teikimo ceremonija. Bet ji nebuvo tokia pompastiška kaip ankstesni vestuvių vaizdai. Nuobodus stumdymasis ir nuobodžios kalbos. Ir visa tai vyko restorano fojė, kur traukė skversvėjis, o mano pečių nešildė joks lūšies kailis.

Ant staliuko, skirto dovanoms, po kiekvieno sveikinimo gulė vokai, storai prikimšti valiutos. Aksominės dėžutės, kokiose guli juvelyriniai dirbiniai. Automobilių rakteliai.

Arnoldo dovanotas džipas buvo... ketvirtas. Privairuoti prie įėjimo į restoraną ir apžiūrėti jaunųjų, visureigiai vienas po kito išvyko į sutuoktinių namus, tą patį simpatišką kotedžą, ant kurio laiptų pasirodė mane pribloškusi nuotaka. Taip, ji buvo be galo daili. Smulkaus veido ir aristokratiškų manierų. Vis dėlto turtingas gyvenimas suteikia moteriai begalinio žavesio. Gali bent jau šypsotis neturėdama jokios slegiančios minties apie ateitį, kai dienos stumiamos nuo vieno taupymo vajaus kokiam kvepalų flakonėliui iki grašių krapštymo patikusiam lūpdažiui.

Pasigirdo kvietimas užimti vietas salėje, ir, pagauti siūbtelėjusio svečių srauto, atsidūrėme restorane, kurio kiekvienas kampas buvo išpuoštas milžiniškomis gyvų gėlių puokštėmis ir tūkstančiais balionų... Salės viduryje tryško fontanas, o ant jo krašto puikavosi didžiuliai iš ledo išskobti jaunųjų inicialai: S + T.

Spygaujančių merginų būrelis plūstelėjo prie scenos. Sveta irgi šastelėjo kaip žebenkštis, tačiau prisiminė mane. Paknopstomis pripuolė. Įsikibo į ranką.

– Eime, Monika, na!.. Tatjana mes per petį puokštę. Kuri sugaus, toji ištekės. Paskubėkim, Monika...

Nebuvo kaip atsispirti tokiam tąsymui. Andrius linkčiojo su viskuo sutikdamas. Be to, ir pati pagalvojau – va šitas pokštas visai nieko. Smagus ir linksmas. Bet nesiveržiau į patį būrį mergužėlių, pasileidusių šokti pagal Gazmanovo traukiamą trankią dainelę.

Kai scenoje pasirodė nuotaka su vestuvine rožių puokšte, pamergės visai įsišėlo. Man pavyko nepastebimai atsiskirti nuo Svetos. Pasitraukiau į aikštelės pašaliuką, iš kur gerai buvo matyti, kas vyksta scenoje ir prie jos.

Nuotaka kilstelėjo puokštę. Išdygo rankų miškas. Laibos, apmaustytos apyrankėmis. Vienas šienpjovio mostas, ir rožių skaistuma, brėždama nenuspėjamos krypties lanką ore, nusklendė per salę. Pamečiau ją iš akių. Ir staiga pasigirdo Svetos klyksmas:

– Monika! Tavo, tavo!..

Stovėjau kaip stovėjusi, tik intuityviai ištiesiau rankas. Į glėbį plastelėjo, atrodytų, kažkas gyvo, švelnaus ir kartu dygaus. Rožės!.. Buvau apstulbusi. Nesuvokiau, kad driokstelėję plojimai skirti man, pagavusiai nuotakos sviestą puokštę. Jos tykojusios merginos apsupo mane glaudžiu ratu, kai kurios net išbučiavo, o Sveta laiminga vis kartojo – pakviesi mane į savo vestuves, pakviesi, nė nemėgink išsisukti!..

Kažkokia jėga mane ištraukė iš apsupties. Išvydau Arnoldą. Jis švytėjo iš džiaugsmo.

– Eime, Monika, pristatysiu tave ponui Voroninui. Kartu ir su Slava susitaikysi.

Susitaikysi? Ir vėl! Be kaltės kalta.

Bet mums kelią pastojo Andrius. Pakako griežto jo žvilgsnio, ir Arnoldas nuleido rankas.

– Aš tik norėjau... – buvo bepradedąs, bet Andrius nukirto kaip kirviu:

– Ji tau ne žaislas. Atšok!..

Arnoldas numojo ranka. Buvo tame judesyje ir nusivylimo, ir paniekos. Atsuko nugarą ir nuėjo.

– Kam tu taip šiurkščiai? Juk prašiau, nesipykit.

– Nieko tu nesupranti, Monika.

– Ko nesuprantu?

– Tiek to, – patylėjęs tarė: – Vėliau tau paaiškinsiu.

O Sveta kaip čia buvusi.

– Tai štai tavo jaunikis! – vos ne į ausį šūktelėjo. – Tai kada jūsų vestuvės? Ko tylite? Atminkite, mane būtinai turite pakviesti... O kur puokštė? Duokš, parodyk iš arčiau. Lapelius...

Sveta puolė naršyti rožes atidžiai čiupinėdama žalius lapelius. Bet, savaime suprantama, jie nebesipuikavo brangiais perlais.

– Na kur? Kur jūs dingote? Nagi... Nors vieną, patį mažiausią... – karštai šnibždėjo ji. – Laimei, taip sakant. Prisiminimui... Ai, tiek to! Eime prie stalo. Aš susikeičiau vietomis ir sėdėsiu šalia tavęs, laiminguole tu!.. Pagauti puokštę – geras ženklas. Labai geras! Ar ne, Andriau?

Jis linktelėjo.

*

Kol du šimtai svečių įsitaisė prie pokylio stalų, grojo, kaip pristatė vakaro vedėjas, kunigaikščio Kornijenkos orkestras. Arnoldas atsisėdo greta Svetos, ir, regis, jis neleido laiko veltui – žodis po žodžio išsiaiškino jos tėvelio galias ir tik vėliau pradėjo dalinti komplimentus. Netgi tokia panteriškų judesių ir temperamentinga mergaičiukė pravers jam ne vien kaip meilužė. Tai bylojo iškalbingas Andriaus kryptelėjimas jų pusėn.

– Pirmai progai pasitaikius, – tarė jis man, – nykstame iš čia. Rytoj aš vėl išvažiuoju, noriu vakarą praleisti su tavimi, o ne su šita ponų armija.

– Išvažiuoji? Ne, ne!..

– Taip reikia, Monika.

– O jei ir aš? – šovė išganinga mintis.

Andrius apgailestaudamas pakraipė galvą.

– Mielai, bet tai pavojinga kelionė. Greičiau savo gyvybe rizikuosiu, nei tave įvelsiu į kokią nemalonią situaciją.

Sugauta puokštė ilsėjosi ant stalo. Į ją krypo svečių akys, žinoma, ir į mane. Tad dėmesio netrūko, o Arnoldas padėjo man atsakinėti į menkiausią klausimą.

Svečiai buvo draugiški. Netgi nepasakyčiau, kad tas dailiais ūsais tipas kažkokios srities gubernatorius, o vyrukas odiniu švarku, su auksine grandine ant kaklo ir sutaršyta šukuosena greičiau priminė šou pasaulio veikėją nei vienos didelės investicinės kompanijos prezidentą. Jam Arnoldas taip pat maloniai įteikė savo vizitinę kortelę.

Orkestrą pakeitė Maskvos miuzikholo muzikantai. Po jų ant stalų įsiplieskė žvakidės ir scenoje pasirodė Igoris Nikolajevas. Po jo – grupė „Eksbėbė".

– Geras koncertas, – patenkinta pareiškė Sveta, – be bilietukų, vietos patogios ir dar valgyti duoda. Ir žinai, ką aš pasakysiu? Kai buvau dainininko Nikolajaus Baskovo vestuvėse šitame pačiame restorane, tai salės kampai buvo tušti, nė gėlelės, o svečiui buvo skirta ne 60 gramų ikrų kaip dabar, o tik 30 gramų. Be to, žmogui buvo patiektas tik vienas karštas patiekalas, o šįkart, girdėjau, bus net keturi!.. Bet koks koncertėlis šįvakar!.. Nepatikės draugės, kai pasakosiu, oi, nepatikės!

Tikrai – vestuvės virto koncertu. Ir manęs nepaliko pojūtis, kad tai, kas vyksta scenoje, iš tikrųjų matau didžiuliame televizoriaus ekrane.

Kad ir tos „Strielkos". Juk visa Klaipėda skleisdavosi nuo jų popsiuko, o štai dabar – panorėčiau, imčiau ir pačiupinėčiau jų ryškiaspalvius apdarus. O gal nusipaveiksluoti atminimui? Bet ne – kaip į tai kiti svečiai pasižiūrėtų. Juk niekas tuo, kas vyksta scenoje, pernelyg nesižavi. Jiems tai tik dalis komforto, už kurį ponas Voroninas paklojo nemažai pinigėlių.

Kad būtų linksma.

Šokių aikštelę prie scenos dažė spalvingų prožektorių plykstelėjimai. Vestuvininkai, jau gerokai įšilę, bet nepraradę pusiausvyros, patraukė šokti. Jų figūros judėjo tarsi spalvotame filme, ir Sveta nebenusėdėjo. Lingavo į ritmą, mušė kulniuku į taktą, bet Arnoldas buvo įsijautęs į pokalbį su kažkokiu baisiu viršininku iš muitinės sistemos. Dairėsi kaprizingai papūtusi lūpas, bet visi vyrai buvo pernelyg rimti ar užsiėmę, tad niuktelėjo Andriui. Vos jis sudvejojo, spriegė iš vietos ir nusitempė šokti. Man spėjo tarstelėti: tyliai spruk į gatvę, jis pasirodys po kelių minučių...

O kaip pagrobimas, norėjosi šūktelti pavymui.

Noriu būti pagrobta. Išplėšta iš šio vaivorykštinio sapno.

Noriu, kad jis šiurkščiai it koks chuliganas pareikštų – dabar tau viskas, žinai, kas tavęs laukia? Prisižaidei su tuo suknelės skeltuku... O mano krūtinėje sprogimas. Lyg šaltis maišytųsi su karščiu. Baimė ir geismas.

Ir aš susiėmiau smilkinius – toks geidulys mane nukrėtė, kad akys apsitraukė susijaudinimo rūku.

Atsiduoti jam, savo sapno herojui. Jei mane pabučiuos, jei tik mane pabučiuos...

– Atsiprašau, panele. Gal būsite tokia maloni ir suteiksite man džiaugsmo vienam šokiui?

Balsas pasigirdo man už nugaros. Kažkas palietė mano riešą.

Pagarbiai, vos vos. Džentelmeno gestas, bet tai buvo ne Arnoldas. Tačiau svarbiausia – į mane kreipėsi gryna lietuviška tartimi.

Nustebusi pakėliau akis. Plačiapetis vyras. Kostiumas iš brangios medžiagos. Skoningai parinktas kaklaryšis. Buvo šiek tiek per stambus, kad atrodytų elegantiškai. Ryžtingų bruožų veidas man nesukėlė jokių prisiminimų. Pusamžis vyriškis, vyresnis už Arnoldą ir solidesnis. Nematytas tipas.

Mane pribloškė jo pasitikėjimas, su kuriuo jis laukė manęs atsistojant. Ir apskritai jis darė visagalio žmogaus įspūdį, kuris mane kažin kodėl nugąsdino. Gal jis vienas iš Arnoldo draugų?

Štai ir jis pats, pastebėjęs šią keistą sceną, pašoko.

– Susipažink, Monyka, čia labai garbingas žmogus iš Lietuvos. Ponas Dambrauskas...

Neįstengiau pralementi nė žodžio. Nežinau, kas man pasidarė, bet pajutau iš tos laisvos laikysenos sklindančią paslaptingą jėgą, kuri netikėtai gniuždė mane. Taip būna, kai leidiesi į tamsų rūsį, o nugara šiurpsta lyg kažkas sektų paskui.

– Pone Dambrauskai, tai mano sesuo...

– Ji tokia tau sesuo, kaip aš tavo dėdė, – atrėžė jis nuožmiai, bet kai pažvelgė į mane, jo akyse įsižiebė šuniškas nuolankumas, – na labai prašau, panele Monika. Tik vieną šokį. Kad bent taip išreikščiau savo pagarbą begaliniam jūsų grožiui. Būtent pagarbą, o ne susižavėjimą kaip kiti vyrai.

– Na... aš, atsiprašau, bet nekaip jaučiuosi. Vėliau, gerai?

– Kaip pageidausite, – vos pastebimai linktelėjo jis. – Galiu prisėsti trims sekundėms?

– Žinoma.

Nuo jo stipriai trenkė kvepalais. Ir investicinės kompanijos prezidentas, ir gubernatorius pagarbiai linkčiojo sveikindamiesi, bet ponas Dambrauskas nė nežvilgtelėjo jų pusėn.

– Štai kas, mergaite. Tu pasakiškai graži, pasakiškai. Ne-siginčyk. Maskva – pavojingas miestas tokioms jaunoms ir dai-lioms kaip tu... Todėl, maža kas, – tarp jo pirštų kažkas subo-lavo, – čia mano vizitinė kortelė. Jei atsitiks kas nors nenuma-tyto, skambink, nesivaržyk. Būsiu laimingas galėdamas tau pagelbėti. Draugiškai. Iš pagarbos tau. Jei kas nuskriaus tave, aš visą Maskvą sudeginsiu, nesiaiškindamas, kas kaltas. Ir at-mink – nuo šiol aš tavo angelas sargas. Na, pasimatysime vė-liau.

Jis dingo palikęs mane sudilgusią iš nerimo. Mano angelas sargas? To dar betrūko! Vos spėjau vizitinę kortelę įbrukti tarp dygių rožės kotelių, it lūšis prislinko Arnoldas:

– Ką jis kalbėjo, ką?.. Apie mane ką nors sakė? Gero ar blogo?

– Nieko nesakė.

– O apie ką kalbėjotės, apie ką?

Koks jis įkyrus! Murmtelėjau, jog apie nieką.

– Monyka, žiūrėk, atsargiai!.. Tai tokia asmenybė, oho, tau nesuprasti.

Pamačiau, kaip Andrius, palikęs strakaliojančią Svetą, pasi-šalino iš šokių aikštelės.

– Man metas, – stvėriau gėlių puokštę.

– Kur tu?.. Palauk, Monyka! Įsižeidei, ar ką?

– Dėl ko? Kad supažindinai mane, kaip pats tvirtini, su la-bai garbingu žmogumi? Man trūksta gryno oro.

Restorano pakampiais, pilnais gėlių ir balionų, nuvinguria-vau iki išėjimo. Restorano vestibiulyje šurmuliavo būrelis vyrų. Kas rūkė, kas vaišinosi prie baro. Kur Andrius?.. Gatvėje jo taip pat nematyti. Keista. Sakė, kad lauks. O oda šiurpo, lyg kas sek-tų paskui. Gal tokie valdžios jėga spinduliuojantys tipai kaip tas plačiapetis lietuvis sugeba moteriškų batelių pėdsakais mesti sa-vo fantomą? Angelas sargas...

*

Stovėjau nusigręžusi į gatvę ir nepajutau, kaip palei šaligatvį tyliai atšliaužė kadilakas. Atsitokėjau, kai išgirdau Andriaus balsą:

– Važiuojam, Monika!..

Toks skubus dingimas iš pokylio man priminė bėgimą. Lyg toj pasakoj, kai išmušus dvyliktai karietos virsta moliūgais. Tik šioje pasakoje, kurios stebuklingą sruvenimą pajutau baltame kadilako viduje, suknelė ir papuošalai skolinti, vien kurpaitės mano.

Andrius sugrobė mane akimis, godžiai įsižiūrėjo į veidą.

– Pagaliau mes vieni. Tik tu ir aš.

Tačiau tuo pat metu pasigirdo šūksmas už pertvaros:

– Kur važiuojame, gerbiamieji ponai?

Mes linksmai nusikvatojome. Pasirodo, ne vieni...

– Į Kutuzovo prospektą, – paliepė Andrius, – o vėliau bus matyti.

Jau buvo sutemę. Pro kadilako stiklą skverbėsi gatvės šviesos, degantys namų langai. Atspindžiai juodoje tėkmėje. Giliai į tamsą pabėgę žiburiai žioravo kaip gęstančios žvaigždės. Retkarčiais mūsų veidais, balta oda muštomis sėdynėmis nusirisdavo šviesos ruožas ir vėl pasidarydavo tamsu.

Aš sėdėjau priešais jį, ir staiga visos priemonės, kurios moteriškuose žurnaluose keldavo man šypseną, ūmai pasirodė tokios žavios ir veiksmingos, kad smarkiai pasigailėjau neįsidėjusi jų į galvą. Noriu būti geidžiama ir gundanti. Mylėti – tai dar nieko nereiškia. Noriu būti ir mylima...

– Kokia tu!.. – vos girdimai ištarė Andrius.

– Kokia? Na, pasakyk – kokia?

Jis prisėdo šalia ir tylėdamas lūpomis palietė mano smilkinį, plaukus, skruostą. Aš dar stipriau įsirėmiau į jo petį. Mirgančios šviesos dėmės krito ant jo veido. Šviesų atspindžiai ir šešėliai slankiojo kadilako viduje.

Užsimerkiau bijodama prarasti palaimą. Jo lūpos glustelėjo prie manųjų. Vienas kūnas, vieningas sustingimas. Pradėtas bučinys, silpnas liežuvio krustelėjimas, vingrus lyžtelėjimas tarsi pakylėjo mane, lyg viena spengiančia styga įtempė mano kantrybę.

Neatsilaikiau.

Nekaltas pabučiavimas virto grobuonišku bučiniu. Bučiavomės lyg išprotėję. Svaigau nuo šilumos ir virpulio. Norėjau lyg sniego gniūžtė ištirpti tarp jo delnų, suėmusių mano skruostus, dengiančių akis, trukdančių kvėpuoti. Troškau išnykti, susigerti į baltą sėdynių odą, bet palikti lūpas. Išsaugoti tą nesvarumą, nuo kurio mano kūną krėtė baugus drebulys.

– Kokia tu!..

Jis priglaudė galvą man prie širdies. Buvau tikra – klausėsi jos plakimo. Paskui pabučiavo alkūnės linkį. Prispaudė mane prie savo skruosto. Aš apsivijau rankomis jo kaklą.

– Tu nuostabi, Monika. Ne, tai ne tas žodis!.. Tu mano kūnas ir kraujas. Vos tave išvydau, tai supratau. Nieko artimesnio šiame pasaulyje už tave neturiu.

Uždėjo delną man ant krūties. Pirštais apčiuopė jos standumą. Kita ranka siektelėjo liemens. Jaučiausi it vystomas kūdikis – taip švelniai jis lietė mane. Būtų pakakę atsimerkti, kad tamsoje išvysčiau pro suknelės nėrinius šiurpstančių krūtų spurgelius. Ar jis žavėsis nuogu mano kūnu, ar jo lūpos su tokiu pat šventumu dalins bučinius, kai liksiu nuoga?

*

– Kutuzovo prospektas! – pranešė vairuotojas.

– Gerai, – atsiliepė Andrius, – mes valandėlei išlipsime prie „Planet Holywood".

Jis pažvelgė į mane. Aš sėdėjau nuleidusi galvą, nedrįsdama

pakelti akių. Tas bučinys buvo toks netikėtas, ilgas ir svaiginantis! Krimtausi, kad nederėjo taip lengvai pasiduoti. Bent sekundę pasipriešinti, kad jis, ginkdie, nepagalvotų, jog aš to tik ir laukiau. Jis padėjo man išlipti. Žengdama ant šaligatvio susvyravau ir jis sugriebė mane į glėbį. Neklausydamos blaivaus proto, lūpos surado lūpas... Akimirką apkvaitau, bet gatvės šviesos, pamažu ryškėjančios prabangių parduotuvių vitrinos ir ugnelių girliandomis tarsi mažučiais perlais nulytos tamsių medžių šakos sugrąžino mane realybėn.

– Andriau! – dusdama atsiplėšiau nuo jo. – Mes gatvėje, mus visi mato!..

– Na ir tegu... Tegu pavydi. Juk tau nėra lygių. Aš netikiu, mane kankina tas stiprus įsitikinimas, kad tu man nepasiekiama. Netgi ir po to, kai pabučiavau tave.

Andrius įdėmiai, nepaprastai švelniai žiūrėjo man į akis.

– Kur tu mane atvežei?

Jis paaiškino: Kutuzovo prospektas – viena gyvybingiausių vakarinės Maskvos vietų. Naktiniai barai, klubai, restoranai, kazino. Vakarietiška aplinka. Turtingi rusai čia menkai pastebimi. Nėra geresnės vietos įsimylėjėliams.

Bet aš papriešteravau – tikroji meilė įsiplieskia po žvaigždėmis, o užgęsta tokiose vietose kaip ši – tviskančioje nuo reklamų, spalvingų šviesų užlietame prospekte, kurio elektrinė aura trukdo įžiūrėti bent kokį šviesuliuką nakties skliaute.

Jis nusijuokė. Pasakė esąs bejėgis prieš tokius išvedžiojimus. Bet jeigu jau atvažiavome...

Nesiginčijau.

Mes užėjome į „Planet Holywood". Man tai nebuvo panašu į naktinį restoraną. Priminė kavinę su daugybe pikantiškų smulkmenų. Už baro – juodaodis. Prie kolonų – vitrinos su garsių filmų rekvizitais. Laiškai iš „Pasivaikščiojimo debesyse". Alaus buteliukas iš „Foresto Gampo". Terminatoriaus apranga, kuri, kaip taikliai pasakė vienas skandinavas, ne tiek besidomintis ja, o labiau manimi, jam primena šachtininko kostiumą. Šachtininko, kuris rausiasi ne anglies ieškoti, o dolerių.

Pralinksmino ir Andrius. Vos išsiskyrėme, jis ėmė manęs ieškoti ir, pamatęs, kaip aš lyg niekur nieko kalbuosi su tuo kauštelėjusiu gal švedu, gal suomiu, pastebimai susinervino. Paliepė tam vaikinui nešdintis, bet jis rusiškai nesuprato. Kyvinėjo į šalis ir šypsojosi. O man darėsi gera, tiesiog saldu ant širdies matant Andrių, išraudusį iki ausų galiukų. Jis pavydi manęs, pavydi!

Mums tolstant tas bohemiškai atrodantis vyrukas mestelėjo keletą žodžių angliškai, ir atsisėdus prie staliuko Andrius prašė juos išversti.

– Jis pasakė, kad ant mano lūpų mažai belikę lūpdažių.

– Ak, jam tas rūpi! – sugniaužė jis kumščius.

– Na, nebūk toks juokingas! Įsiplieski dėl menkniekio. Ir su Arnoldu persistengei, vos vos nesusipykote.

– Arnoldas visai kas kita.

– Jis neblogas vyrukas, tik tu...

– Ką tu žinai apie Arną?

Patraukiau pečiais. Iš tikro, nieko nežinau, juk pažįstami vos mėnesį.

– Kaip manai, Monika, kodėl jis tave atsikvietė į Maskvą?

– Na... kad daugiau tvarkos būtų firmos reikaluose. Toks sekretorės darbas.

– Tvarkos, – jis su panieka ištarė šį žodį. – Vadinasi, manai, kad atsitiktinai tave nužiūrėjo tada Palangoje? Išvaizda čia niekuo dėta?

– Bet sekretorė turi patrauklai atrodyti, – spyriausi, nors mačiau, iš rimtos jo minos mačiau, kad priežastis glūdi kur kas giliau.

– Tu ne sekretorė. Mūsų firmoje turėjai būti ne vien sekretorė.

Kaip tai?.. Neramios mintys lyg sūkurys pagavo suktis spengiančioje galvoje. Ką jis tuo nori pasakyti?

– Tu gerai atrodai, žiauriai gerai atrodai, Monika. Būdama šalia bet kokio vyro, iškart pakeli jo vertę. Taip pat atkreipi kitų vyrų dėmesį. Tu tarsi slaptas ginklas, supranti?

– Nieko nesuprantu. Tą pat ir Arnoldas tauškė – simbolis, talismanas...

– Kokia tu naivi! Juk buvote tame komerciniame banke dėl paskolos ir Arnas davė bankininkui kyšį, kažkiek ten procentų nuo paskolos sumos. Pameni? Tai va. Kitą kartą, kad derybos vyktų sklandžiai, jis pakiš tave. Pergulėtumei su kokiu bankininku – ir paskola vėl gauta.

Nuraudau. Norėjau atšauti – aš ne kokia palydovė, bet neapsivertė liežuvis. Buvau priblokšta. Ir netikėjau. Arnoldas... taip manimi ketino pasinaudoti?

– Nesąmonė, – tariau, – aš nesutikčiau...

– Už penkis tūkstančius, pavyzdžiui?

– Už jokius pinigus!

Andrius pasistengė mane įvyti į kampą.

– O dėl ko atvažiavai? Ne dėl pinigų? Iš meilės Arnui?

Padavėjas atnešė užsakymą – dvi kokteilių taures. Gavau atsikvėpti. Andrius mėgino paglostyti mano ranką, bet aš buvau sudirgusi ir kankinama visai kitokių minčių. Pasakyti jam, dėl ko aš čia?.. Taip, privalau pasakyti, kitaip viens kito nesuprasime.

– Žinai, kodėl aš Maskvoje? Aišku, galėčiau pasakyti, kad pabėgau iš namų ir neturėjau kur dingti. Ir tai būtų tiesa. Bet ji iš tikrųjų kiek kitokia...

– Taip? O kokia?

Siurbčiojau per šiaudelį nė kiek gomurio nedeginantį gėrimą, kol vos neužsikosėjau. Andrius laukė. Nužvelgiau jį, sustingusį iš nekantrumo, skendintį nežinioje.

– Aš dėl tavęs čia atvažiavau. Labai norėjau tave susitikti.

– Dėl manęs?.. – jis apstulbo.

– Tik dėl to. Ir aš turiu įrodymą. Mirtiną.

– Kokį įrodymą?

– Pamatysi... Nuvažiuosime pas mane, ir aš tau kai ką parodysiu.

Jis žiūrėjo į mane nenuleisdamas akių. Jos sužvilgo. Nejaugi ašaros?

– Tai tiesa? – slopiai pratarė jis.

Ryžtingai linktelėjau. Ir vėl kibau į kokteilį. Užgniaužiau džiugesį. Jau mėgavausi ta akimirka, kai įžengsime į miegamąjį, kur stovi tuščias butelis nuo vyno. Butelis, skirtas rašteliams. Butelis, galutinai atplukdęs mano sielą į meilės uostą.

– Tada aš noriu pasigerti. Velniai rautų, koks aš laimingas, Monika!.. Koks aš laimingas, kai tu šalia! Ir tu mano, girdi? Vien tik mano. Arnoldas jau nebeturi minties tavimi pasinaudoti. Jis šį vakarą viską suprato.

*

Andriui kokteilis pasirodė per silpnas, todėl užsisakė dvigubą porciją viskio. O mano atmintyje tarsi iš niekur atsirado ryškus vaizdas: Arnoldas, palinkęs prie stalo... vamzdeliu susuktas dolerio banknotas... balti milteliai ant veidrodinės plokštelės... netvarkingai it makulatūra suversti dolerių pakeliai... Kirbėjo negera nuojauta, ji nedavė ramybės, kad šis vaizdas kažkaip siejasi su paskutiniu sandoriu, iš kurio Arnoldas tikisi uždirbti milijonus. Tai nebeatrodė utopinis tikslas, kai prieš valandėlę buvau pobūvyje, mačiau žmones, švaistančius žvėriškus pinigus.

– Andriau... – net nežinojau, kaip pradėti, bet jo atviras tiesus žvilgsnis padrąsino mane, – pastaruoju metu jūs planuojate kažkokią operaciją. Turiu galvoje tuos vokiečius. Pati jiems siunčiau faksogramas, dėl paskolos buvau banke. Arnoldas trina rankas – uždirbs milijonus.

– Na ir kas?

– O tas, kad man įdomu. Tik tiek įdomu, ar tai nėra susiję su narkotikais? Pavyzdžiui – kokainu?

– Iš kur ištraukei tokią nesąmonę?

Jo nuostaba buvo tikra. Tai mane nuramino.

– Tiesiog pagalvojau... et, gal filmų prisižiūrėjau, kur didelį pelną atneša narkotikai. Nenorėčiau, kad tu į ką nors panašaus įsiveltum.

– Še tau, kad nori! Čia tai bent išmąstei. Suprantu tavo nerimą, bet tai tikrai ne narkotikai. Viso labo banderolės. Popiergaliukai tokie.

Ir Andrius paaiškino: tai, ką Arnas vadina „markutėmis“, iš tikro yra banderolės, popierinės juostelės, klijuojamos ant alkoholio butelių kamščių. Voronino žentas – kelių degtinės gamyklų savininkas – yra priverstas pirkti jas iš valstybės, o Arnoldas jau susitarė su viena spaustuve Vokietijoje ir ketina jam pasiūlyti niekuo nesiskiriančias banderoles, bet už mažesnę kainą. Jas užklijavus ant netikros degtinės butelio kamščio, prekė tampa legali.

– Dabar aišku? – užbaigė jis.

Klausiausi ne itin atidžiai. Vyriški reikalai, svarbu – ne narkotikai. Jie man asocijuojasi su mirtimi. Baltoji mirtis. Labai nešvarus biznis. Nenoriu, kad Andrius įsiveltų į tokią pavojingą veiklą.

– O dabar aš norėčiau paklausti tavęs vieno dalyko... – keistai pasižiūrėjo į mane Andrius, – ko iš tavęs norėjo tas tipas, su kuriuo nėjai šokti?

– Dambrauskas?

– Ir pavardę pasakė!

– Jis man ir vizitinę kortelę paliko...

– Netgi šitaip!..

200

– O kas yra?

Andrius atrodė kažko nusiminęs.

– Blogas ženklas, kad tavimi susidomėjo. Nujaučiu. Dambrauskas dažnai po Maskvą sukinėjasi. Tai toks veikėjas, kuris savo reikalus tvarko ir su banditų, ir su ministrų pagalba. Aukščiausio lygio mafiozas. Vaistų biznis, energetika, privatizacija Lietuvoje – visur jis savo uodegą įmerkęs. Nepatinka jis mums su Arnoldu.

– Man juo labiau! – nusijuokiau ir suradau po staliuku tūnančią jo ranką. Švelniai paliečiau pirštų galiukais. – Laikas bėga, o mes kalbame apie tokius rimtus dalykus.

Jo ranka stengėsi išsprūsti iš mano delnų, veržėsi prie suglaustų kelių, bet aš priešinausi, nepasidaviau ir galop viskas baigėsi juoku. Taip grįžo nerūpestinga nuotaika. Žvilgsnis po žvilgsnio – paliko gera tylėti. Jis žiūrėjo į mane, aš į jį. Vien akių spindesys, išduodantis jausmus, slypinčius krūtinėje, giliai sieloje.

Metas važiuoti, pasakė man jo kaštoninės akys.

– Važiuojame pas mane, – tariau. – Pavargau bastytis, noriu ramybės.

Bet jis delsė. Sėdėjo prisimerkęs. Lyg nuo bundančio geidulio. O gal įsimylėję vyrai visada taip atrodo? Buvau tikra, kad jis prisipažins mane mylįs.

Dabar, po minutės, po valandos.

Jaučiau tą artėjančią akimirką, stiprų plakimą krūtinėje ir virbėjimą po ja, lyg švelnius sparnelius mankštintų drugelis. Geriau, kad tai atsitiktų mano namuose. Miegamajame. Prie veidrodžio ir butelio, kuriuose atsispindės blyškus mano nuogumas...

– Važiuojame, Andriau, kas tau?..

– Aš netikiu, – patylėjo ir vėl paslaptingai pakartojo, – netikiu.

– Kuo tu netiki?

– Aš netikiu, – kalbėjo pašnibždom prisimerkęs, – netikiu, kad tąkart, kai mes naktį kalbėjomės telefonu, tu vilkėjai mėlynais naktiniais, kurie tamsoje atrodo kaip juodi. Netikiu, kad jie nesiekia tavo kelių, ir kai tu išeini iš vonios, po tuo naktiniu šilku nieko nieko nėra...

Jis ilgai žiūrėjo į mane. Tarsi norėdamas sulaukti drovaus blyksnio mano akyse, nuolankumo ženklo, po kurio iškeliamos pergalės vėliavos. Bet jei kas mane varžė tą akimrką, tai tik liemenėlės nėriniai. Nenuleisdama akių tariau:

– Tuo nesunku bus įsitikinti, važiuojame...

*

Limuzinas prišliaužė prie mūsų kojų lyg klusnus gyvulys. Salone aidėjo bliuzas ir Andrius paprašė pagarsinti. Vos baltas kadilakas nuskriejo žiburiuojančiu prospektu, mūsų rankos surado viens kito veidą, ir lūpos susiliejo. Jei vairuotojas būtų žvilgtelėjęs, būtų išvydęs dvi būtybes, retkarčiais užliejamas gatvės šviesų ir valdomas nežemiškos jėgos.

Atitrūkęs nuo mano lūpų, Andrius apibėrė švelniais bučiniais krūtinę, kaklą. Nubučiavo pirštus. Atsargiai palietė suknelės iškirptę. Rado slaptą sagutę. Dusau nuo karščio. Suaimanavau, kai apnuogino krūtinę. Vėl pasipylė bučiniai. Drėgmė ant krūtų, drėgmė mano viduje ir amalai akyse. Garsiai skambantis bliuzas ir aš, visu greičiu lekianti į tą baugų pasaulį, kuriame kraujas virsta vynu, geriamu iš lūpų.

– Andriau... tu išprotėjai.

Atsimerkiau, bet pasijutau tarsi pakliuvusi į sapną. Jis, užplėšęs suknelę iki juosmens, gėrėjosi mano kojomis. Jo akys tamsoje žiburiavo. Žmogaus-gyvatės žvilgsnis. Aš baltos odos soste. Geismo drugelis ima nertėti po krūtine.

Andrius vienu mostu uždengė mano klubus suknelės žvyneliais. Prigludo šalia. Paglostė prie skruosto prilipusią garbanėlę. Lūpomis palietė manųjų kraštelį. Su šventu nuosavybės jausmu, kone pamaldžiai, lyg kokias apeigų taures įspraudė mano krūtis į suknelės iškirptę ir pabučiavo jų kalnelius per nėrinių gėlytes.

– Nežinau, kas man darosi, nebepažįstu savęs, – išgirdau šnibždesį. – Nebenoriu niekur važiuoti, noriu būti su tavimi. Dieną ir naktį. Žinai, kokį troškimą turiu dabar? Kad tu prabustumei kambaryje, pilname rožių, trokštu pamatyti nuostabos pilnas tavo akis.

Aš žvelgiau pro automobilio stiklą. Kaip gera klausytis jo balso, slopinamo ritmingo bliuzo. Gatvės tolyje pasimatė arka, toji pati iš jaudulingo sapno. Akimis suskatau ieškoti kaštono. Anava jis, bėga pasitikti...

– Monika, – kimtelėjo iš susijaudinimo Andrius, – aš tau norėjau pasakyti, kad...

– Palauk, – pirštais užspaudžiau jo lūpas. – Liepk vairuotojui sustoti. Minutėlei. Ten, po tuo kaštonu, galėsi pasakyti man, ką norėjai.

Jis pakluso keistam mano prašymui. Mes išlipome laikydamiesi už rankų. Pievelės žolė šlamėjo po kojomis it aksomas. Kuplus kaštonas kėlė šakomis naktinį skliautą. Žvaigždės buvo ryškios. Žėrinti arka, joje romus mėnuliuko veidas. Šventiškas spindesys. Ir toks ėjimas man priminė žengimą prie altoriaus. Arba į dangų. Mane užvaldė stipri nuojauta, kad šita nakties idilė kažkaip stebuklingai keičia mano gyvenimą.

Laikas bėgo, o mes stovėjome po kaštonu ir virpčiojome susiglaudę. Lytėjome viens kitą lūpomis ir rankomis. Regis, tam, kad neprarastume sąmonės, įkvėpdavome gurkšnelį oro ir vėl apmirdavome nuo aistros.

– Aš myliu tave, Monika... Myliu.

Andriaus akių gelmėje žybčiojo kibirkštėlės, tarsi atšvaitai tos ugnies, kurioje aš atsidūriau.

– O tu?.. Tu myli mane? – paklausė jis.

– Nežinau... Dar nežinau.

Gal pasielgiau pernelyg žiauriai, bet pasidaviau silpnybei stebėti tą kankinio išraiškos iškreiptą veidą.

Jis myli mane! Dieve, kokia aš laiminga!..

– Atsiprašau, ponai! – nuo gatvės atsklido kadilako vairuotojo šūksnis: – Atsiprašau, gerbiamieji, bet turiu jums priminti, kad dvyliktą valandą privalau stovėti prie „Metropolio", o tuoj vidurnaktis...

– Važiuok!.. Mes pasiliekame, – liepė jam Andrius ir delnais glustelėjo prie mano pečių, pažvelgė į akis, – juk tu čia netoliese gyveni. Puikus vakaras, pasivaikščiosime.

– O paskui?.. Kas bus paskui?

Apimta maudžiančio saldumo šypsojausi kaip paskutinė naivuolė.

– Jei tu užsivilksi tamsiai mėlynus naktinukus... bus blogai.

– Blogai? Tu mane gąsdini?

– Aš trokštu tavęs. Man tavo lūpų neužtenka. Noriu svaigti nuo tavo kūno...

Tolimame atminties užkaboryje blykstelėjo erotiško sapno nuotrupa. Batelio kulniukas surado kaštono kamieną, ir koja išsprūdo pro skeltuką. Jo delnas, šiltas delnas nedrąsiai glustelėjo, slystelėjo virš kelio ir suglebo.

– O jeigu čia? – šnipštelėjau beveik liesdama lūpomis gražią jo burną. – Tiesiog čia ir dabar?

– Tu... tu išprotėjai, Monika!

Vos nesusijuokiau. Sąmoningai suvaidinau plėšrūnę, ir švelnus Andriaus pakrikimas sukėlė man šypseną.

– Ponai, prašyčiau man atleisti, bet jūs pamiršote...

Kadilako vairuotojas pagarbiai stovėjo už keleto žingsnių. Jis atkišo mano sugautą jaunosios gėlių puokštę. Raudonos rožės tamsoje atrodė kaip juodos.

– Jos labai tinka prie tavo lūpų, – pastebėjo Andrius. – Ir tavo lūpos kvepia kaip žiedlapiai...

     ✳

Miegamajame sklandė gerų kvepalų aromatas. Felicija neatsispyrė pagundai prieš išeidama išbandyti manųjų parfumų svaigumą. Kaip Silva, šyptelėjau mintyse.

Andrius, peržengęs slenkstį, tapo nebe toks ryžtingas kaip prieš valandėlę skriejančiame limuzine. Galbūt jį kiek sutrikdė mano užuomina apie įrodymą. Nenuginčijamą. Jis spyrėsi, kad geriausi įrodymai – tai mano šypsena. Gynėsi banaliomis frazėmis, tačiau pastebėjau, kad priežastis, dėl ko kažkokia gyva būtybė trenkiasi paskui jį į pasaulio kraštą, vertė jį jaudintis.

– Nujauti, kad čia kažkas, be mūsų, yra? Apsidairyk.

Aš stovėjau prie sujaukto guolio, kurį per skubėjimą pamiršau rytą pakloti, ir Andrius, lyg sakydamas, kad mato vien tai, suglumęs puse lūpų šypsojosi. Nieko stebėtino. Tamsoje daiktai sugeba slėptis, ir aš, tik žinodama, kur stovi butelis, atskyriau jo kontūrus veidrodyje.

– Einu persirengti, – tarstelėjau jam, aklomis spoksančiam į tamsą. – Daiktinis įrodymas yra šiame kambaryje.

Vonioje nusimetusi suknelę, supratau, kiek ji man kėlė rūpesčio. Saugokis, kad nesusiglamžytų ir nesusiteptų. Neduok Dieve, kad kur neįplyštų!

Sava oda kur kas mielesnė. Ypač kai smulkiomis adatėlėmis bado šiltas dušo vanduo, plaunantis kasdienybės nuovargį. It žiburiuojantis aukso siūlais nakties lietus po drakoniškai palinkusiu gatvės žibintu...

– Monika! – ataidėjo džiugus šūksmas iš buto glūdumos. – Negaliu patikėti!

Nekantrus beldimas į duris ir mano vos girdimas: „Prašom." Jo žingsniai vonios kambaryje už stiklinės pertvaros negirdimi, bet nesunkiai nuspėjami pagal tamsaus silueto judėjimą.

Jis stovi užkluptas mano žvynuotos suknelės, tarsi gyvatės išnara besirangančios ant itališkomis plytelėmis klotų grindų. Kitame žingsnyje – mano šilkiniai naktiniai. Mėlyni, bet tamsoje juodi, tarytum niekam neatskleista nuodėmė. Nuo pagundos, kuri sulig šilto dušo srove išmuša mano kūną, skiria stiklinė pertvara. Andrius negrabiai ją atbrazdina. Stovi, bet pro garo debesį neką teįžiūri. Bet to pakanka, kad įsitempčiau kaip styga. Nustoju dangstyti nuogas krūtis nusilpusiomis plaštakomis. Tie prisilietimai pirštų galiukais vienodai jaudina kaip ir jo žvilgsnis, atsimušantis į drėgną garo kamuolį, kuriame slepiuosi, bet iš tikro esu aptikta.

– Rašteliai! – šūktelėjo jis susižavėjęs. – Tu jų nepamiršai!

Mano ranka pranyra pro garų šydą. Nieko taip netrokštu, kaip paliesti jo veidą, būti arčiau...

Jis atsiliepia į mano ilgesingą judesį. Paskubomis išsineria iš balto švarko, iš marškinių. Nulendu giliau, po dušo srove. Sudrėksta plaukai. Vandens čiurkšlės kapoja veidą. Keliu rankas, kad galutinai suvokčiau, jog aš nuoga. Nebėra jėgų tvardytis. Nebe mano jėgoms skirstyti poelgius į dorovingus ir ištvirkusius.

Jis atsiduria garo kamuoliuose. Nieko nėra gražesnio, kaip nuo jo pečių į šalis tykštantis vanduo ir raumeningomis rankomis žliaugiančios bespalvės čiurkšlės. Andrius apima mano liemenį, randa įlinkį ir kone atsiduriu jo saujoje. Kietas vyriškas klubas įsiremia į mane. Kaip tai jaudina mane! Jo delnai ima glamonėti mano krūtinę, o dušo srovė, karšta ir dygi, be paliovos plaka mūsų virpančius kūnus. Jau buvau pamiršusi, kad galima ko nors taip stipriai geisti. Vidine šlaunų puse nusliuogia kažkas gyvas. Mėginu sugauti standų sprūduolį, sulaikyti ir sustabdyti, bent kol mes bučiuojamės lyg pamišę, tačiau bergždžios pastangos. Kažkas landus, vingrus nelyg audros sraigė įsisuka man tarp šlaunų ir švelniai įsprūsta į juodą kiautą. Nustojame bučiuotis. Tarsi dantimis įsikabiname viens į kitą. Mane apima vis didėjantis skausmingas virpulys. Spurdantis papilvėje drugelis stipriai plaka deginančiais sparnais...

Dienos šviesa suvirpino užmerktų akių vokus. Vėjo gūsiai kilnojo užuolaidą tarsi burės audeklą. Kurį laiką gulėjau nejudėdama. Klausiausi tolimo prospekto gaudesio ir lygaus širdies plakimo. Pamažu atmintyje lyg skaidrėjančiame vandenyje ėmė suktis vakarykščiai vaizdai. Mes beprotiškai mylimės žliaugiant garuojančiam vandeniui... Tylus kuždesys miegamajame. Prisiekinėjame viens kitam beprotišką meilę. Gėrimės vienas kitu. Pirštai laksto slidžia oda tarsi klavišais, išgaudami negirdimos muzikos garsus, muzikos, kylančios iš geidulių tamsybės...

Tada pramerkiau akis. Įstrižai krintanti saulės šviesa mane apžilpino, ir kai raibuliavimas nuslopo, išvydau savo atvaizdą veidrodyje. Atsidūriau tarsi nerealiame pasaulyje. Ne mano akys, ne mano žvilgsnis. Taip žiūri tik moteris, kuri myli ir pati yra mylima. Naujas, šviesus ir gražus pasaulis.

Pūstašonis butelis pasiuntė atspindį. Pro storą stiklą kažin kas subolavo.

Raštelis!

„Mylimoji... Maniau, kad teks nugyventi visą gyvenimą su tuščia ir šalta širdimi, bet dabar ji pilna meilės tau. Kad tu žinotum – kokia tu graži mieganti! Žavėjausi tavimi sulaikęs kvapą. Viliuosi, kad greitai taip prasidės kiekvienas mano rytas. Iki pasimatymo, Monika. Aš tau skambinsiu. Myliu tave – Andrius.“

Mylintis...

Paliečiau lūpomis jo ranka išvedžiotas raides popieriaus skiautėje. Mano šventasis raštas. Nėra geresnio tikėjimo už tikėjimą meile.

*

Buvo kiek baugu po tokio įsimintino savaitgalio pasirodyti darbe. Andrius man atvėrė akis. Ne toks jau Dievo avinėlis tas Arnoldas, ir aišku, kokia sesute jis mane laikė. Plušėjimas prie kompiuterio atrodė beprasmis, ir tvarkydama metalo krovinių važtaraščius kone trankiau aplankus – ne toks man darbas buvo numatytas, ne toks vaidmuo!..

Felicija vis blaškėsi iš vienos kontoros į kitą. Tai, ką aš jai papasakodavau apie sostinės aukštuomenės vestuves, ji skubėdavo perpasakoti Liusei, kitai savo draugužei iš programinės įrangos pardavimo firmos. Toks marširavimas kiek sklaidė tvyrančią įtampą, bet susidūrimo su Arnoldu laukiau įsitempusi.

Jis pasirodė po pietų. Užsimiegojęs ir patinusiu veidu. Vos pasisveikinęs, pakvietė užeiti į jo kabinetą.

– Monyka, tikriausiai supranti, dėl ko pasikviečiau?

Nuoširdžiai patraukiau pečiais. Dingtelėjo staigi mintis: galbūt aš čia nebereikalinga...

– Tu juk kalbėjaisi su Andriumi?

– Apie ką?

– Apie mane.

Tylėjau. Tik dabar supratau, kad Arnoldas šaudo akimis kur papuola, nežinodamas, kaip atsikratyti kaltės jausmo. Pagaliau tarė:

– Žinau, kad kalbėjotės. Andrius man skambino. Ir jis sakė tau tiesą... Todėl norėčiau tavęs atsiprašyti.

– Atsiprašyti? Už ką?

Dievaži, sutrikau. Nors jis primygtinai prašė atsisėsti, nestovėti kaip žvakei stalo gale, bet nesujudėjau.

– Tik nepagalvok, Monyka, kad Andrius mane užspaudė. Visai ne. Ir mano sąžinė neprabilo. Jinai seniai miega... Ne tas svarbiausia. Prastai jaučiuosi, sunku tau į akis pažvelgti ir galiu dabar pasakyti, kad mano idėja su firmos prostitute buvo niekam tikusi.

Ak, va kur šuo pakastas!

– Nieko tokio, – su palengvėjimu tariau. – Iš principo tokią merginą nesunku rasti, bet dėl manęs apsirikai.

– Tai tu man atleidi?

– Aišku. Tiek čia tos kaltės.

Arnoldas žengtelėjo artyn ir galantiškai pabučiavo man ranką. Galėjau prisiekti, tai jis buvo daręs šimtus kartų, tačiau nė vienai damai nebučiavo rankos su tokiu dėkingumu akyse.

– Ačiū tau, Monyka.

– Monika aš, o ne kokia ten „yka". Kada pagaliau įsidėmėsi?

Bet Arnoldas atsainiai numojo ranka, lyg sakydamas, kad ne tai svarbiausia.

– Kada Andrius grįš? – paklausiau drąsiai, ne taip kaip anksčiau – nutaisydama abejingą miną.

Jis reikšmingai pasižiūrėjo į mane:

– Iki vestuvių grįš. Taps tikru milijonieriumi ir grįš.

– Kokių vestuvių? – suklusau, o pašėlęs džiugesys lyg smilga kuteno širdį.

– Tik tarp mūsų, gerai?.. Jis nori tave vesti. Ir kuo greičiau. Sakė, kad nedrįso apie tai užsiminti. Žodžiu, gailisi, kad dar vakar tau nepasipiršo. Na, nieko... Va prasuksime milijonus, nuskrisime į Kanarus ir ten aš jus supiršiu. Sutarėme? Ko tu juokiesi? Aš visai rimtai!

Norėjosi Arnoldą išbučiuoti. Ne toks jis nepataisomas, kaip buvau bepradedanti galvoti. Ir tik atitokus po džiaugsmo bangos, jau grėsmingiau suskambėjo žodžiai apie milijonus. Bet jis visas mano kalbas bandė nuleisti juokais. Klausimai apie pavojus atsimušdavo kaip žirniai į sieną. Jokio pavojaus nėra, kalbėjo. Dideliuose verslo reikaluose būna tik nuostoliai, bet šįkart jis viską apskaičiavo iki smulkmenų. Du trys mėnesiai, ir jų gyvenimas įžengia į naują etapą. Pinigai ima daryti pinigus, o juos uždirbusieji išeina į užtarnautą poilsį. Kaip kad Amerikoje *japiais* vadinami veiklūs vyrukai, jie vos perkopę per trisdešimt ir spėję susikrauti milijonus ima gyventi vien savo malonumui.

Bet aš neatlyžau. Man knietėjo žinoti, kiek tęsis tas kankinantis laukimas. Su Andriumi išsiskyriau tik vakar, o regis, mėnuo prabėgo. Jei laikas ir toliau tekės tokiomis prarajomis, aš neiškęsiu, pati važiuosiu ieškoti Andriaus... Ir tik tada Arnoldas nenoromis prasitarė, kad Vokietijoje nėra man kas veikti. Andrius labai užsiėmęs – rūpinasi kroviniu, kontroliuoja, kad jis saugiai kirstų visas sienas. Vos įvažiuoja į Rusiją, apsisuka ir atgal. Savaime suprantama, jis nutylėjo, kas per krovinys. Tą pačią dieną keliskart skambino Voronino žentui, bet šis dar gaiveliojosi po prašmatnių vestuvių ir į rimtas šnekas su Arnoldu nesileido.

– Tie rusai!.. – kaskart dūsavo jis baigęs telefoninį pokalbį. – Dabar savaitę švęs, nors į krūtinę mušėsi – reikia, Arnai!.. Kiek pavarysi, tiek paimsiu!

Dėjausi nieko negirdinti, bet gaudžiau kiekvieną telefono skambtelėjimą anapus sienos, bijodama, kad paskambins Andrius, o aš pražiopsosiu tokį jaudinantį momentą. Bent tolimą atbalsį jo išgirsti. Pritykinti prie Arnoldo, pačiupti ragelį jam iš nagų ir tyliai sušnibždėti: „Myliu...“

Šis žodis nebeatrodė man nuvalkiotas. Jis įgavo naują jėgą. Vos jį ištarus mintyse, žiūrėk, akyse suribuliuoja kabineto baldai. Galėjau lengvai apsižliumbti, kaip tada apraudodama žlugusį romaną su Vitoldu, tik šįkart – iš meilės.

210

*

Andrius paskambino dar tą patį vakarą. Plepėjome ištisas dvi valandas, ir tylus jo balsas išviliojo tamsiausiose buto kerčiose apsigyvenusį jaudulį, kuris nelyg jaukaus žvėries minkšta letena prispaudė mane prie antklodės pūkų. Jis vėl klausė, ką aš vilkiu... Slopus šnabždesys brovėsi prie mano kūno, priklausančio tik jam, mano mylimajam. Mes netgi ėmėm juokauti, kad neva mes vyras ir žmona, ir aš laukianti, kol jis grįš iš komandiruotės. Man širdis salo – jaučiau, kad tai tiesa, netolimos ateities vizija. Po vienišu kaštonu išsakytas prisipažinimas įgavo burtažodžio galios. Kaip kad anas paprastas ritualinis stebuklas, kai vanduo virsta vynu, taip ir manęs laukė pasikeitimo stebuklas. Tapsiu žmona...

Nekalčiausiose pokalbio vietose Andrius ūmai nutildavo, lyg ketindamas kažką svarbaus pasakyti, tačiau vėl pamažu įsikalbėdavo. Apie ilgesį ir jausmus, neduodančius ramybės. Apie mano akis, lūpas ir švelnią odą, teikiančią jo jautrioms rankoms nepaprastą atgaivą. Išgirdau ir tai, kad mes neabejotinai skirti vienas kitam, kad tapau jam artima... Pokalbio gale jaudindamiesi it mokinukai viens kitam vėl prisipažinome mylintys.

Kai mane apsupo spengianti tyla, pajutau, kad galiu kantriai, be didesnių ašarų laukti jo sugrįžtančio, nepaisant, kiek laiko nutekėtų. Net linksmai pagalvojau – kuo didesnė ilgesio našta slėgs mano pečius, tuo laimingesnė būsiu ateityje.

Jau buvo sutemę, artėjo vidurnaktis. Sukinėjausi virtuvėje. Išmečiau į šiukšlių maišą tuščius jogurto indelius. Perbraukiau pašluoste stalą. Užsiplikiau žalios arbatos, ją visada geriu prieš miegą. Tada vėl suskambo telefonas. Leidau jam įsismaginti. Atidėliojau malonumą vėl išgirsti Andriaus balsą, virpantį ilgesio gaidelėmis.

– Taip, mielasis, aš klausau...
– Monika?..

Iš pradžių vyriškas balsas pasirodė negirdėtas, bet tuoj pat kaip per miglą prisiminiau tą sodrų baritoną. Negali būti!

– Taip, čia Monika, – sumurmėjau ūmai nei gyva, nei mirusi. – O kas čia skambina?

– Tavo angelas sargas.

Akyse taip ir iškilo toji impozantiška figūra – ponas Dambrauskas!

– Tai jūs!.. Kkkaip jūs sužinojote mano telefoną?

– Mergyte, tai nebuvo sudėtinga, ypač kai jūsų *šaraškino* kontoros vedėjas dalija jį į kairę ir į dešinę. Vladislavas, Voronino žentas, man jį pasakė. Arnoldas jam ant savo vizitinės kortelės užrašė. Mat patikote, netgi labai patikote tam naujajam rusui...

– Kodėl man skambinate?

– Kaip tik todėl ir skambinu! Maža kas, pagalvojau. Gal kuris nors iš tų galvijų su sveiku protu prasilenkė ir taikosi jus įskaudinti. Ar viskas gerai, Monika?

– Na taip... O kas man gali nutikti?

– Malonu girdėti, malonu... Esu vis dar Maskvoje. Turiu čia butą, pro jo langus matyti Kremlius. Be galo malonu su kuo nors pasikalbėti lietuviškai, bet jūsų nebedrįstu trukdyti. Jei kartais atsirastų koks nesusipratėlis ir bandytų įkyrėti iki gyvo kaulo, duokite jam mano telefoną... Tikiuosi, mano vizitinė kortelė rado vietos tarp kitų?..

– Taip, aš ją turiu.

– Tada labanakt. Miegok rami kaip kūdikis. Aš saugosiu tavo sapną, juk aš tavo angelas sargas.

Nutirpusia ranka padėjau telefono ragelį. Koks keistas skambutis! Net pyktelėjau. Kas kitas, jei ne jis pats, Dambrauskas, toji juoda asmenybė, bando mano kantrybę!

Atsigulusi varčiausi lovoje, bet miegas neėmė. Aš kvailė. Man vis vaidenosi, kad kažkas vaikšto po tamsų butą. Pamindžikuoja virtuvėje. Atsargiai, stengdamasis negirgždinti parketo, tipena pro miegamąjį į svetainę. Sykį net sudrebėjau, kai tarpduryje pasivaideno vyro siluetas. Regis, kažkas stovi koridoriuje ir stebi mane, sustingusią po antklode. Kelis kartus kėliausi ir įjungusi šviesą šlepsenau po svetainę ir virtuvę, pasiruošusi klyktelti, jei aptiksiu nors menkiausią vaiduoklio pėdsaką, bet apsiraminusi griūdavau atgal į guolį. Vėl veltui bandydavau migdytis. Iš galvos neišėjo tas nelemtas skambutis ir toji gūdi naujiena – Arnoldas dalina mano telefono numerį, tarsi šitą butelį būtų išnuomojęs masažo salonui.

Betgi jis šiandien nuoširdžiai atsiprašė. Prisipažino turėjęs negerų kėslų. Viskas praeityje, bet Arnoldo padarytas klaidas, atrodo, bus nelengva ištaisyti. Jei ne Andrius, aš jau kraučiausi lagaminėlį namolei. Andrius... Galvodama apie jį ir užsnūdau.

*

– Žinai, jis visai nieko meilužis. Nepuola kaip akis išdegęs, o mėgsta meilės preliudijas. Jo garbanos švelnios kaip ėriuko. Ir būtumei mačiusi, kaip jis juokingai raukosi jaudulio apimtas. Kai sulaukia paskutino spazmo, apatinė lūpa atvimpa kaip pusbačio liežuvėlis, chi chi chi...

Taip man pasakojo Felicija apie Irinos meilužį, su kuriuo ji praleido vieną naktį. Atrodo, nesigailėjo. Nei draugės, nei vienkartinio nuotykio. Nors ką aš čia moralizuoju! Už vieną vienintelį atsidavimą su lašeliu fantazijos Felicijai atiteko toji pati suknelė, kurią vilkėjau per vestuves. Neįtikėtina, bet tai tiesa. Ji jau buvusi pas siuvėją, jis žadėjo kai kur paplatinti, krūtinės iškirptę pagilinti, ir dailus vakarinis rūbas nuguls į Felicijos spintas. Įdomu, kaip ji atrodys, kai tokį modeliuką užsitemps ant savo sunokintos figūros. Silva staugtų iš pavydo pamačiusi, o man koktu darosi, kad pasaulis tvarkosi pagal slaptos rinkos dėsnius, kurioje sukasi jaunos, gražios ir lengvai prieinamos moterys. Kvepalai, kailiniai, suknelės ir dar visoks šlamštas...

– O tu ką, – pasipiktino maskvietė, kai mestelėjau vieną tokią repliką. – Veltui su tokiais kadrais dulkiniesi?!

Ačiū Silvai. Ji užgrūdino mane panašias atakas atlaikyti neraustant ir nemirksint.

– Aš nesidulkinu, o myliuosi. Aš gyvenu, o tu, Felicija, dirbi darbą net lovoje. Esi visai be jausmų? Laikai save visiška elgeta, kad dėl audeklo gabalo, sukarpyto ir susiūto meistro rankų, gulinėji su draugių vyrais?

Mano monologas jai nepadarė didelio įspūdžio.

– Oi, kokia estetė! Jei nori žinoti, toji Irka tiek kadrų turi, kad šiame restorane kėdžių jiems susodinti nepakaktų. Be to, koks ten darbas!.. Pavartai akutes, padūsauji ir sąnarius pramankštini. Truputis vaidybos, truputis gracijos, – lenkė ji pirštus, – ir truputis sportinio krūvio. Juk dėl suknelės tu?.. Nesijaudink, Monika, jei tik prireiks, spragtelk pirščiukais – ir ji tavo.

Mes sėdėjome viešbučio restorane, prie nuolatinio savo staliuko. Arnoldas paklojo man atlyginimą ir Felicija atsitempė mane tokia proga išgerti kokteilio taurę. Fontano čiurlenimas nebebuvo girdimas taip aiškiai kaip pirmomis dienomis. Mano klausa atbukusi. Labiau klausausi savo vidinio balso, linksniuojančio Andriaus vardą. Kartais širstu ant savęs, kad taip beviltiškai įsimylėjau. Vitoldo pasiilgdavau artėjant savaitgaliui, o Andrius kelia man ilgesį kiekvieną minutę. Darausi vis niūresnė. Ir nuo silpno kokteilio, ir nuo Felicijos taubškalų. Tas pats viešbutis, tas pats fontanas, tik aš kitokia.

– Bet tu paklausyk, Monika... – nenustygo Felicija, – kai jis mane nusitempė į vonią, tokią didelę didelę kaip tavo svetainė, marmurinę, kriauklės formos, ir visu smarkumu paleido dušą...

Ne, apie tai nenoriu klausytis! Man vonia – sakralinė vieta.

Mano geismo Alyvų kalnas. Nikeliuoto dušo vandenys išplovė į šį pasaulį vėl mylinčią Moniką. Mes patyrėme orgazmą vienu metu. Apnuogintais nervais ir plaukų pašaknėmis nulekiantis žaibas. Felicijai to nesuprasti. Orgazmas jai tuščia sąvoka, todėl apie meilužius kalba kaip ir apie sukneles, tik vartodama vyriškąją giminę: trumpas, lenktas, ilgas, gražus, efektingas...

Čia mus ir užklupo Arnoldas. Va dabar tai nuraudau – ar jis nugirdo, apie ką Felicija pliauškia pasigardžiuodama. Sprendžiant iš jo veido, nelabai...

– Atsiprašau, Monyka... Man reikia rakto nuo biuro. Savąjį palikau namuose.

Paskutinis žodis iš Arnoldo lūpų man nuskambėjo mįslingai. Namai. Neįsivaizdavau, kur jis gyvena. Andrius irgi. Laikė tai nuo visų paslaptyje. Nė karto neišsidavė, net kurioje gatvėje, ir toks apdairumas tik piršo mintį, kad kažkokios juodos jėgos verčia laikytis atsargumo. Ir dabar Arnoldas dairėsi, nors restorano salės skliautai, kiekvienas koridoriaus kampas buvo prismaigstytas vaizdo kamerų akių. Jo rankas svarino odinis lagaminėlis, kokiais keliaudavo pinigai į biurą ir iš jo.

Bet mano šefo pasirodymas buvo puiki proga man pasišalinti neužrūstinant Felicijos. Be to, man smalsumą kėlė lagaminėlis. Jei ten pinigai, tai gal milijoninis sandoris artėja į pabaigą? Tada Andrius mano akyse nušvistų it saulė, kuri gilėjant rudeniui virš Maskvos stogų spingsi vis rečiau ir jokio džiaugsmo nebeteikia.

– Gal išvirti kavos? – paklausiau, kai įžengėme į biurą.

– Nežinau... – jis rakino duris į savo kabinetą ir atsigręžė, – gal geriau kur pašoksime vakarienės. Turiu gerų naujienų. Aš tuoj...

Arnoldas nuskubėjo į kabinetą. Sprendžiant iš žingsnių – sustojo prie seifo. Spragtelėjo lagaminuko užraktai. Aha, neapsirikau...

Jo žvilgsnis užklupo mane tarpduryje, bet aš nesutrikau:
– Tai kokių ten turi gerų naujienų? Dėl Andriaus?
Jis abiem rankom greitai dėliojo standžius dolerių pakelius į seifo lentyną.
– Ne, ne dėl Andriaus. Argi nematai? Pajudėjo reikalai, kaip turi būti pajudėjo. *Bliamba,* pasivaideno, kad sekė kažkokia mašina. Bet tik pasivaideno. Prišok, padėsi...
– Tu rizikuoji, Arnoldai. Labai. Apsaugą kokią nusisamdytum, ar ką...
– Dievas mane saugo, Monika, Dievas... Visi kiti dirba banditams.
Mano rankos liečiant tuos beprotiškus pinigus drebėjo. Raminau save, bandžiau įteigti, kad aš dirbu banko saugykloje, o ne privačioje lietuvių firmoje, bet čiupinėjant dolerių pakelius, juos dėliojant mane apėmė įspūdis, kad mano pirštai maigo purvą. Nejaugi Andrius, būdamas mano vietoje, dėliotų tas žalsvas popierines kaladėles su tokiu pat pasimėgavimu ir žiburiukais akyse kaip Arnoldas? Netgi jei aš šalia stovėčiau su mėlynais naktiniais, nejau ir tada jo rankos tiestųsi į pinigų krūvas, o ne prie nuogos mano odos?
Kai užsivėrė seifas, Arnoldo akys ėmė keistai klydinėti. Jo pirštuose sublizgo veidrodinė plokštelė. Aš viską supratau:
– Gal galėtumei apsieiti be to kvaitalo?
– Nežinau, Monyka... Turbūt nelabai. Tu nieko apie tai nepasakojai Andriui?
– Nieko.
– Tikrai?
– Mums tu nerūpėjai...
Jis su palengvėjimu atsiduso. Bet tebebuvo kažko susikrimtęs.
– Žinau, pagriebs jis tave, tiek aš jus ir matysiu. Vienas murdysiuosi savo milijonuose, kol galiausiai imsiu galvoti – kam jie

reikalingi! Juk moteris, bet kuri moteris, už manęs tekės vien dėl pinigų.

*

Po vakarienės „Prahos" restorane Arnoldas nieko nenorėjo girdėti apie mano norą atsidurti bute, priešais televizoriaus ekraną, ir ilsėtis žiūrint ašaringus meksikiečių serialus.

– Juk pažadėjai, – kalbėjo Arnoldas gindamas visureigį žiburių nutvieksta gatve, – sakei, kad jeigu nežaisiu su tais miltukais, praleisi su manim vakarą.

– Tau pačiam jau laikas pasirūpinti, su kuo praleisi naktį. Todėl parvežk mane namo.

– Kaip tik tai ir galvoju padaryti...

– Tada ne į tą pusę važiuoji. Leningrado prospektas ten...

Jis šelmiškai palingavo galva:

– Važiuoju ten, kur galima rasti draugę nakčiai. Padėsi man išsirinkti?

– Ką?..

– Merginą nakčiai.

– Juokauji?

Jis linksmai žvilgtelėjo į mane:

– Aš kalbu rimtai. Vienos sekretorės padeda šefams išsirinkti kaklaraištį, tai kodėl negalima pasikliauti sekretorės skoniu renkantis merginą?

– Ak, dabar aš jau sekretorė? O anksčiau – sesute, sesute...

– Monyka, tu man kaip sesuo. Po to, kai tu kritai į akį Andriui, tai galutinė mano išvada. Žiūrėk, mes artėjame...

Džipas riedėjo Tverės prospektu. Pamažu slinko šviesos ir šešėlių dėmių išmargintas šaligatvis. Ant jo šmėstelėdavo tai ramiai stovinti, tai klubus kraipanti mergina. Beveik visos segėjo sijonukus, gerokai apnuoginančius šlaunis. Veidai nuo dažų sluoksnio nejudrūs. Drąsios ir įžūlios šypsenos. Grimasos, vedančios mane į pakvaišimą. Niekuomet nesišaipiau iš merginų, sugebančių moralines nuostatas tarsi surūkytą cigaretę paminti po kojomis, bet žvelgti į savo bendraamžes kaip į prekę man buvo paprasčiausiai nemalonu.

Kartais visureigis sustodavo prie kurios nors prostitutės. Tada Arnoldas klausdavo, už kokią kainą sutiktų prablaškyti jį, ir, sulaukęs atsakymo, kad už du ar tris šimtus dolerių, vėl pavairuodavo džipą į priekį.

– Šioje gatvėje brangiausios kekšės visoje Maskvoje, – aiškino jis. – Kitur nuo gatvės gali pasiimti už šimtą dolerių. O kaip ta?.. Matai aną šviesiaplaukę? Krūtinė nieko. Ir kojos geros. Beveik kaip tavo.

Sudirgau. Ypač kai lango kvadrate išniro ta simpatiška blondinė dailiais it kumelaitės karčiais. Kreivai dėliojo lūpas, paniekinamai nužiūrinėdama mane, sėdinčią greta išvaizdaus vyriškio. Visa tai pamačiau tarsi ne savo akimis, o tos, nuo šaligatvio...

– Važiuojame iš čia, Arnoldai, – tariau. – Tai jos mus stebi, o ne atvirkščiai.

Jis klusniai linktelėjo. Matyt, susiprotėjo, kad tokiuose reikaluose prasta aš konsultantė. Gal ir pastebėjo, kad tūnau mašinos salone išraudusi, lyg toks pasivažinėjimas būtų mano pačios pirmoji kelionė už kelis šimtus dolerių.

Arnoldas vis gręžiojosi per petį, kol priartėjome prie sankryžos ir paskutinė nepigi gundytoja išnyko prospekto tamsoje. Jis atsiduso tarsi kasdienybės paimtas į nelaisvę. Jau ir seniau pastebėjau, kad stojus vakarui jis virsta savo lengvabūdiško gyvenimo kaliniu. Vis dažniau ima skambinti tokiais numeriais, už kurių slypi moteriški balsai. Prislopinti ir daug žadantys.

– Monyka... – Arnoldas patylėjo, ir man toptelėjo, kad jis vėl kažką sugalvojo. – Važiuojame į kazino. Esi buvusi? Ne? Tada varom! Tau patiks, pamatysi...

218

Jis užsidegė – važiuojame! Vėl prisiminė kokainą. Neuostė ir nešniaukė, todėl, kaip ir pažadėjau, – trankysiuosi su juo visą vakarą. Ką aš jam galėjau atsakyti? Pažadėjai – ištesėk. Nusileidau. Kazino tai kazino. Tai kur kas geriau nei spoksoti iš džipo tamsos į savo bendraamžes, stypsančias ant šaligatvių. Tada ir pati jaučiuosi kaip išranki pirkėja, studijuojanti skerdienos schemą viršum turgaus prekystalio. Kazino bent šilčiau nei gatvėje...

Prie vieno šviesoforo šalia mūsų sustojo automobilis. Į jį atkreipiau dėmesį, nes kadaise Vitoldas man rodė aptakias jo formas, sakydamas, kad jis svajoja apie tokį „Ford Mustang" modelį. Nepamenu, kokius jis pranašumus vardijo, bet grakščios mašinos linijos man patiko. Ir dabar štai tokia pat lūkuriuoja žalio signalo. Mačiau toje mašinoje sėdinčius vyrus, o jie, vos pastebėję įsmeigtą mano žvilgsnį, nusigręžė.

Keista, pamaniau, buvo daug atvejų, kai panašiose situacijose atsidūrę vyriškiai nevengdavo kokį dėmesio ženklą parodyti, o šie atsuko pakaušius. Keistuoliai, nors aš stebiu pasaulį keistuolės akimis. Pasaulį, kuriame man reikia meilės. Neparduodamos ir neperkamos. Tikros.

Džipas kaip žvėris šoko iš vietos ir pirma nei kitos mašinos kirto sankryžą.

– Tai kaip dėl Kanarų? – žvilgčiojo Arnoldas į mane. – Reikalai puikiai pajudėjo... – ir staiga lyg įdurtas: – Susitarkime, Monyka!.. Mano dovana – jūsų povestuvinė kelionė. Į bet kurį pasaulio kraštą! Žinoma, ir aš paskui vilksiuosi, bet prisiekiu – jūsų medaus mėnesio nesugadinsiu. Jūs – jachtoje, aš ant kranto. Ir atvirkščiai. Kaip?..

– Apie ką tu čia? – apsimečiau nieko nesuprantanti.

– Apie ateitį! Kai Andrius grįš, jis tau pasipirš. Faktas. Manau, tavo atsakymas jo nenuvils, todėl norom nenorom reikia galvoti apie dovaną.

– Va tada ir galvok.

– Bet susitarėme?

– Arnoldai!

– *Okei,* palauksime Andriaus. Žinok, aš jo nebeatpažįstu. Tu jį pakeitei. Nuobodus kažkoks paliko, vis apie tave klausinėja, svaičioja, kokį tu įspūdį jam padarei. Apie vestuves svajoja. Sekasi gi jam!..

Baigęs kalbėti jis dirstelėjo į mane. Pavyko išlikti abejingai, nors mintyse šypsojausi.

Vestuvės... Dieve mano, koks tolimas, bet koks malonus miražas!

*

Kazino skendėjo jaukioje prieblandoje. Regis, ji atsispindėjo nuo begalės žalių lošimo stalų ir stiklinių taurių, sublizgančių paslaptingų šešėlių rankose. Išdidokos moterys ir solidūs vyrai prisimerkę stebėjo baltų krupjė rankogalių blykstelėjimus. Pasigirdus magiškam ruletės rutuliuko dardėjimui apmirdavo. Kai šis sustodavo, daug kam iš krūtinių ištrūkdavo nusivylimo atodūsis. Džiaugsmo niekas stengėsi nerodyti, lyg bijodami nuvyti sėkmę, kurios laikinumu niekas nenorėjo tikėti. Visi žaidė. Kas prie kortų, kas prie ruletės stalų.

Arnoldas prisėdo prie „Black jack" stalo ir greitai visus turėtus žetonus pralošė. Priežastis akivaizdi – jis labiau domėjosi iškilia greta lošiančios merginos krūtine, nei kokios kortos krito jam. Jiedu kažką šnektelėjo, ir kai, paėmęs mane už alkūnės, vedėsi prie ruletės stalo, išgirdau:

– Toji panelė – kazino prostitutė. Penki šimtai dolerių. Brangoka?

Nutylėjau. Arnoldo žūtbūtinis siekimas su kokia nors grakščia ir krūtininga būtybe praleisti naktį mane vargino. Pasimylėjimai, mano vaizduotėje glūdėję tarsi aukso šviesos nušviesti, tokiems kaip Arnoldas buvo tik mechaninis veiksmas baltų paklodžių fone. Ir stojus prie ruletės stalo jo judesiai darėsi mechaniški. Dėliojo žetonus nesukdamas galvos kur, tačiau nepamiršdavo žvilgtelėti į vieną ar kitą pusę, kur tik suboluodavo moteriškas veidas.

Aš ragavau nemokamą šampaną, o jis vis pralošinėjo. Kai katastrofiškai apmažėjo žetonų, saujelę jų atseikėjo ir man.

– Pabandyk, Monyka... – įkalbinėjo mane jis. – Jeigu jau esi čia, privalai pabandyti.

Paaiškino taisykles. Jos buvo paprastos, kaip ir ruletės raudona ir juoda spalvos. Sutikau lošti vien todėl, kad atsikratyčiau žetonų. Taikiausi padėti keletą jų ant skaičiaus 17, bet kitų žaidėjų rankos buvo greitesnės. Susizgribau paskutinę akimirką ir žetonėlius pastūmiau į 14-ą langelį.

– Galėjai dėti ant gretimų skaičių, – šnipštelėjo Arnoldas, – daugiau šansų išlošti.

Bet rutuliukas kaip patrakęs jau skriejo ruletės grioveliu. Vienas bilstelėjimas, antras...

Krupjė pranešė, kad laimėjo numeris septyniolika. Iš apmaudo grikštelėjau dantimis. Aš gimusi septynioliktą...

– Gali bandyti spėti lyginius ar nelyginius skaičius, jų stulpelius, – guodė ir drąsino mane Arnoldas, – raudonus arba juodus skaičius.

Likusius žetonus sudėjau į devintą langelį. Skaistės gimtadienis, pažiūrėsime...

– Visus!.. – aiktelėjo mano šefas, į jį kiti lošėjai neabejotinai žiūrėjo kaip į mano meilužį. – Nerimtai žaidi, Monyka, oi, nerimtai.

Na ir kas? Kur benustriksėtų kamuoliukas, jis paskelbs vakaro pabaigą. Troškau atsidurti namuose, nusimesti perdien pakyrėjusius drabužius ir sulaukti Andriaus skambučio. Nė menkiausio noro neturiu jam pasakoti, kaip sekėsi kazino.

Rutuliukas tarkštelėjo ir sustojo. Nuvilnijo keistas vaitojimas, lyg prasidėjus lytinei sueičiai.

– Numeris devintas, – pranešė krupjė ir pastūmė manęs link tris krūveles žetonų, kitokios spalvos, nei kad turėjau.

Arnoldas iš nuostabos net purtė galvą:

– Išlošei!.. Negaliu patikėti – tu išlošei!

– Pasisekė, man pasisekė!

Krūvelė žetonų, netelpanti į saują, man buvo tik plastmasiniai niekniekiai, bet kai jų vertė buvo paversta pinigais, nutirpau – trys tūkstančiai šešiasdešimt dolerių... Dvigubas džiugesys. Juk sėkmę man atnešė „mieloji" pusseserė Skaistė, o tai buvo neįsivaizduojama, kaip ir laimingas rutuliuko skrydis.

– Viskas, – tariau drebančiu balsu, lyg ką tik būčiau padariusi kokį nusikaltimą, – nebežaidžiam, važiuojam namo.

Arnoldas sutiko. Pavadino mane laimės kūdikiu ir pridūrė, kad gali pradėti nebesisekti meilėje. Bet tuoj nuramino, sakydamas, jog pirmąkart žaidžiantiems dažnai sekasi, bet kad tokią sumą susišluotų – labai retas atvejis.

Kasoje atsiėmėme laimėtus pinigus. Kaip sumautai pasijutau, kai Arnoldas ėmė brukti man pluoštą dolerių. Lyg gatvinė, dievaži. Susiginčijome, kad laimėjimas man nepriklauso, nes aš tik šiaip... Bet Arnoldas nenorėjo nieko girdėti. Pagaliau argi tokie pinigai man kada sapnavosi?..

– O gal tą už penkis šimtus?.. – viltingai žvilgtelėjo į auksinį laikrodį ant rankos ir akimis perbėgo didžiulę svaiginamos pinigų magijos kupiną salę. – Nebloga tokia, tik gaila, nemačiau, kokios jos kojos. Įdomu, ar ne? Jei kreivos, tai pinigai kaip į vandenį.

Nusijuokiau. Kokie tie vyrai!.. Patinas – negražus žodis, bet Arnoldui tinka. Ypač kai veidas lyg subliūškęs nuo aistros, o pats juda kaip vaiduoklis, kurį valdo šmėklos smailais papukais. Anaiptol, ne, ne, aš nė kiek nesistengiu nuvertinti po kazino besišlaistančių ar probėgšmais prie baro matytų mergužėlių. Jos dailios, rinktinės, kone pagal žurnalinį etaloną, palyginus su tomis prospektinėmis „esmeraldomis", tačiau jas perkantys vyrai atrodo kaip menkystos. Bejausmiai ir instinktyvūs padarai. Nenorėjau, kad vakaras su Arnoldu baigtųsi taip. Todėl nudžiugau, kai jis paminėjo Svetos vardą. Gal jai paskambinti?

– O ji visai nieko, – pritariau. – Simpatiška.

– Tu nejuokauji? Tau ji patiko, tikrai?

Net nustebau, kokia svarbi Arnoldui buvo mano nuomonė.

– Jai irgi palikau savo vizitinę kortelę, bet ji neskambino.

– Mergina pirma niekada neskambins, – patikinau. – Nebent ji būtų laisvo elgesio.

– Ne! Ji ne tokia, – užginčijo Arnoldas, – bet galvoju, kad aš jai per prastas. Aplink ją vien visokie biznieriai ir Dūmos narių sūneliai sukasi.

– O tu pabandyk! Mačiau, kaip aną vakarą ji nenuleido nuo tavęs akių.

– Matei? Nenuleido?.. Papasakok, plačiau papasakok!

*

Arnoldas lydėjo mane iki pat buto durų. Rakinau jas nebegalvodama, kad jis gali pradėti man mergintis. Iš mandagumo pasiūliau užeiti, bet jis prisiminė geras manieras: paėmė mano plaštaką ir švelniai pakštelėjo lūpomis. Nulipdamas lyg prisiekė man, kad paskambins Svetai.

Štai toks Arnoldas, valdomas blaivaus proto, o ne išsikerojusios vaizduotės, visai nieko.

Bute virpėjo naktiniai didmiesčio garsai. Lyg milžiniška rudeninė musė vis tyliau zvimbtų klampiame tamsos voratinklyje. Paskubomis uždegiau šviesą. Nemėgstu tamsos. Ji verčia mane būdrauti, lyg kažkas iš jos turėtų pasirodyti. Dambrausko balsas po to keisto skambučio, regis, gali mane vėl užklupti net nepakėlus telefono ragelio.

Priėjau prie lango. Ketinau vienu akimoju užtraukti užuolaidą, bet apačioje išvydau stovintį Arnoldą. Jis laikė prie skruosto mobilųjį telefoną. Kalbasi. Su Sveta?.. Atidžiai sekiau jo gestus. Jie buvo sukaustyti ir pilni pagarbos. Prieš verslo partnerius Arnoldas taip nesilanksto. Kalba oriai išpūtęs krūtinę ir, kad būtų įtaigiau, tik retkarčiais kilsteli ranką, o čia be perstojo mostaguoja lyg graibstydamas ore vis išsprūstančią moterišką rankutę. Vadinasi, moteris. Ir ne kokia ten už šimtus dolerių...

Jis įlipo į džipą. Šis blyktelėjo šviesomis ir pajudėjo. Vos dingo už namo kampo, vėl suėmiau užuolaidos klostę, bet kiemo gilumoje įsižiebė dar vienos šviesos. Lyg voragyvis į apšviestą plotą išropojo sportinis automobilis. Susiėmiau už burnos. Tas pats, kurį mačiau sankryžoje! Ką tai galėtų reikšti?.. Arnoldą seka? Žinoma!

Puoliau prie telefono. Karštligiškai surinkau numerį:

– Arnoldai! Tave seka. Mačiau, kaip iš kiemo pajudėjo automobilis. Aš jį mieste įsidėmėjau. Buvo sankryžoje greta sustojęs. Kai pažvelgiau į ten sėdėjusius vyrus, jie greitomis nuo manęs nusisuko... Tave seka, supranti?

– Kokia mašina?

– Žema, tokia sportinė.

– Na ir pastabi tu, Monyka! Gerai, kad perspėjai, labai gerai!.. Tuoj kai pavarysiu *ant greičio*, pagalvos, kad vietoje stovi...

– Man baisu, Arnoldai...

– Nusiramink, viskas gerai. Prisimink, koks puikus vakaras buvo. Padorią sumelę išlošei, sakysi – ne?.. Pala, ant kokio ten skaičiaus statei? Septinto?

– Devinto... Ko tu klausinėji! Greičiau skambink į miliciją!

– Užtat! Kad septyni – laimingas skaičius, visi žino. Na, viskas, jau matau jų šviesas. Artėja rupūžės. Iki! Paskambinsiu, kai *nusimuilinsiu.*

Pasibaigus pokalbiui virpėjau kaip epušės lapas. Kazino patirtas džiaugsmas išblėso, vien nerimas sukaustė mane. Iki pat vidurnakčio būdravau šalia lovos pasistačiusi telefoną, bet jis tylėjo. Grimzdimas į miegą buvo panašus į bėgimą nuo tamsos, kurioje tuoj tuoj turėjo pasirodyti persekiotojų šviesos.

Tada ir prasidėjo košmaras.

Tikras, kuriame visi pojūčiai buvo negailestingai realūs.

Iš miegų pažadino telefono čirškimas. Niekada niekas netrukdydavo tokią gilią naktį, ir mano širdis tarsi nustojo plakusi. Pakėliau ragelį ir ausį pervėrė šnypštimas:

– Monyka!.. Blogai, dabar jau blogai. Bėk, greitai dink iš buto! Jie atvažiuos. Juk matė, kur aš buvau įėjęs, susigaudys...

– Kas atsitiko? Arnoldai...

– Bėk, sakau tau! Jie... jie nušovė Andrių. Nebėra jo, viskas. Jie puola...

– Andrių?

– Man labai gaila, bet...

Nebegalėjau ištarti nė žodžio. Mačiau veidrodyje save, sustingusią it baidyklę. Iš siaubo sustiklėjusiomis akimis. Pravira burna, apie kurią lyg gyvatikės rangėsi plaukų sruogos. Gyvas išgąsčio kūrinys.

– Monyka, palik butą! Jie žino, kur tu gyveni, jie greitai bus ten.

– Kkkas tie jie?

– Banditai. Jie suuodė, kad mes įlindome į jų biznį.

Staiga per visą butą tarsi kraupi sirena nuaidėjo laukujų durų skambutis.

– Tai jie! – slopiai riktelėjo Arnoldas. – Neatidaryk durų, o jei lauš, skambink į miliciją. Nors ne! Neskambink. Tai nieko nepadės.

Dar sykį nuaidėjo durų skambutis, o ragelis kaip pašėlęs supypsėjo.

Susiėmiau smilkinius. Pašėlęs tvinkčiojimas – Andrius, Andrius, Andrius... Nušautas? Gal man pasigirdo? Ne, to negali būti!

Ne, ne!

Durų skambutis varstė mane iki panagių ir vis nesiliovė. Išpylė prakaitas. Aš bijojau, labai bijojau tų sunkių žingsnių, dundančių už durų. Laukiau, kol pasigirs smūgiai ir gauja smogikų, išvertę duris, įsiverš į butą. Bet ūmai kraupus skambutis nutilo. Naktiniai svečiai nubildėjo laiptais.

Susiriečiau į baimės kamuolį, prisitraukiau telefoną arčiau. Surinkau Arnoldo numerį. Jis atsiliepė tyliai. Iš išgąsčio sunkiai kvėpavo:

– Tu, Monyka?..

– Aš. Jie nuėjo, girdi, paskambino ir nuėjo. Kas Andriui, sakyk, kas jam nutiko?

– Monyka, išsikviesk *taksą* ir dink!..

– Kas Andriui, aš klausiu!

– Nebėra jo... Trasoje jo automobilį užpuolė. Jis taranavo banditų mašiną, varė dideliu greičiu, rėžėsi į ją, ir viskas... Ligoninėje mirė. Gagarine, ar koks ten miestas... Prakeikimas! Kur dideli pinigai, visada taip – gerai, kol banditai nesuuodžia... Monyka? Alio? Tau nesaugu likti tame bute, girdi?

Padėjau ragelį. Man buvo vis vien. Ašaros byrėjo pačios, o krūtinę pervėrė toks netekties skausmas, kad toptelėjo – sekundė kita, ir manęs nebeliks. Noriu mirti. Ir nieko daugiau.

Vėl subyzgė telefonas. Su didžiausia viltimi pakėliau ragelį. Tačiau vėl išgirdau sunerimusį Arnoldą:

– Ar tu supratai mane? Gelbėkis... Aš negaliu padėti. Jei pasirodysiu tavo kieme – man galas. Kaip ir Andriui. Pažiūrėk, gal jie lauke? Pažiūrėk, sakau! Tik atsargiai. Nedek šviesos ir nelįsk į langus. Jei jie pamatys...

Paklusau tam įsakmiam šnypštimui. Neidama pernelyg arti prie lango, pažvelgiau į nakties užgultą kiemą, tarsi į juodą šulinį žvilgtelėjau. Kojas taip ir pakirto. Išvydau grėsmingą kvadratinį visureigį, įsirėmusį į mano laiptinę...

– Kažkokia mašina yra...

– Tai jie! Neskambink į jokias milicijas. Išaušus dings patys. O milicija vien bėdų pridarys. Nebebus šansų išsipirkti...

– Ką išsipirkti? Andrių?

– Andrius nušautas, kvaile tu! *Tavaras* už milijoną gali nuplaukti!

– Kad tu paspringtum tais savo milijonais!

Nutrenkiau ragelį ir kniūbščia kritau į lovą. Konvulsiškas verksmas tampė visą kūną. Kiaurai permirko pagalvė. Kniaubiausi į ją trokšdama susigerti kartu su savo ašaromis. Prasmegti, pabėgti, dingti iš pasaulio, kuris taip žiauriai su manimi pasielgė.

Andriaus nebėra. Nebėra.

*

Per ašaras menkai įžiūrėdama taką, nupėdinau į virtuvę. Atrodė, kad krūtinė pilna stiklo šukių. Alsavimas virto kimiu švogždimu. Tarkšnodama dantimis į stiklinę, nurijau keletą gurkšnių vandens.

Laikrodis rodė ketvirtą ryto.

Po langais vis tebestovėjo kvadratinis džipas. Jame tūnančių vyrų nebuvo matyti. Kraupi tyla. Siaubingai spengė ausyse. Paskambinau Arnoldui, bet jo telefonas neatsakė. Ir besiklausant tolimo signalo mane apėmė niūrus apstulbimas – man gresia pavojus... Ūmai pasaulis su savo griežtomis taisyklėmis ir milicijos sirenomis nustojo egzistuoti. Vien grėsminga tyla ir aš, mėklinėjanti tamsiuose kambariuose.

Ką daryti?.. Skambinti į miliciją? Taip. Kitos išeities nėra. Pasakyti, kad kažkas naktį bandė įsilaužti į butą? Juk panašiai ir buvo... Bet tie nematomi žmonės niekur neišnyks. Gal pavyks įsiprašyti į milicininkų mašiną, o kas toliau?

Aklavietė. Be jos neapsieina nė vienas košmaras. Jaučiausi sugniuždyta ir silpna. Lyg baigianti tirpti žvakė, anapus sienų glūdinčiam pasauliui siunčianti baimingus savo sielos atšvaitus.

Pradėjo aušti. Po langais riogsantis visureigis įgavo akimis apčiuopiamas formas. O aš be perstojo sukau Arnoldo telefono numerį, ir kai eilinį kartą skubiai nuspaudžiau aparato svirtelę, mano rankas nudegino pasigirdęs čirkštelėjimas. Skambina!

– Alio...

– Nepažadinau?

– Neee...

Akimirksniu nuščiuvau. Nežinojau, liūdėti ar džiaugtis – Dambrauskas, jo balso tiesiog neįmanoma supainioti nė su vienu, bet šįkart jis man pasirodė nebe toks grėslus kaip kitais kartais.

– Tu verki?.. Kas nutiko, mergyte?

– Man blogai, – sušnibždėjau, – labai blogai...

Tramdžiau, rijau ašaras, o jis nenustojo kamantinėjęs, kas atsitiko. Tik jam vienam rūpėjo, kas man atsitiko. Pamažu jo tvirtas balsas mane apramino, ir šiaip ne taip pabandžiau nupasakoti, į kokią kraupią padėtį papuoliau.

– Andriaus nebėr?.. Čia tai bent! – aiktelėjo jis ir patylėjęs ėmė kone skiemenuoti: – Tau pavojinga ten likti, Monika. Pavo-jin-ga. Supratai?

Dieve, kiek kartų tai girdėjau!..

– Niekam neatidaryk durų, niekam neskambink ir nekelk ragelio, jei kas skambins. Supratai?.. Aš klausiu, mergyte, ar supratai?

– Taip. Nekelti ragelio... neatidaryti...

– Ot, prakeiktas rytas!.. Taip ir galvojau, kad tas Arnoldas, ieškantis, kur baksnoti savo pimpalu, prisibaksnos! Užsirovė vieną sykį ant rimtų veikėjų. Patį dabar padulkins... Atleisk, Monika, kad kalbu lyg piemuo, bet velnias, kaip susinervinau... Matai, aš išvažiuoju į Lietuvą, galvoju atsisveikinti, o tu tokioje bėdoje iki ausų įklimpusi. Reikėjo iškart man skambinti. Na, nieko... Tu dar ten? Alio?..

– Taip, aš klausau.

– Nieko nebebijok. Tuoj atsiųsiu žmones, jie tave paims. Ir pats po penkiolikos minučių būsiu. Ir neverk, Monika... Suprantu, kad dėl Andriaus širdelė pilna skausmo, žinoma, lengva man taip sakyti, bet pasistenk, mergyte, būti stipri...

Patamsiais nusirabždinau iki lango. Visureigio stogas blizgėjo nuo naktinės rasos. Išmiręs kiemas, ir rytas mirtinai ramus. Prospekto tolumoje iškilusį daugiaaukštį užliejo saulėtekio geltonis. Giedras, košmariškas rytas. Kam Arnoldas ir Andrius stojo skersai kelio? Kieno nemalonę užsitraukė?

Laikas šliaužė kaip dvesiantis žvėris. Stingsojau virtuvės kamputyje, melsdama aukščiausių jėgų, kad tik tie banditai iš džipo nesugalvotų vėl šokti į laiptinę, prie mano durų, už kurių nesunkiai išgirstų, kaip it kūjis krūtinėje daužosi širdis.

Staiga į kiemą vienas paskui kitą sulėkė keletas automobilių. Lyg vapsvos apspito kvadratinį džipą, iš jo tarsi pagal komandą mikliai iššoko gauja juodo gymio vyrukų, bet atvykėliai irgi jau ropštėsi iš mašinų. Odinės striukės ir skusti pakaušiai susiliejo į vieną krūvą. Nebuvo girdėti nė balso. Tik aršūs mostai rodė, kad užsimezgė karštas ginčas.

Jų pusėn skubėjo dar vienas atvykėlis. Nudžiugau, atpažinusi galingo stoto vyriškį. Kas galėjo pagalvoti, kad širdis smarkiau suplaks išvydus Dambrauską. Jis išlipo iš prabangaus limuzino. Palto skvernai plaikstėsi apie kojas. Priėjęs prie gaujos iš džipo, draugiškai plekštelėjo vienam kitam per petį. Vis stebėtinai lengvai šypsojosi rodydamas baltus dantis. Kažką kalbėjo tiems pasaloje laukusiems pietietiškos išvaizdos tipams, ir štai šie sulipo į niaurųjį visureigį, jį apsupę automobiliai pasitraukė, ir naktinis mano siaubas išriedėjo iš kiemo.

Nejaugi viskas baigėsi?.. Išgelbėta?

*

Tylą perskrodė šaižus durų skambutis. Krūptelėjau. Ir tą pačią akimirką pasigirdo:

– Monika. Atidaryk, mergyte. Viskas gerai. Tie kaukaziečiai išsinešdino.

Atšoviau užraktą. Prieš mane, rankas susikišęs į ilgo palto kišenes, stovėjo Dambrauskas. Sekundėlę tyrė mano užverktą veidą.

– Nekaip atrodai. Įsivaizduoju, ką teko išgyventi!.. – su užuojauta tarė jis žengdamas į butą.

Kartu su juo vidun įėjo sportiško sudėjimo jaunuolis. Nuleistoje rankoje jis laikė pistoletą. Neįstengiau nuo ginklo atitraukti akių.

– Paslėpk tą daikčiuką! – piktai rusiškai tarstelėjo jam Dambrauskas. – Nematai, kad panelė ir taip vos kvėpuoja.

Šis pasikišo ginklą po striuke. Dambrauskas atsargiai palietė virpantį mano petį. Jo akyse nenyko tėviškas rūpestis.

– Gal turi kokių raminamųjų vaistukų? Visa drebi, gailu net žiūrėti. Išgerk, kitaip, žinok, tokie išgyvenimai į širdį kimba.

Nuėjau į virtuvę. Kažkur turėjau relaniumo piliulių. Gal iš tiesų nors kiek apmažės tas nervingas zvimbimas smilkiniuose.

– Na, neblogai jie tave čia įkurdino, neblogai, – atsklido iš svetainės. – Padorūs baldeliai, normaliai apstatytas butukas, nieko neprikiši. Pasistengė Arnoldas, moka padaryti įspūdį, bet tik tiek... Juk matai, kai bėda, sprunka kaip žiurkė. Gelbėja savo pinigus, kartu ir savo kailį. Jokių reikalų su juo neturėjau. Pažįstu tokius – piemuo, nesuprantantis, kad padaryta klaida įgauna likimo svorio. Štai ir liko be verslo partnerio... Kaip ten jo vardas buvo? Arūnas?..

– An... Andrius, – vargais negalais ištariau.

– A, taip, Andrius.

Dambrauskas jau buvo virtuvėje ir žiūrėjo, kaip aš lukštenu tabletę iš pakelio.

– Gana bus vienos. Relaniumas. Žinau. Kadais mano žmona tokias vartojo. Bet visai ne dėl to išsiskyriau... Ji buvo keista ir man paliko ne pačius geriausius prisiminimus.

Pastebėjęs, kad jo šeimyninė padėtis nekelia man jokio susidomėjimo, Dambrauskas paklausė, kaip ten viskas atsitiko Andriui. Be didelio noro perpasakojau pokalbį su Arnoldu.

– O kaip jį tokia bloga naujiena pasiekė? – mačiau, kad šis vardas jam sukelia panieką. – Kas jam pranešė? Apaštalas Paulius?

Neradau ką atsakyti. Nurijau tabletę užsigerdama vandeniu. Jaučiausi kaip ligonė ir buvau tikra, kad tokia būsena liks visą likusį gyvenimą.

– Žinai, Monika, tau reikia dingti iš Maskvos, – kalbėjo toliau Dambrauskas, – pavojinga čia likti. Mes klausėme tų juodukų, ko jie nori iš mūsų merginos. Jie būtų net nesileidę aiškintis, bet matei, rimta brigada atvyko... Tai va, pasakė, kad tu viena iš tų, kurie žlugdo jų biznį. Ką ten pardavinėjote – nesakė, bet tvirtino, kad perpus pigiau nei jie tą prekę paleidote. Kirtote tiems, kurie kontroliuoja tą biznį. Milijoninė grėsmė, todėl ir pikti tokie... Paskambink tam Arnoldui. Aš nenoriu su nevykėliais bendrauti, paskui mane patį kokia nelaimės bacila užkrės. Paskambink ir paklausk apie Andrių, kaip ten iš tikrųjų, kur jį nupylė? Skambinau į milicijos valdybą, nieko panašaus šiąnakt Maskvoje nenutiko.

Jo pašaipa vėl sugrąžino man nemažą viltį. O gal tikrai kažkas žiauriai pajuokavo? Kad ir tie kaukaziečiai?

Bet Arnoldo telefonas tylėjo.

– Man sakė, – prisiminiau, – kad toji tragedija nutiko prie kažkokio Gagarino.

– O, kaip tik palei trasą toks miestas stovi. Taip, neprivažiavus Smolensko. Galėsime pasidomėti, o tu ruoškis, mergyte, paskubėk...

– Kur ruoštis?

– Į kelionę, Monika. Namo, į Lietuvą. Tu galvoji, aš paliksiu tave čia, kai dedasi tokie dalykai? Nė už ką! Saugiai pristatysiu namo, o tada galėsi elgtis kaip tinkama. Tu jau man atleisk, bet juk aš tavo angelas sargas. Nemalonu, kad taip pranašingai viskas susiklostė, bet ką padarysi.

*

Iš Maskvos mus išlydėjo visas automobilių eskortas. Kone pusšimtį kilometrų trumpai kirptų vyrukų pilni automobiliai važiavo priekyje ir paskui mus, kol įsitikino, kad niekas neseka. Kažkokioje gyvenvietėje Dambrauskas sustabdė savo prabangų mersedesą ir atsisveikino su maskviečiais. Rūstoki slaviški veidai. Stulbinamai panašūs savo nuožmumu, tarsi viens kito atspindys. Atrodė, Dambrauskas jais taip pat nesižavėjo.

– Nemaloni publika, bet tenka, ką padarysi, esi priverstas bendrauti. Kai suki didelius pinigus, su tokiais geriau draugauti. Miegas ramesnis... O tu, Monika, nesivaržyk – gali persėsti ant galinės sėdynės, vietos į valias. Snūstelk bent kiek...

– Ačiū, bet man nesinori miego.

Sėdėjau akis įbedusi į asfaltą. Didžiulis greitis manęs nė kiek nebaugino. Vos priartėdavo trasa važiuojanti mašina, Dambrauskas nestabdydamas ją aplenkdavo, ir buvusi kliūtis žaibiškai nutoldavo.

Kartais jis globėjišku žvilgsniu dirstelėdavo į mane, lyg klausdamas, kaip jaučiuosi. Buvo užgulusios juodos mintys. Slogi jausena. Pasaulis gyveno kaip gyvenęs, jaunas ir spindintis prabanga, o aš jaučiausi pernakt pasenusi visa dešimčia metų. Lyg po svaigaus nusigėrimo mano veidą ir sielą būtų sumaitojusios sunkios pagirios.

Paliegėlė.

Nepagydoma vienatvė.

Pavyko kiek snūstelti, bet miegas buvo neramus. Persekiojo anos nakties košmaras. Būdraudama vis girdėjau tolimą, nervą dilginantį durų skambutį. Tarsi kokia didžiulė ranka paliesdavo mane, ir aš krūptelėdavau. Širdis suplakdavo it ketindama plyšti pusiau. Vėl atsidurdavau pasaulyje, kuriame milžinišku greičiu lėkė automobilis.

– Gailu į tave žiūrėti – krūpčioji ir krūpčioji, – nepasukęs galvos sušneko Dambrauskas. – Gal tikrai vertėjo tau išgerti dvi relaniumo tabletes. Na, nieko... Tuoj būsime Gagarine. Užvažiuojam sužinoti, kaip ten viskas atsitiko Arnoldo draugui?

Aš skubiai linktelėjau.

– O jūs irgi buvote ne svetimi, tiesa?

Vėl linktelėjau.

– Taip ir pagalvojau. Jau tada, per Voronino dukros vestuves, pastebėjau, kad jūs lyg vyras ir žmona. Nė žingsniuko į šoną. Gal pasirodė?

Kodėl jis klausinėja tokių dalykų? Ar ne vis vien?..

– Taip, mes buvome draugai. Geri draugai.

– Tada suprantu... Bet kokia netektis žmogui duoda per smegenis, o draugo – ir per širdį. Avantiūristas tas Arnoldas, oi, avantiūristas!.. Nė nenutuokia, į kokius reikalus veliasi. Būtų manęs bent paklausęs. Sėdėk, piemenie, ant *pečiaus* – būčiau atsakęs. Sėdėk ir džiaukis savo metalų tonomis, ir nelįsk ten, kur išsijuosusi darbuojasi mafija. O tu, Monika, kur gyvenai Lietuvoje?.. Koks adresas?

233

Atsakinėjau kuo trumpiau. Nebuvo jokio noro leistis į atvirą pokalbį, bet ir mano globėjas, regis, netroško apie mane sužinoti visų smulkmenų. Vis apie save pasakojo. Kaip Maskva jam nuo sovietinių laikų buvo verslo centras. Jau tada supirkinėjo butus butelius, o atėjus liberalesniems laikams, įsigydavo ištisus namus senojoje Maskvos dalyje. Restauruodavo ir parduodavo staigiai iškilusiems turtuoliams. Ėmė verstis patalpų nuoma ir pateikė pavyzdį, kad Liaudies ūkio rūmų paviljone jam priklauso daugiau nei tūkstantis kvadratinių metrų. Abejingai tarstelėjo, jog vien juos nuomojant per mėnesį į jo sąskaitą banke įplaukia per šimtą tūkstančių dolerių.

Radau jėgų savyje pyktelėti – vėl pinigai!.. Gal jis pastebėjo mano akyse blykstelėjusią neprielankumo kibirkštėlę, nes mikliai pasuko kalbą apie Voronino dukters vestuves. Prisiminė, kaip priėjo prie manęs ir kokia aš buvau išsigandusi. Taip, tada jam pasirodžiau baikšti kaip stirna. Didelės naivios ir ramios akys. Tokia bejėgė kaip miško gražuolė, nesuvokianti medžiotojų gudrybių. Todėl nedvejodamas mintyse prisiekė, kad neleis niekam šitos lietuvaitės nė pirštu paliesti...

– Tu tik nepagalvok, Monika, kad taip sakydamas aš pareiškiau kokias nors teises į tave. Visai ne... Maskvoje visko nutinka, ir juo labiau, patikėk, dailioms merginoms. Moters grožis savaime pritraukia blogį. Pusę amžiaus nugyvenau, spėjau tuo įsitikinti. Todėl tokias kaip tu reikia globoti. Be jokios naudos sau... Kad daugiau žavesio gyvenime išliktų.

Jo žodžiai šiureno monotoniškai lyg padangos. Tiesą pasakius, aš ir nesiklausiau visų tų banalybių, kurias tokio amžiaus vyrai kaip Dambrauskas kartoja tartum įrodytas tiesas. Buvau pagauta savo minčių tėkmės. Aš laukiau, kol pakelės lentelėse, žyminčiose gyvenvietės pradžią, šmėkštels Gagarino miesto pavadinimas. Ir kai ilgai tylėjęs Dambrauskas tarė, kad jau artėjame, anava už to kalniuko ir bus sankryža, ten reikės pasukti Gagarino link, mano krūtinę užtvindė skausmo banga – Andrius, Andrius, mano Andrius...

*

Miestelis, per kurio gatvės pliurę ropojo spindintis mersedesas, man atrodė be galo niūrus. Vargingai apsirengę žmonės. Susikūprinę, kažkur skubantys ar slampinėjantys be tikslo. Apšepę vyrai prie gėrimų kiosko. Storomis skepetomis apsimuturiavusios bobulės. Pakiemiais it sulaukėję lakstantys berniūkščiai. Saulėgrąžas spjaudančių treninguočių būrelis. Nors pro debesis kyštelėdavo saulė, namų mūrai buvo bespalviai, tarsi apsinešę rūdimis. Iš prašmatnaus automobilio vidaus po maskvietiškų prospektų blizgesio šio nedidelio miestelio vaizdas buvo nykus, lyg girta dailininko ranka, aiškiai gailinčia šviesesnių spalvų, nutapytas paveikslas.

Ir man toptelėjo – štai į kokį pasaulį grįžtu! Be prabangos alsavimo, pilką ir alinantį, kuriame kruopščiai skaičiuojami smulkieji pinigai. Kavai ir kokiam nors pakenčiamam lūpdažiui...

Dambrauskas sustojęs prie taksisto pasiklausė kelio iki milicijos skyriaus.

– Jei tavo draugą užpuolė prie Gagarino, jie turi žinoti, – tarė jis, kai priartėjome prie nupasakoto pastato – raudonplyčio ir grotuotais langais. – Einu, šnektelsiu.

Aš suabejojau, ar jie išvis leisis į šnekas, bet lipdamas iš automobilio Dambrauskas tik mestelėjo:

– Doleriai visas duris atrakina.

Susirangiau sėdynėje. Pora milicininkų slampinėjo apie mersedesą tylomis jį nužiūrinėdami. Tarsi daiktinį įrodymą, kad egzistuoja kitoks nei jų gyvenimas. O mano mintys maištavo – ko raukaisi? Bodiesi skurdu lyg būtumei kilusi iš dvarponių giminės!.. Vargas jai mat akis bado! Poniutė atsirado!

235

Ne, visai ne dėl to širdį skauda. Visai ne dėl to...

Su kažkokiu uniformuotu vyru pasirodęs Dambrauskas pakvietė mane eiti kartu su jais.

– Tai to vaikino mergina, – paaiškino pareigūnui mano angelas sargas, ir mane nuvėrė uniformuotojo žvilgsnis: užjaučiamai, tarsi tėvas į dukrą žvilgtelėjo, lyg nebeturėdamas ką pasakyti...

Ieškodami, kur sausiau statyti koją mašinų vėžių išmaknotoje žemėje, nužingsniavome į milicijos kiemą. Už tvoros riogsojo kalnai įvairiausios technikos. Išdaužytais žibintais motociklai, ant vieno rato pasviręs traktorius, mašinos aplamdytais šonais.

– Ne ten žiūri, Monika, – pajutau, kaip Dambrauskas paėmė mano ranką į savo delną lyg norėdamas suteikti daugiau stiprybės. – Tie apanglėję automobilio rėmai, matai?.. Tai Andriaus automobilis?

Žvelgiau į liepsnos nuniokotą automobilį, stirksančias sėdynių spyruokles ir pajutau, kaip akyse plykstelėjo ugnis, kaip svaigsta galva...

– Jai pasidarė bloga... – niūriai burbtelėjo pareigūnas.

– Matau! Kur ta amoniako ampulė?..

Kažkas aitraus nudegino mano šnerves. Pasijutau bekybanti ant tvirtų vyriškų rankų. Rankomis grybštelėjau apie save, ieškodama kur atsiremti. Pasiekiau tvorą. Pareigūnas pakišo kažkokią dėžę, padėjo atsisėsti.

– Taip, baisus vaizdas, – girdėjau jo balsą lyg pro miglą. – Neeilinis įvykis, ką ir sakyti.

– Bet nesuprantu,– murmėjo Dambrauskas, – buvo kalbama, kad šaudė, o čia sudegęs automobilis...

– Šaudė, šaudė!.. Ten, ant sparno, automato serijos žymės. Matote?.. Bet tas vaikinas nesutriko. Iškart taranavo užpuolikus. Va visas šonas iki durelių nubrozdintas. Didelis greitis buvo ir nuo smūgio abi mašinas sumėtė. Abi nulėkė nuo kelio. Tie su automatu plojosi į medį. Barzdoti, kaip tikri čečėnai. Pagal užsakymą, aišku, veikė.

– Kiek jų buvo?

– Trys.

– Ir vietoj žuvo?..

– Vienas dar buvo gyvas, bet taip ir nusibaigė neatgavęs sąmonės.

– Na gerai, – kiek patylėjęs tarė Dambrauskas, – o kaip su leksusu? Apsivertė ir užsidegė?

– Taip, vertėsi kelis kartus. Kėbulas tvirtas, menkai deformavosi. Iš žiguliuko būtų likusi tik metalo krūva. Amerikiečių gamyba. Bet, matyt, nuo smūgių išsiliejo benzinas...

– Kaip išsiliejo? Baką apžiūrėjote – sveikas?

– Tas tai taip, bet viduje buvo benzino kanistras. Tokiai mašinai reikia gero benzino, o mūsų degalinėse, žinote, kartais su dyzeliniais degalais sumaišo. Įpurškimas, sustotų vietoje. Tad po smūgio greičiausiai įvyko trumpas jungimasis elektros prietaisų skydelyje, benzinas iš kanistro, ir viskas ugnyje... Vairuotojas buvo prisisegęs saugos diržu, todėl nė krust, matyt, užsikirto, o gal jau buvo be sąmonės ir...

Dieve, kaip darėsi koktu klausytis jų ekspertiškų svarstymų! Gėrisi, kad nieko iš automobilio neliko. Jiems nusispjauti, kad žuvo žmogus! Kuo tiksliausiai bando atsekti tragedijos detales ir šiurpdami tuo mėgaujasi!

Sukaupusi jėgas atsistojau.

– Panelė gal nori nuvažiuoti į morgą? – paklausė pareigūnas, Dambrausko piniginė jį pavertė paslaugiu tarnu. – Žvilgtelėti į savo draugą, nors nepatarčiau to daryti, nes vaizdas kraupus.

Atsakiau, kad ne, pernelyg sunku būtų tokią akistatą ištverti...

Ir jau patraukusi mersedeso link išgirdau, kaip Dambrauskas pusbalsiu paklausė pareigūno:

– O lavoną kas nors atpažino?

– Taip. Prieš kelias valandas buvo jo draugas atlėkęs.

– Draugas? Koks draugas?..

– Vardą prisimenu. Arnoldas, dar pagalvojau, nė kiek nepanašus į Arnoldą Švarcnegerį, bet mašina tokia pat kaip jūsų, ir šiaip matyti, visur spėjantis vyrukas... Ta prasme – verslininkas prie pinigo.

*

Įlipusi į automobilį, stvėriau rankinuką.

– Teisingai, – pastebėjęs, kaip mano rankose atsirado vaistų pakuotė, linktelėjo Dambrauskas, – išgerk, mergyt, žinau, kad jokiais žodžiais tavęs neapraminsiu. Jėzau, kokia baisi tragedija!.. O Arnoldas, girdėjai, jau buvo čia... Kaip žiurkė bėga iš Maskvos. Metė, paliko tave, irgi mat vyras atsirado!.. Paskambink jam, – tiesė mobilųjį telefoną, – pasakyk, kad ir be jo malonės išsikapstei iš pavojų.

Nenoromis surinkau Arnoldo telefono numerį. Nė kiek netroškau, kad jis atsilieptų. Iš galvos nėjo matytas sudegusio automobilio, pelenais virtusio mano gyvenimo vaizdas. Laikas sustojo. Niekada negrįš tas laimingas metas, kai skrajojau padebesiais. Aš tvirtai stoviu ant žemės, nubertos saulėgrąžų lukštais...

– Atsiliepė, atsiliepė! – pažadino mane iš sąstingio švelnus prisilietimas. – Kalbėk, Monika.

Įsiklausiau į krebždesį ragelyje.

– Arnoldai?

– Jo nėra. Čia tu, Monika?

Atpažinau Felicijos balsą. Jis buvo begal susijaudinęs.

– Tu... tu žinai, kas nutiko?

– Dėl Andriaus?.. Taip, žinau.

– Koks siaubas, tiesa? Man trūksta žodžių. Verkiau, kai išgirdau, ir vis apie tave galvojau – vargšelė tu...

– Kur Arnoldas?

– Jis paliko man savo telefoną. Prašė, kad padėčiau sutvarkyti firmos likvidavimo dokumentus. Taip pat liepė užsirašyti tavo koordinates, jei tu paskambintum. Gali dabar padiktuoti?..

– Ne.

– Tai gal vėliau paskambinsi?

– Ne.

– Kodėl, Monika?

– Aš nieko nenoriu matyti akyse... Nieko, kas primintų Andrių.

– A, suprantu, suprantu...

Tokia nevykusia gaida ir baigėsi pokalbis.

Tykiai suūžė mašinos variklis. Krypsnis po krypsnio mersedesas išvažiavo į gatvę.

– Teisingai, Monika... Jei nori, kad gyvenimas keistųsi, ir keistųsi tik į gerą pusę, turi nukirsti visus praeities saitus. Maskva ne tokioms trapioms būtybėms kaip tu...

Ar jis neužsičiaups vieną kartą!

Sugniaužiau saujoje vaistus.

– Prašau, sustokite.

Dambrauskas klausiamai pasižiūrėjo.

– Noriu persėsti ant galinės sėdynės. Kažko silpna pasidarė.

– Žinoma! Kelias ilgas, o miegas, kaip ten bebūtų, teikia poilsį.

Persėdau ir vėl leidomės į kelią. Krėtė šaltis, tad susiradau tarp daiktų šiltą megztinį, kurį pasigriebiau su mintimi, kad toks storas, nepuošnus drabužis visai neprošal, jei tektų miegoti po atviru dangumi. Dabar virš galvos mersedeso stogas, tačiau būsena tokia, lyg dienų dienas valkataučiau. Gaila, kad pakuotėje vos penkios tabletės. Mielu noru išgerčiau kokias septynias.

Septynias. Visi žino, kad tai laimingas skaičius.

Dambrauskas neskubėjo važiuoti. Stebėjo per petį, kaip aš taisausi kelioninį guolį ant galinės sėdynės. Vienu metu mano kojos išslydo iš po sijono klostės, ir jo judesys mane išgąsdino. Pamaniau, kad ketina pirštais užčiuopti mano blauzdą, gal pasakyti ką nors dviprasmiško ir taip mane galutinai pribaigti, bet skaudžiai apsigavau. Jis išsinėrė iš palto ir, nepaisydamas mano prieštaravimų, užklojo iki smakro, apkamšė it kūdikį. Pasivaideno, kad daro tai su meile, kaip svetimi, bet gailestingi žmonės užsidega rūpesčiu savo kelyje sutikę nusilpusį pasiklydusį vaiką.

– O čia, – nėrėsi jis iš švarko, – vietoj pagalvės.

Priešgyniauti nebedrįsau. Vis vien tvirto jo būdo nepergalėsiu, iš jo rūsčiai surauktų antakių matyti, kad jis nepratęs būti perkalbamas. Susigūžiau po paltu, galvą padėjau ant sulankstyto švarko, o didelė ranka nusklembė priešais akis.

– Aš patrauksiu tą daiktą...

– Ne, ne!

Jis virptelėjo nuo garsaus šūksnio, pasižiūrėjo į mane tarsi į žvėriuką aštriais dantimis. Bet ranką atitraukė. Kai mersedesas truktelėjo į priekį, aš skubiai lyžtelėjau saujoje sušilusias tabletes ir apgraibomis užčiuopiau pūstašonį butelį, mano laimingų dienų liudininką.

Nebekrebždės žalsvoje butelio ertmėje rašteliai.

Meilės rašteliai.

Nebent tas paskutinis, parašytas ne iš meilės, o begalinio nusivylimo padiktuotas. Raštelis, kurį nelaimingieji pasitraukdami iš šio pasaulio palieka kantriai nešantiems beprasmiško laiko naštą arba atkakliai ieškantiems laimės, o dar rečiau – meilės.

Aš jau nieko nebeieškau ir nebelaukiu. Jau pavargau.

*

Apvalūs moteriški riešai ryto šviesoje atrodo dideli ir balti it gipso gabalai. Švysteli akyse, ir aš užsimerkiu. Vėsus stiklo kraštelis paliečia mano lūpas. Jos suskirdusios ir dega nuo karščio. Šlakelis vandens, dar bent lašelį... Burnoje sausa, bet liežuvis neklauso, šlykštisi karčiu skoniu, nuo kurio perši visą burnos gleivinę. Kažkokia jėga atlošia galvą, pataiso man pagalvę. Kreidos baltumo rankos dingsta iš akių plyšelių.

– Čia stiklinė, čia, – girdžiu šnabždesį.

Kodėl ji kalba patyliukais?.. Juk jau diena.

– Čia stiklinė, čia...

Tyloje pasikartojantys žodžiai stumia mane į neviltį. Na kodėl negalima kalbėti garsiai? Va stiklinė... Va va, gerk tu, prakaituota mergše.

– Čia, čia...

Suklūstu. O taip. Klaidos negali būti – šnabždesys sklinda iš vonios. Atsiplėšiu nuo suglamžytų paklodžių. Basomis kojomis paliečiu grindis. Einu garso link, einu ieškoti šnibždesio. Stebiuosi, kad rytas ne toks šviesus, kaip akys bijojo. Vos ne vos surandu vonios duris.

Vonioje laša čiaupas. Nieko daugiau. Vien šnabždesys:

– Čia čia... Lentynėlė. Kairiau. Juk nepamiršai – tabletės guli čia. Labai paprasta...

Silpnai rusena nuovoka, kad galiu ir neprabusti, taip ir likti šiame drumzliname sapne su kapsinčiais iš čiaupo lašais. Likti čia.

Tiesiu virpančius pirštus ir matau, kaip akinamai balta piliulė sukasi ruletės grioveliu. Sklembia tykiai bilsnodama. Bandau ją pastverti, bet ji lyg gyva neria kiaurai pro pirštus, purpteli it mažas paukštukas. Tuščiai graibstau vien orą. Aš kantri, vis vien kaip nors pagausiu gūdžiai barškančią tabletę. Bet balsas šnibžda:

– Čia... Pažiūrėk čia.

Tamsaus aksomo stalas. Tablečių krūvelėmis uždengti stalo kvadratėliai. Visi ruletės skaičiai žaidžia. Jei laimėsiu, susišluosiu visas, o jei likimas nusigręš?.. Užklupta nevilties stebiu nusvidintu medžio paviršiumi ratais lekiančią tabletę. Kada pagaliau ji sustos!..

– Panele!

Stiklinė krinta žemyn. Ją laikiau rankose, o ieškojau neaišku ko.

– Švenčiausioji Marija! Jums negalima keltis!

Pasipila šukės. Jos lyg stiklo karoliukai blykčioja po mano kojomis.

– Atsargiai, susipjaustysite!

Mane stipriai apglėbia moteriškos rankos. Prispaudžia prie minkšto liulančio kūno ir išplėšia į dienos skaistumą. Silpna, vos remdamasi kojomis šiaip ne taip pasiekiu lovą.

Kur aš?

– Kaip negerai išėjo, kaip negerai, – baltos rankos pataiso mano pagalvę ir dingsta. Jau matau lovagalyje stovinčią moterį. Ji vilki keista palaidine – balta, bet visai negražia. Neramiai sukruta jos nedažytos lūpos: – Vos jus palikau, ir, žiūrėk, jau ant kojų!..

– Kur aš esu? – vos išgirstu savo balsą, pilką, be jokios intonacijos. – Ligoninėje?

Moteris nieko neatsako. Nėra tikra, kad aš viską girdžiu kuo puikiausiai?

Pamėginu bent pasiremti alkūnėmis, kad geriau apžiūrėčiau patalpą, kurioje vyksta šitą proto sumaištį kelianti scena, bet ji pritipena ir paguldo mane. Regis, ji sunerimusi taip pat kaip ir aš.

– Ar jūs gerai jaučiatės, panele? Nieko neskauda?

– Mane pykina.

– Praeis.

Visų pirma apsičiupinėjau. Vilkėjau kažką švelnaus ir taškuoto, panašaus į ligoninės pižamą. Sukaupusi jėgas apsidairiau. Medžio spalvos baldai, pastelinės sienos. Virš mano lovos kabojo puošnus šviestuvas, o kambario kampe buvo matyti didžiulis veidrodis, jame atsispindėjo staliukas, vaza ir joje pamerktos rožės. Moteris atidžiai sekė kiekvieną mano veido kryptelėjimą.

– Na? Prisimenate ką nors? – paklausė ji.

– Ničnieko. Bet, kaip suprantu, aš ne ligoninėje?

– Visiškai teisingai. Dabar jau pas poną Dambrauską namuose. Tiesiai iš reanimacinės čia parvežė, tačiau gydytojas ateina du kartus per dieną.

– Iš reanimacinės?.. Negali būti!

– Gali, ir dar kaip. Ūmus apsinuodijimas medikamentais. Vos infarkto šeimininkui neįvarėte.

Įtempiau atmintį, bet ji buvo bejėgė atkurti nors dalelę to, kas man atsitiko. Na taip, pamenu, kaip nurijau raminamuosius. Toliau – nieko.

Atbukę pojūčiai staiga sugrįžo. Visu smarkumu apipuolė. Gana man gulinėti svetimoje vietoje! Turiu namus, nors ir ten laukia kitas pragaras. Vos kilstelėjau galvą, baltos stiprios rankos lyg jau taikėsi suimti mane už pečių.

– Atstokite nuo manęs! – ūmai tapau pikta ir atžari, ir moteris išgąstingai atšoko šalin. – Kur mano drabužiai?..

– Negaliu pasakyti.

– Kaip tai!

– Be šeimininko žinios aš negaliu jums grąžinti drabužių.

– Tada pakvieskite man jį.

– Jo nėra, bet jis sakė, kai jūs atsigausite, kad jam paskambinčiau.

Mes žiūrėjome viena į kitą. Aš – popikčiai, ji – baimingai.

– Na tai skambinkite, ko stovite! Jaučiuosi gerai ir nesiruošiu čia ilgiau užsibūti.

Ji skubėdama sušlavė stiklinės dužėnas ir iškrypavo pro duris. Girdėjau, kaip ji nulipo laiptais. Nusigavau iki lango. Prieš mane atsivėrė vėjo sušiauštas ežeras. Bangų nebuvo, vien vėjo šuorai jaukė vandenis. Dangumi plaukė debesų kamuoliai, persigėrę rudeniškos saulės šviesos. Už ežero lyg juoda siena dunksojo eglynas. Jo dantytos viršūnės neįstengė užgožti kalvos, virš kurios ir traukė kamuoliuota debesų marška. Dirstelėjau žemyn į spalvotomis plytelėmis išklotą kiemą. Gėlynai ir dekoratyviniai krūmai. Skoningai tvarkoma aplinka. Iškili tujų greta sudarė lyg gynybinę sieną nuo vėjo, o nuo bet kokio įsibrovėlio saugojo aukšta iš metalo kaldinta tvora smailiais kaip pieštukai kuorais. Nieko sau tvirtovė po plynu dangumi!

Laiptai tyliai susvirpė. Lipo mažiausiai du žmonės, ir aš palindau po antklode.

– Šeimininkas prašo, kad palauktumėt, kol jis grįš, – pranešė moteris drobinė palaidine. – Aš čia tik namų ekonomė. Todėl kai šeimininkas išvykęs, namų ir jo svečių saugumu rūpinasi ponas Nutautas. Jis čia kaip prievaizdas, ir jis tvirtina, kad būsite tol, kol ponas Dambrauskas pageidaus.

– Tai aš privalau čia likti? Nesąmonė!

– Kaip šeimininkas pageidaus. Čia tokia tvarka. Aš jums atnešiu chalatėlį, gerai?

Vos ji išnyko, į kambarį įžengė aukštas vyras. Iš pažiūros keturiasdešimtmetis, sportiškos laikysenos, sulinkęs nuo raumenų svorio. Rankoje laikė lyg radiotelefoną. Neįsidėmėtino veido, blausaus šalto žvilgsnio, kaip ir dauguma juodus kostiumus vilkinčių apsauginių.

– Narimantas Nutautas, – prisistatė. – Suprantu, gerbiamoji, kad jums kyla daug klausimų, tačiau mano pareiga jūsų iš namų niekur neišleisti. Toks darbas. Mano šeimininkas grįžęs už visus nepatogumus jūsų atsiprašys.

– Kada jis grįš?.. Vakare?

Apsauginis pasižiūrėjo į mane kaip į paskutinę nesusipratėlę.

– Jis niekam nesako, kada grįš.

– Bet... bet jūs neturite teisės laikyti manęs prievarta!

– Mes viską darome jūsų labui.

Mane supurtė įniršis – aš įkalinta! Kaip kitaip tokį svetingumą pavadinti? Na, gėriau vaistus, nuodijausi. Bet niekas negali manęs už tai bausti. Niekas nuo to žingsnio manęs kitą kartą neišgelbės!

*

Dambrausko namų ekonomė atnešė chalatą. Lengvutis, šilkinis ir išsiuvinėtas rytietiškais ornamentais. Apgailestavo, kad kol neatvyko gydytojas ir dar kartą manęs neapžiūrėjo, man galinti pasiūlyti tik arbatos. Jei gydytojas leis, tada mielai paruoš vakarienę...

– Baisiai man reikia tos jūsų arbatos! – atrėžiau ir ūmai apsiprendžiau: – Nesivarginkite, aš neprisiliesiu prie maisto, kol esu įkalinta pono Dambrausko dvare.

– Na, kam jūs taip, panele... Jis nuoširdžiai jumis rūpinasi. Skambina ir skambina. Visa Vilniaus profesūra pakaitomis prie jūsų reanimacinėje budėjo.

– O be reikalo. Niekas neprašė kištis į mano gyvenimą.

– Į jūsų?.. Jūs nebeturite savo gyvenimo. Jis jums nebepriklauso.

– Dar ko!

Dievaži, nors namų ekonomė vis dar atrodė neprielanki man, jos veide suspindo šypsena.

– Pridėkite... Monika jūs vardu, taip?.. Pridėkite, Monika, ranką prie širdies. Štai taip.

Jos balta putli plaštaka prisiplojo prie krūtinės. Nepatikliai stebėjau ją. Priesaikai kokiai ruošia ar atgailos maldai?

– Pridėkite, na, ko jūs?.. Drąsiau.

Priglaudžiau delną po krūtine.

– Jaučiate širdies plakimą? Tuk tuk...

– Girdžiu, na ir kas?

– O dabar žemiau. Štai čia.

Mano ranka tapo nepaslanki it medinė. Nustėrau nuo putlios rankos judesio. Ji slystelėjo žemyn...

– Va šitaip, Monika... Greitai ir čia išgirsite plakimą.

Laikiau ranką ant savo įdubusio pilvo. Buvau nustėrusi. Vos pralemenau:

– Jūs manote, kad...

– Taip, jūs laukiatės kūdikio. Klinikoje atliko visus įmanomus tyrimus ir nėštumo testas buvo teigiamas. Todėl jums kaip moteris moteriai pasakysiu – pakentėkite devynis mėnesius, neatimkite savo kūdikiui džiaugsmo išvysti šį pasaulį. O paskui – kaip protelis rodys. Vienu našlaitėliu daugiau ar mažiau ant svieto, kam tai rūpi?..

Ji paliko mane apstulbusią.

Aš būsiu mama!

Pajutau ašarų sūrumą, bet verkiau ne iš bejėgiškumo.

Andrius, Dieve, Dieve, negali būti!.. Jo kūdikis, mūsų meilės kūdikis... Nejaugi tai teisybė?

Suklupau prie lovos ir savais žodžiais sukalbėjau maldą. Norėjau būti išgirsta Andriaus ir gyvybės po širdimi. Kad jie žinotų, kaip nelengva gyventi naktyje ir pajusti, kad už tamsos gaivalų šviečia saulė. Kad jie žinotų, iš kokios nepagydomos vienatvės tolybių mano sielos akys užgriebė šį vienut vienutėlį saulės blykstelėjimą.

*

Vakarop atvykęs gydytojas ilgai negaišo laiko. Išvydęs mane, jis patenkintas konstatavo, kad taisausi tiesiog akyse. Rytinio vizito metu buvo kur kas liūdnesnis vaizdelis. Kliedinti ir karščiuojanti. Išblyškusi kaip drobė, o dabar – prašau, skruostai jau atgauna obuoliukų rausvumą... Nėra abejonės, kalbėjo jis, jog pragaištingas raminamųjų vaistų poveikis manęs nebekankina, tačiau man būtina apsilankyti pas psichologą, kad tos priežastys, pastūmėjusios mane tokiam žingsniui, nebeatrodytų rimtesnės ir svarbesnės už galimybę džiaugtis gyvenimu.

Taip taręs, jis išskubėjo savais keliais nerūpestingai linguodamas medicininiu lagaminėliu, jo taip ir neprireikė atidaryti. Girdėjau, kaip lauke trinktelėjo automobilio durelės, o apsauginio balsas apačioje kažkam davė nurodymą atidaryti kiemo vartus.

Laiptai, kuriais buvo galima patekti į namo pastogėje esantį mano kambarį, išsišakojo į koridorių, šis vedė į abu fligelius. Daug durų ir visos jos užrakintos. Antras aukštas buvo skirtas daugiausia svečiams, ir jo kambariai atrodė kaip viešbučio numeriai – poilsiui patogūs baldai, su dizaineriška išmone išdailintas interjeras. Vestibiulis prigrūstas prabangių odinių baldų. Kur ne kur žaliavo egzotiški augalai: kaktusai, apelsinmedis, palmės... Indaujos ir maži staliukai, papuošti skulptūromis, žvakidėmis ir kitokiais niekniekiais iš brangaus metalo, dūlavo pro aukštus langus plūstančioje šviesoje, kuri įpūsdavo brangiems daiktams nedaug jaukumo. Sienos, nukabinėtos antikvariniais paveikslais, kėlė muziejaus įspūdį, o minkštas kilimas sugerdavo žingsnių aidą.

Ir tada, regis, koja kojon atsėlindavo iš lauko tyla. Po triukšmingos Maskvos ji man atrodė be galo gili, ypač naktį, lyg visa Dambrausko sodyba niekam nematant būtų pavožiama po karsto dangčiu. Jei ne marmurinis židinys, kurio ugniakure iki vėliausios nakties plaikstydavosi beržines malkas ryjanti liepsna, sloguma ir tyla viena kitai paduotų ranką.

Namų ekonomė susigalvodavo įvairiausių priežasčių, kad nuvytų mane nuo spragsinčio židinio. Ji buvo įsitikinusi, kad negerai nėščiai moteriai žiūrėti į ugnį. Lyg taip deginamos visos svajonės. Be to, kad ir kokie sandarūs langai, namas didelis, ir pro mažiausią plyšelį įsmukęs vėjas galop virsta skersvėju. Beregint galima persišaldyti.

Žinoma, liūdną šypseną kelia tokie postringavimai. Apie kokias svajones ji kalba? Apie ką gali svajoti moteris, netekusi mylimojo?

Gyvenu tik mintimi, kad po mano širdimi plaka gyvybė. Jaučiausi pakylėta to dieviško stebuklo, pati buvau lyg pilna dievybės. Mano aistringa meilė Andriui, jo netekus vedusi į pražūtį, staiga atgijo kitaip nušviesta.

Aš laukiuosi kūdikio, jis atvers mano akims visus gražiausius mylimojo bruožus. Vėl galėsiu mylėti ir būsiu mylima! Nukryžiuota kūdikio šypsenėlės, o ji, neabejoju, bus panaši į Andriaus.

Tokios tad tos mano svajonės, ir ugnies plykstelėjimai šildo ne mano rankas, o sužvarbusią sielą. Naikina paskutines negeras mintis. Pokštelėjus beržinei pliauskai, pelenais virsta mano praeitis. Kibirkštis po kibirkšties vis aiškiau matau Andriaus veidą ir visomis atminties galiomis sugeriu jo mielus bruožus, kad išsaugočiau amžinai.

Apsauginis net perstatė baldus, kad galėčiau sėdėti veidu į židinį. Kojas užklojo šiltu pledu. Greta krėslo atsirado nedidukas stalelis. Vaisiams, desertui ir arbatai. Namų ekonomė, ją ėmiau vadinti teta Milda, vis pasistengdavo, kad staliukas nebūtų tuščias. Jei ne ginčai dėl ilgo kiurksojimo prie židinio ir jos nusiskundimai mano apetitu prie pietų stalo, mūsų santykių nebūtų temdęs joks debesėlis.

248

Ji nekalta, kad Dambrausko valia esu įkalinta jo sodyboje užmiestyje. Ir teritorijos apsaugai vadovaujantis Narimantas dėl tokios neteisybės nė kiek nesigraužė. Jis vykdė įsakymus. Rūpinosi tik, ką įleisti ir ko neprileisti prie namo arčiau kaip per šūvio atstumą.

Paklusnūs ir bejausmiai padarai, galvodavau prieš užsnūsdama savo guolyje, ištikimi savo šeimininkui it kilmingi šunys, nesuka sau galvos dėl žmogiško orumo. Juk jei aš sakau, kad toks prievartinis manęs laikymas tarp šitų sienų, nukabinėtų antikvariniais paveikslais, dažniausiai iš šventųjų ar aristokratų gyvenimo, man nepatinka, tai būtent taip, o ne kitaip ir yra. Tiedu žmonės, su kuriais susiduriu Dambrausko dvare, yra kurti mano priekaištams. Jie bijo tik savo pono.

Ir toji baimė užplūdo jų veidus, kai prabėgus kone savaitei man paskambino Dambrauskas ir pranešė, kad po kelių valandų pasimatysime ir apie viską pasikalbėsime. Pagaliau slegianti nežinomybė atslūgo, net ėmiau galvoti, kokiais žodžiais padėkosiu savo globėjui, kuriam angelo sargo vaidmuo, kai pažvelgi atgal, lyg ir ėmė pritikti.

Atsikračiau chalato, jo šilkas graužė mano kūną kaip kalinės drabužis. Šeimininkėlę Mildą trumpai ir aiškiai užspeičiau į kampą, sakydama, jog tegu pati pabando plevėsuoti su tokiu plonu drabužiu, kai įžengs šeimininkas. Toks pareiškimas jai nuskambėjo kaip grasinimas. Todėl pabūgusi iš kažin kur atitempė mano kelioninį krepšį. Nuraminau ją, tardama, kad jeigu tik prireiks, užstosiu nuo galimų šeimininko priekaištų, tačiau apsauginio Narimanto nepasigailėjau. Jo sargiam stotui pasimaišius ant tako, juokais pasakiau:

– Girdėjote? Dambrauskas grįžta. Na, dabar jums bus! Atsiimsite man už viską!

Jo mėsingo veido raumenys įsitempė. Grikštelėjo žandikauliai.

– Ką, panele, turite omenyje?..

– Viską! Net į lauką grynu oru pakvėpuoti neišleidote!..

– Kad jūs net neprašėte!

– Argi? Ir dar kiek kartų sakiau, kad išleistumėte mane iš šito narvo.

– Galvojau, kad jūs visai norite palikti sodybą, o tai...

– Dabar galvokite iš naujo.

Eidama šalin nuo apsauginio pamaniau, ar ne per žiauriai jį užsipuoliau. Toks sutrikęs Dambrausko pavaldinys liko stovėti. Įkvėpęs, bet taip ir neišpūtęs oro, lyg nieko aplink nebematydamas.

Gerai gerai, tegu laukia pono pasirodymo su nerimu, jei išvis toks jausmas pažįstamas uoliai ir tiksliai nurodymus vykdantiems robotams su juodais kostiumais.

Jei rimtai, tai aš nežadėjau savo globėjui nei guostis, nei skųstis. Juokais papriekaištavau, bet, matyt, nebemoku nei juokauti, nei šypsotis.

Tačiau nuotaika pakilo, o tai nuo pat suvokimo, kad aš įkalinta name ir apsupta sargybos, pradžios buvo neįsivaizduojama. Greitai būsiu laisva. Parsirasiu į savąją Klaipėdą ir vienu žodžių plykstelėjimu – aš nėščia! – sudeginsiu rožines mamos svajones apie vedybas su mane nuvylusiu, bet jos tebegarbinamu Vitoldu. Tada aštuonis mėnesius tykiai krebždėsiu sau namuose, laukdama tos laimingiausios akimirkos gyvenime, kai pati tapsiu mama.

*

Po šeštos vakaro visi pastebimai sujudo. Skaisčiau įsiplieskė židinys. Iš namo gilumoje pasislėpusios virtuvės atsklisdavo puodų dangčių barkštelėjimai. Sukruto apsauga. Narimantas vis nurodinėjo, ir kartą pavyko nugirsti, kad ežero pakrantė prašukuota...

Radiotelefono šnypščiojimas pranašavo greitą namų valdovo grįžimą.

Užsitempiau džinsus. Šmurkštelėjau į šiltąjį megztuką. Dykų valandų tėkmė priešais židinį baigėsi. Laikas palikti Dambrausko tvirtovę. Aš pasiruošusi kelionei. Gal net šiandien atsiras kokia galimybė pasiekti Klaipėdą? Bent jau paskambinti mamai...

Telefonai name veikė, tačiau pakėlus bet kurį ragelį visuomet išgirsdavau apsauginio balsą. Kad atsirastų normalus ryšys, Narimantas privalėjo nuspausti telefono komutatoriuje mygtuką, bet jis jo nelietė. Stropiai saugojo mane nuo išorinio pasaulio. Belieka džiaugtis, kad mano kambaryje neįtaisė tokio mygtuko, kurį nuspaudus aš išsikviesčiau savo prižiūrėtojus.

Rūškana diena visai užgeso ir su tamsa prapliupo lyti. Netrukus mano klausa užgriebė mašinų burzgimą. Mechaninis griausmas vis stiprėjo, kaip ir lietus, drebinantis langų stiklus. Tad mano globėjas grįžo su vėjais ir liūtimi, lyg savo parsibastymu sujaukė ne vien namų tylą, bet ir pastaruoju metu tvyrojusius ramius orus. Paprastai lietaus šnaresys man teikdavo atgaivą, tačiau šįkart, glostant po megztuku, atrodytų, nebe tokį įdubusį, vis labiau standėjantį pilvą, lietaus marmėjimas neskaidrino mano minčių, kirbėjo: „Kaip, kokiais žodžiais padėkoti Dambrauskui, kad lemtingomis akimirkomis jis buvo šalia?.."

Savaime suprantama, mane žeidė, kad jis elgiasi su manimi kaip su savo belaisve, tačiau ir tokiam poelgiui nesunkiai radau pateisinimą. Vienodai, tykiai ir ramiai bėgančios dienos po jo namų stogu padėjo man atsigauti po mirtino nusivylimo priepuolio. Vienu smūgiu išmušė pleištą, skiriantį mane nuo nežinomo ir gyvųjų pasaulio.

Vestibiulyje pasigirdo bruzdesys. Sukilo vyriški balsai, buvo girdėti juokas. Kiek ten žmonių sugužėjo? Trys ar visas penketas?..

Laiptų pakopos atgijo, suvirpėjo ir netrukus į mano kambarį įšlepsėjo namų ekonomė. Ji ryšėjo margą prikyštę, todėl pamaniau, kad prireikė mano pagalbos virtuvėje, bet Dambrausko tarnaitė pakvietė leistis žemyn ir prisidėti prie atvykusios, kaip ji pabrėžė, garbingų žmonių kompanijos. Taip pageidaująs pats šeimininkas.

– Kokia kompanija? – atrėžiau jai. – Aš nesiruošiu čia vakaroti!

Bet tarnaitė nutaisė abejingą miną ir nušiureno laiptais į apačią.

Tiek jau to. Jei ponas Dambrauskas nekantrauja mane pamatyti, stosiu jo akivaizdon. Paskui ištaikiusi akimirką paprašysiu, kad iškviestų taksi. Gal taksistas teiksis už šimtinę dolerių nuvežti mane į Klaipėdą? Nors ne, neprotinga taip išlaidauti. Reikia taupyti. Kūdikio kraitelis, vežimėlis, pagaliau ir žaislai, viskas šiais laikais nepigu.

Brūkštelėjau šukomis, smeigtukais sugaudžiau neklusnias sruogas. Lūpdažių nelietiau. Nepersirenginėjau. O kam?.. Puikiai jaučiausi ir su džinsais, paskendusi megztuko vilnoje. Kelioniniai drabužiai, tokia tad ir nuotaika.

Nuo laiptų atsiveria vaizdas į vestibiulį, tad vos ėmusi jais leistis išvydau ketvertą vyrų, sudribusių minkštuose foteliuose. Dambrauskas vaikštinėjo nuo vieno svečio prie kito. Jo rankoje kartkartėmis sudulsvuodavo plokščias konjako butelis. Jaukiai kvepėjo kava, o pliktelėjusio vyriškio saujoje rūkstanti pypkė skleidė malonų vyšninio tabako aromatą. Arčiausiai jo sėdėjo neišvaizdus storuliukas, prasižiojęs tarsi juoktis, nors Dambrauskas kalbėjo apie visai netinkamą ančių medžioklei orą, o jam pritarė pilkais drabužiais, tarsi kokia uniforma, vilkintis pusamžis vyras, vienintelis barzdočius visoje kompanijoje. Kitas svečias nuošaliau nuo visų, vis patyliukias kažką murmėdamas panosėje, mėgino iš dėklo ištraukti medžioklinį šautuvą.

Židinio atšvaitai graibstė jų veidus iš prietemos, ir po mano kojomis sugirgždėjus laiptų pakopai visi kaip vienas atsisuko į mane. Nutilo šneka, ir toje tyloje man pasirodė, kad Dambrauskas jau spėjo jiems papasakoti apie mane, tačiau nesuprantama, ko jie taip pagarbiai viens po kito keliasi iš savo vietų...

– Ponai!.. – iškilmingai sugaudė šeimininko balsas. – Leiskite jums pristatyti savo būsimą žmoną Moniką. Prašau mylėti ir gerbti.

*

Žmona?!

Nežmoniškai sutrikau. Vos nesuklupau ant laiptų. Laukiau pasigirstant juoko, kokiu kartais palydimi nevykę pokštai, tačiau svečiai rimtai stebeilijosi į mane. Aš tvirčiau įsitvėriau turėklų, jie staiga tapo šalti it ledas.

Dambrausko ranka surado manąją, padėjo įveikti likusias laiptų pakopas ir nusivedė prie svečių. Ėmė juos pristatinėti, tačiau veidai, vardai, pavardės jaukėsi galvoje... Seimo narys, direktorius, kažkoks ekonomikos specialistas. Dambrausko žodžiai trūkinėjo ir nyko spengime – ką visa tai reiškia?

Juk tai pokštas, piktas pokštas!..

Ir kai svečiai, viens po kito tvirtinę, kad jiems be galo malonu susipažinti su tokia žavinga svetingų namų ir jų draugo širdies valdove, klestelėjo į odinius fotelius, aš, matydama tik siūbuojančias grindis, nuskubėjau laiptų link.

– Ji nekaip jaučiasi, – išgirdau Dambrauską besiteisinant savo bičiuliams. – Žinote, po Maskvos, po greito gyvenimo tempo reikia laiko, kad vėl įsivažiuotų į vėžes. O be to... ji laukiasi kūdikio.

– Ooo! Sveikiname!

– Na, klausyk!.. Tokia naujiena!

Vyriškas šurmulys buvo girdėti ir per kambario duris bei sienas. Net lietaus šnaresys bejėgis nuramdyti džiugų šurmulį. Griuvau į lovą ir susiėmiau už galvos.

Išprotėsiu! Gal man vaidenasi? Haliucinacijos?

Tik pamanyk – žmona!..

Buvau įsižeidusi. O kaipgi? Taip stačiokiškai juokauti! Su tokiu pasitikėjimu jis mane pristatė kaip būsimą žmoną, kad akimirką ėmiau ir sudvejojau – o gal jis man pasipiršo, tik mano atmintis trumpa? Betgi nesąmonė! Užmigau jo automobilyje, važiuojančiame karste... Nejaugi mano prabudimas jo prabangiuose namuose suteikė jam tokio įžūlumo?

Lietus šniokštė už lango. Baldai tirpo sutemoje lyg kokiame tamsiame vandenyje. Mano kelioninis krepšys riogsojo kaip riogsojęs. Vos girdimai tiksėjo laikrodis. Net keista, kad daiktai išlieka tokie ramūs, kai aš šitaip sukrėsta.

Begalinis apstulbimas baigėsi ašaromis. Palengvėjo. Toptelėjo, kad Dambrauskui nebuvo kur dėtis, nesumojo, kaip paaiškinti mano atsiradimą po jo namų stogu, ir garbingiems ponams pristatė mane kaip būsimą žmoną. O paskui jau nesvarbu. Žmonės ne tik tuokiasi, bet ir skiriasi. Nesutapo charakteriai – toks atsakymas lengvai patenkintų solidžiuosius svečius kitąkart neradus manęs čia nė padujų.

Kai Dambrauskas vos įėjęs į kambarį sustojo ir šviesa, pasilypėjusi laiptais, ištempė jo šešėlį iki pat lovos, kambaryje įsivyravo nejauki tyla. Pagaliau jis tarė:

– Gerai jautiesi, Monika?

Aš sukandau dantis. Gulėjau įsmeigusi veidą į pagalvę. Tysojau tirtėdama iš pykčio.

O jis patylėjęs tęsė tuo pačiu geraširdišku tonu:

– Suprantu, kad kažkaip nevykusiai išėjo. Bet... bet aš tikrai trokštu, kad tu taptumei mano žmona. Ir nusivyliau pamatęs, kad tai tave pribloškė.

Jis nejuokauja? Visai rimtai ir toliau kalba?

Vos pakėliau galvą, jis sugavo mano žvilgsnį. Abi rankos nukarusios. Pečiai pasvirę į priekį. Jis stingsojo ištempęs kaklą, toks didelis ir nerangus it griozdiškai nudrėbta statula, laukdamas atsako.

Manyje sukilo piktas juokas. Pakvaišti galima!

– Matau, tu pyksti, Monika. Taip ir maniau. Kai atsidūrei pavojuje, o paskui ir per plauką nuo mirties, nuo tada man tapai neįkainojama. Gal tai ir nuskambės juokingai, bet įsimylėjau tave. Ir nenoriu, kad vėl atsidurtum pasaulyje, kuriame gresia pavojai.

– Kokie dar pavojai?

Dambrauskas apsidairė ieškodamas elektros jungiklio, bet aš paprašiau, kad nedegtų šviesos. Nė kiek netroškau, kad jis pastebėtų ant skruostų džiūstančias ašaras.

– Nemalonu apie tokius dalykus kalbėti tamsoje, – tarė jis, – bet tu esi atsidūrusi pavojingoje situacijoje. Truputį savais kanalais pasidomėjau, kur įmerkė uodegą tas *durniukas* Arnoldas. Situacija sudėtinga. Nežinau, ar tu žinai, be to, dabar tai nebeturi jokios reikšmės, bet tas veikėjas sujaukė mafijos biznį. Prispaudino milijonus banderolių, ir, po velnių, labai kokybiškų, ir išstūmė iš juodosios rinkos prastesnes banderoles, kurias platino dagestaniečiai. O jiems kas? Konkurentas? Pakišti po velėna, ir baigta... Kuris ramiai sutiks žinią, kad jo laukia milijoniniai nuostoliai? Tai ir prisiveikė...

Suirzau. Tai juk Arnoldo problemos, kuo čia dėta aš, paprasta sekretorė?

Dambrauskas žiūrėjo į mane nenuleisdamas akių. Iš visos jo povyzos sklido jėga, ir kai pabandžiau sviesti argumentą, kad aš čia niekuo dėta, jis iškart mane pertraukė:

– Klysti, Monika! Jie Andrių pašalino nedvejodami. Dabar jiems reikalingas Arnoldas, o tu vienintelė, su juo palaikanti ryšius.

– Nieko aš su juo nepalaikau!

– Aš tai žinau, bet jie mano kitaip. Bandys tave surasti ir iškvosti, kur jis Maskvoje turi butą, kokiuose restoranuose lankosi. Tu juk sekretorė, daug ką privalai žinoti.

– Arnoldas nuo pat pradžių slėpė savo gyvenamąją vietą, todėl...

– Na va, prašau! Akivaizdus įrodymas, kad jis viską apskaičiavo ir dabar bandys tavimi prisidengti kaip skydu. Tiems kaukaziečiams tave surasti lengviau nei Arnoldą. Todėl aš bijau dėl tavo saugumo. Prievarta tavęs laikyti neturiu jokio noro, atsisveikinti – irgi. Todėl prašau – būk mano žmona. Tai labai rimtas pasiūlymas. Iš visos širdies. Tada išnyks visos tavo problemos.

Jis nutilo. Tylėjau ir aš. Tarytumei lauktumėm, kol baigsis prasidėjusi naktis. Jo nuogąstavimai, pagrįsti ar klaidingi, įstūmė mane į neišnarpliojamą padėtį. Grūmiausi tarp baimės, kuri paskutinę dieną persekiojo mane Maskvoje, ir nuoširdaus pasipiktinimo, kuris užverda, kai kas nors siekia pasinaudoti apgailėtina kito padėtimi.

– Monika, tu laukiesi kūdikio... – net kimtelėjo iš jaudulio mano globėjas. – Tau reikalinga ramybė. Ir vyras, į kurio petį galėtumei atsiremti. Juk aš myliu tave, angele mano...

Nesuprantu kodėl, bet tai man nuskambėjo šiurpiai. Stambus šešėlis pajudėjo ir priartėjęs prie lovos siektelėjo mano rankos. Paėmė, pasiguldė smulkią negyvą mano plaštaką į savo stambų delną. Palinkęs žvelgė į mane draugiško šuns akimis.

Tą akimirką pajutau jam simpatiją, bet lietaus šnaresys lyg didžiulio paukščio neramiai plastantys sparnai apgaubė mane keldamas liguistą drebulį.

Pabandžiau ištraukti ranką iš bauginamai stambios letenos, bet jos gniaužtai buvo it plieniniai. Ir nuo tokio spūstelėjimo man dilgtelėjo krūtinėje.

Nerimas, niekada manęs neapgaunantis nerimas, koks paprastai kyla priešais netikėtą permainą.

– Aš suprantu, Monika, – kimiai prašneko jis, – metų ir požiūrių skirtumas, bet meilė ateina netikėtai. Ir kuo vyrui daugiau metų, tuo kvailiau jis gali pasielgti. Bet aš nematau kitos išeities – būk mano žmona. Mylėsiu ir tave, ir tavo kūdikį, jus abu...

Pagaliau mano plaštaka išsprūdo iš jo geležinio delno. Jis atsitraukė nuo lovos. Kaip didelis nerangus gyvūnas žengtelėjo atatupstas ir linktelėjo į priekį, lyg aš jau būčiau prašnekusi apie tai, kad esu sujaudinta iki sielos gelmių.

Galvojau, kokiais žodžiais man imti vaduotis iš to sterilaus košmaro, bet nieko doro nesugebėjau suregzti, tik maldaujamai it vaikas sukuždėjau:

– Aš noriu namo.

– Bet tu man nieko neatsakei...

– Noriu namo. Apie nieką daugiau negaliu galvoti.

– Taip ir maniau, – apmaudžiai tarė jis. – Netinkamas metas apie tai kalbėti, bet aš taip bijau, kad kas tau neatsitiktų. Gal tau paskirti apsaugą? Kad bent pirmomis dienomis jaustumeisi saugi?

Papurčiau galvą. Tokiems valdžia ir turtais besimėgaujantiems vyrams įprasta dramatizuoti, todėl jo gudrybė apie man gresiantį pavojų buvo tikrai nevykusi. Bet jaudulio išmuštas veidas ir akys, žvelgiančios į mane su aukos nuolankumu, kalbėjo, kad jo gyvenime kažkas pasikeitė. Įsimylėjo? Stūmiau tokią mintį šalin kaip įmanydama. Mano atmintyje tebeglūdėjo kitas Dambrausko veidas – išgelbėtojo, prieš kurį šis, apimtas berniokiško jaudulio, kėlė man vien gailestį ir užuojautą. Kas gali būti labiau apgailėtino už penkiasdešimtmečio meilę jaunai merginai?..

– Tai aš galiu važiuoti namo?

– Tavo valia, Monika... Bet, tikiuosi, ne dabar, per tokį lietų? Girdi, kaip pila. Be to, naktis.

– Na tai kas...

– O mano svečiai? – sunkiai sudūsavo Dambrauskas. – Tegu bent jie galvoja, kad vis dėlto tu mano nuotaka. Rytoj mes kilsime į ančių medžioklę. Apsistosime medžiotojų namelyje, ir kai jau bus šviesu, tavęs lauks automobilis su vairuotoju. Kur pasakysi, ten nuveš... Sakyk, ar galėsiu tave nors pamatyti?

– Tikriausiai, juk mes draugai... Aš jums...

– Jei mes draugai, tada vadink mane Povilu.

Vardu? Povilas? Ne, niekuomet tokia familiari nebūsiu.

– Kaip ten bebūtų, aš jums labai dėkinga, už... viską. Nežinojau nieko apie tai, kad aš ne viena, na, ta prasme...

– Supratau, Monika. Malonu girdėti tavo padėką. Juk elgiausi su tavim be ceremonijų. Nė žingsnio iš namų. Kaip su belaisve. Bet patikėk, tau tikrai reikia ramybės, ir taip elgiausi vien iš meilės. Palik man savo namų telefono numerį. Nebijok, neįkyrėsiu. Ir man, jeigu kas, vos menkiausia problema, skambink, nesivaržyk.

Gerokai palengvėjo, kad štai taip nesunkiai išsinarpliojau iš nejaukios padėties, ėmiau ieškoti rašiklio, tačiau namo šeimininkas numojo ranka, sakydamas, jog rytoj namų ekonomei ar vairuotojui brūkštelsiu telefono numerį, o dabar man metas ilsėtis, o ir jo turbūt svečiai jau pasigedo.

Palinkėjome vienas kitam labos nakties. Ilgokai neužmigau. Klausiausi čia pritylančios, čia pagarsėjančios vyriškos šnekos vestibiulyje. Būgštavau, kad tame chore neliks vieno balso ir jis vėl atsiras mano kambaryje, vėl griebsis kalbelių apie meilę. Tačiau ūmai viskas nutilo ir vien lietus, susilpnėjęs kaip ir mano nerimas, pripildė kambarį tylaus migdančio šiurenimo.

Vos užsimerkiau, be jokių pastangų išvydau Andriaus veidą. Žvelgė į mane su begaline meile.

Man norėjosi apsiverkti – tokia vieniša, pasiilgusi jo glamonių pasijutau, nors stauk. Ir tada nedrąsus tvinktelėjimas. Tarytum maža rankutė apglėbė mano širdį. Negali būti... Juk mėnuo, ne daugiau.

Bet aš jaučiau!.. Visa esybe pajutau, kaip manyje suvirpėjo švelni būtybė, irgi ieškanti meilės...

*

Pakirdau balzganoje šviesoje. Už aprasojusio lango rūko driekanose miglotai plytėjo ežeras. Mane pažadino ritmingi, į metronomo tiksėjimą panašūs namų ekonomės žingsniai. Paklausė: arbatą į lovą atnešti ar panelė teiksis nulipti žemyn?.. Netrukus savo keturkampę galvą įkišo ir apsauginis. Savo ruožtu jam knietėjo sužinoti, kurią valandą planuoju vykti namo, nes mašina jau paruošta.

Namo... Nenumaniau, džiaugtis ar liūdėti, tačiau tvirtai žinojau – čia pasilikti nebenoriu. Vakarykštis Dambrausko pasiūlymas mane išgąsdino. Tikėjau, kad santuokos su kur kas vyresniais vyrais išpuola kvailoms, beviltiškoms panelėms, ir kai toks debesis pakibo virš mano galvos, jaučiausi sugniuždyta. Kad ir pragaras manęs laukia Klaipėdoje, – įsivaizduoju mamos rūstį, – bet ten jausiuosi kaip Dievo užantyje.

Per pusvalandį susiruošiau. Vos pravėriau duris, apsaugos vyrukas paėmė krepšį ir nunešė laiptais žemyn. Namų ekonomė paliepė apsauginiui prigriebti kažin kokius paketus.

– Šį bei tą panelytei įdėjau kelionei. Vaisiai, keletas sumuštinių. Juk išalksi, tokią tolybę važiuoti!

Kokie jiedu geri ir paslaugūs, net graudumas ima.

Vestibiulis buvo tuščias. Švaru ir tvarkinga. Nė ženklo, kad vakar iki vėlios nakties čia sėdinėjo vyriška kompanija, tik ore dar buvo justi salsvas pypkės aromatas. Netrukus jį nustelbė kutenantis nosį mano mėgstamos žalios arbatos kvapas.

– Kur jūs, panelyte, susipažinote su Povilu? – paklausė namų ekonomė, kai susėdome prie stalo. – Maskvoje ar kur Vilniuje?

– Aha, Maskvoje.

– Ten jūs dirbote ar mokėtės?

– Dirbau, teta Milda.

– Tai, vadinasi, dirbote... O jūs jau taip patikote ponui Dambrauskui, kaip nė viena kita, – taip lipšniai kalbėjo ekonomė, kad net arbata darėsi pernelyg saldi. – Būdavo, paskambina ir pirmas klausimas – kaip ten Monika... Taip stipriai į širdį kritote. O jūs, panelyte, nebijokite, kad jis vyresnis. Patikėk, vaikeli, tai nė kiek netrukdo gyvenime. Po šokius, aišku, jau nebevėžins, metai nebe tie, tačiau nedaug kas iš moterų tokioje jaunystėje taip susitvarko gyvenimą... Dambrauskas turtingas, labai turtingas žmogus. Būsite viskuo aprūpinta. Gyvenk ir džiaukis, kaip sakoma...

– Aš nesiruošiu už jo tekėti. Dėl to ir išvažiuoju į Klaipėdą.

Ji nenorėjo patikėti ką išgirdusi. Žiūrėjo akutes pabalinusi tarsi į paskutinę nesusipratėlę, kuriai pats gyvenimas gražiausiomis savo spalvomis siūlosi, o ji sukasi, gręžiasi ir bėga šalin, į savo miestą, kuriame vargs kaip pilka pelytė, palyginus su tais patogumais ir ištaiga, kuri laukia ištekėjus už jos pono. Negali būti – kalbėjo jos neva nusigandusios akutės.

– O... o kūdikis?

– Kūdikis mano.

– Ne jo?..

– Ne.

– O tai kieno?

– Tai ne taip svarbu. Turbūt Narimantas jau kieme, manęs automobilyje laukia? Tad aš jau ir kilsiu...

– Palauks! – ji vėl nusodino mane į kėdę. – Vis nepermanau tavęs, vaikeli. Paklausyk, juk būsi merga su vaiku – kokio vyro šiais laikais gali tikėtis tokia moteris. Tu gerai pagalvok, gal čia, šiuose namuose, tavo laimė?

Laimė. Maža bangelė vandenyne, palengva plukdanti pasiklydusį butelį su rašteliu.

Nejučiomis apibėgau akimis prabangius baldus, paauksuotuose rėmuose besipuikuojančius paveikslus, antikvarines statulėles, vaizduojančias antikines figūras ir nekaltas mergaites su spindinčiais ąsotėliais laibose rankose...

– Ne, nemanau, kad čia slepiasi mano laimė, – tariau paikai šypsodamasi.

– O kur tada daugiau, vaikeli?

– Čia, teta Milda, – priglaudžiau delną prie krūtinės, – čia, ir niekur kitur.

*

Asfaltas blizgėjo po lietingos nakties. Pakilus saulei rūkas išsisklaidė, ir Dambrausko sodybos apsauginis Narimantas Nutautas vijo automobilį smagiu greičiu, tik vėjas švilpė.

Atminty pamažu išsitrynė didingas namo vaizdas, atsivėręs man lipant į automobilį. Užmiesčio statinys man priminė bajoro dvarą, tokį, kokį ir tekdavo matyti filmuose bei senose nuotraukose – su baltomis kolonomis ir vešliomis rožėmis. Gal ir pasiilgsiu tos tylos, netrikdomos nei šunų stūgavimų, kaip kad esti kaime, nei niauraus traktorių maurojimo. Tačiau niekada dėl to nesigailėsiu. Jei gali mėgautis prabanga, tai dar nereiškia, kad akių džiaugsmas nusės į širdį.

Vilnius liko šone. Per Kernavę siauruku plentu ties Vieviu išlindome į autostradą ir pasileidome uostamiesčio link.

Ruduo ėjo į pabaigą, ir vis mažiau aukso geltonio nuo lietaus juostelėjusiuose pakelės miškuose. Stojus rudeniui širdin kažkodėl atsėlindavo nykuma. Tačiau šįkart gerai žinojau, kodėl taip nerimauju. Mama – jos valdingai iškreiptas veidas artėjo į mane. Teks iškęsti jos grasius šūkčiojimus. Ji nesupras, kad aklai ginamas ir jos peršamas Vitoldas nė iš tolo nebegali prilygti Andriui. Tie ketveri metai draugystės su mamos numylėtiniu buvo tik intymių pasimatymų kratinys, ir vėlgi – neverti tos vienintelės nakties, prasidėjusios baltame limuzine, stabtelėjusios po vienišu Maskvos kaštonu ir palikusios mus vienus buto tamsoje, be gailesčio atidavusios iš proto vedančiai aistrai.

Ir negalėdama išmesti iš atminties mamos veido, sulig kiekvienu nuskrietu kilometru vis įgaunančio griežtesnių bruožų, ryžausi stvertis paprastos gudrybės, kuri anksčiau visada pavykdavo. Jei gimdytojai nesitveria savam kailyje norėdami kaip reikiant paauklėti tave, nevalia vienai grįžti namo. Pamenu, po ilgesnio pasimatymo ar šiaip užsisėdėjusi pas draugę viena nedrįsdavau įsliūkinti į namus. Išversdavau iš lovos Silvą ir tempdavausi kartu. Ji kaip žaibolaidis sugerdavo mamos pyktavimus. Gudriai nukreipdavo kalbą šalin nuo manęs, pylos pavojus nuslopdavo, o rytą man vienai nė perpus tiek nekliūdavo, kiek grėsė išvakarėse.

Paskambinti Silvai? Betgi ji ne mažiau supykusi nei mama. Galiu prisiekti, kad to atmintino vakaro Palangoje, kai taip kiauliškai pasielgiau pasprukdama su Arnoldu ir palikdama ją vieną, kol gyva nepamirš. Nors gal klystu. Juk buvome draugės. Kažin ar vienas toks nesusipratimas gali mus it vandeniu perlieti? Bent jau privalau jai papasakoti tiesą, o jei ims niurgzti, priekaištauti, numesiu ragelį, ir tiek.

Būtinai reikia paskambinti. Argi negana to, kad po Andriaus netekties jaučiausi kybanti ant to vienintelio gyvybės siūlo, su Dievo palaima nusileidusio į mano įsčias. Negaliu klausytis triukšmo, veltis į nieko nesprendžiančius ginčus.

Triukšmas dėl triukšmo. Juk nesu verta nei patyčių, nei nepelnytų priekaištų.

Blogiausia, kad nė nenutuokiu, kokiais žodžiais nupasakoti, kad ten, Maskvoje, patyriau dievišką jausmą. Įsimylėjau. Stipriai ir beviltiškai. Bet ką ten jai aiškinti! Tokias kietakaktes įtikinėti reikia. Teisintis ir teisintis. Ne, neištversiu... Vos pajusiu, kad mama šaiposi iš mano kūdikio tėvo, – o pažįstant jos kandų būdą taip ir atsitiks, – tada, bijau, vėl pokštelsiu durimis.

Mane užgulė nykuma. Tokia panaši į tą, kurioje išnyksta mirtingieji. Išeina ir nebegrįžta.

O Andrius liks su manimi visiems laikams. Liūdna, be galo liūdna, kad jo nebepamatysiu. Ir aš pati nei gyva, nei mirusi. Gyvenanti dėl kūdikio, paskutinio stebuklo šioje ašarų pakalnėje.

– Jums bloga? – išgirdau sunerimusį apsauginio balsą. – Kaip jūs išbalote! Gal sustoti? Va mineralinio buteliukas, gurkštelkite. Nėštumas sukelia blogą savijautą, ir niekur nuo to nedingsi.

Koks Silvos telefonas? Kur nukišau užrašų knygutę?

– Va mineralinis.

Bet aš, nekreipdama dėmesio į atkištą buteliuką, grabinėjausi po kelioninį krepšį.

– Jei galite, sustokite kokioje nors pakelės užeigoje, – taršiau knygutės puslapius. – Man reikia paskambinti.

– Dambrauskas sakė, kad jei kokios problemos...

– Nebeminėkite man jo, gerai?

Pečiuitas vyrukas tik gūžtelėjo pečiais.

*

Artėjo Kaunas. Virš horizonto pakilusi saulė pravaikė ūkanas. Ryto melsvumoje sudūlavo miesto mūrai. Apsauginis siūlė skambinti mobiliuoju, tačiau tikras vargas pro variklio ūžesį ir vėjo švilpiniavimą gaudyti kiekvieną intonaciją, todėl po minutėlės mes sustojome pakelės užeigoje. Pastebėjau, kaip Nutautas, prieš išlipdamas iš automobilio, lyg kokį nereikšmingą daiktą išsitraukė pistoletą, įstūmė jo rankenon apkabą ir paslėpė ginklą lietpalčio kišenėje. Galbūt norėjo pavaizduoti uolų sargybinį ir bent taip išsikovoti mažytę mano simpatiją, tačiau lioviausi mintyse šaipytis, kai ir užeigoje jis sėdėjo įsitempęs ir įtariai nužiūrinėjo visa, kas juda. Net taures šveičiantį vaikiną prie baro. O tos minos rimtumas! Paniuręs, visi veido bruožai tarsi iš naujo įrėžti. Ant kaktos parašyta, kad šitas drimba pasiruošęs bet kokiam susidūrimui. Ir kai staiga lyg be garso į užeigą įsklendė kažkoks tipas, jis intuityviai kyštelėjo ranką po lietpalčio skvernu.

– Jūs pamišote! – ūmai suirzau. – Liaukitės vaidinęs Robiną Hudą. Man jokie pavojai nebegresia. Tas jūsų Dambrauskas kartais nusišneka.

Nutautas tik subaltakiavo, tačiau kvailas atsargumas išnyko, laikysena tapo natūralesnė. Vis dėlto akimis sekiojo kiekvieną strimgalviais įpuolusio tipo judesį. Šis nusipirko cigarečių ir movė atgal pro duris. Apsauginis tuščiai apsidairė ieškodamas naujo taikinio.

Metas skambinti Silvai.

Surinkau numerį, ir ji atsiliepė. Nežinojau, džiaugtis ar krimstis, bet ji lyg ir nepažino mano balso. Apsimeta? Ir staiga kad suklyks:

– Monika, kur tu, braške, trankaisi!.. Kaip pasiilgau tavęs, siaubas! Tiesa, kad iš namų nešei *fūgą*? Kaip *faina*, ar ne?

Ok, ta Silva! Mano draugužė. Ji nė kiek nepyksta, nė kiek.

– Klausyk, Silva. Aš grįžtu namo, į Klaipėdą. Šiandien, supratai?

Ji nelyg suspigo, nelyg uždainavo.

– Palauk, na duok man pasakyti!..

Pabandžiau kaip galima aiškiau išdėstyti savo prašymą, bet ji kaipmat susigaudė, kur link aš suku.

– Aha, mamos bijai. Monika, apie ką tu kalbi! Žinoma, užstosiu, užkalbėsiu dantį ir neleisiu rėkaloti ant tavęs. Lyg pirmas kartas! Bet dabar gali tiesiu taikymu važiuoti į butelį. Nieko ten nėra. Buvau ir vakar, ir užvakar... Galvojau, bent tavo mamos paprašysiu. Žinai, ko man reikia? To kostiumėlio. Na tas, dalykinis toks, ir medžiagytė tokia plonytė. Tik vienam vakarui, Monika... Banketas firmos jubiliejaus proga. Kaip gerai, kad paskambinai. O negalėtumei dar vieną dalykėlį man paskolinti?..

– Kai grįšiu, Silva, tada ir pakalbėsime, gerai?.. Po poros valandėlių būsiu.

Grąžinau telefoną apsauginiui.

– Tai jūs visam laikui išvažiuojat? – paklausė šis. – Daugiau nebepasimatysime?

Na va, dingtelėjo, prasideda. Vėl iškvailins, kad tokio pono ranką atstūmiau.

– Ką reiškia – visam?

– Na, ne laikinai į namus važiuojate?

Ką jis čia paisto?

– Viskas šioje žemėje laikina, – išsisukinėjau, nerodžiau jokio noro aušinti burną, bet jo permatomos it kristalai akys pasirodė man šviesesnės negu kada nors anksčiau.

– Jūs tvirtai apsisprendėte mesti mano šeimininką per bortą?

– Važiuojame, aš jau pavargau nuo visko.

– Ne, ne! Būkite gera, atsakykite man.

Tai pristojo!

– Tiek pinigų turi, susiras dar jaunesnę, – sumurmėjau kildama nuo stalo, bet apsauginis sugriebė mane už rankos:

– Atsiprašau, prašau atleisti, bet noriu pavaišinti jus šampanu... Nors ką aš čia šneku! Jums gi negalima. Bet... bet noriu jums nors tiek pasakyti, kad be galo žaviuosi jumis. Žaviuosi ir gerbiu, netgi labiau nei savo bosą. Jam pasakyti „ne" šiais laikais! Kai visos gražuolės kaip žiurkutės ir šmirinėja apie turtingus!.. Gerbiu tokias moteris. Pavydžiu jūsų vaikinui. Tai nuskilo jam. Nerealiai.

Po to visą kelią iki uostamiesčio apsauginis atsiprašinėjo. Jį išgąsdino ašaros mano akyse. Manė, kad jis dėl to kaltas.

O aš paprasčiausiai galvojau apie Andrių. Norėjau būti kartu su juo...

Todėl ir sukilo ašaros, bent šiek tiek aptirpo ledas krūtinėje, kuris kas rytą sukausto mane vien nuo minties, kad prabudau savo žuvusios meilės pasaulyje. Grįžau ten, kur niekados nebeištirpsiu nuo mylimojo glamonių.

*

Keista, bet Silva, kaip buvo žadėjusi, manęs nepasitiko. Tuščia laiptinė, ir prie durų jos neišvydau. Apsauginis padėjo laiptais užnešti krepšį su menka mano manta. Padėkojau, bet nebuvo nė minties kviesti jo vidun, o šiam ilgiau stypsoti neleido savigarba, ir mes atsisveikinome.

Įžengusi į savo butą, pirmiausia atitraukiau užuolaidas.

Šviesos, daugiau šviesos, kas per tamsybė?

Kambariai buvo idealiai sutvarkyti. Matyt, mama turėjo laiko į valias ir malšindama savo nepasitenkinimą į lygią gretą surikiavo knygas lentynoje, nė šapelio nepaliko ant kilimo ir net kosmetikos reikmenis priešais veidrodį išdėliojo tarsi vitrinoje. Tarp apytuščių kvepalų flakonėlių radau vietos paslaptingajam buteliui. Atsidusau. Visi malonūs prisiminimai tvenkiasi jo žalsvame stikle, tačiau kuo ryškiau jie atmintyje sušvinta, tuo gilesnis nusivylimas graužiasi vidun.

Nieko nebesinori.

Gyventi irgi.

Bet tai trunka tik sekundėlę. Gana uždėti ranką po krūtine – ir apima palengvėjimas. Gaila, kad nebegaliu vartoti migdomųjų tablečių ir miegoti kaip užmušta.

Atsikračiau kelioninių drabužių. Užsimečiau nudėvėtą, bet švelnų frotinį chalatą. Mielą apdarą, stebuklingu būdu išlikusį nuo paauglystės. Bet nesijaučiau sugrįžusi į normalų gyvenimą. Jis pasikeitė. Ir aš pasikeičiau negrįžtamai. Vonios veidrodis rodė kažkokią drumzlino, blausaus žvilgsnio esybę. Lyg ne mano kažkokios vaškinės lūpos. Nepaklūstančios šypsenai.

Betgi ir Silva gera pažadukė: lauksiu, lauksiu!

Arbatos nė kruopelės. Šaldytuvas kaip iššluotas. Pralaupytas tešlainių pakelis. Dantukų žymės. Skaistės, mano „mielosios" pusseserės ilčių žymės. Mama nepakenčia tylos. Skaistė irgi iš to paties molio drėbta. Be to, visur ir visada jai pritaria, todėl jos neatsiejamos kaip giltinė nuo velnio. O jeigu jos užgrius?.. Su klausimais – kur buvai, kodėl taip elgiesi, ar visai protas pasimaišė?

Patikrinau miegamojo durų užraktą. Kuo puikiausiai spragsi. Jei kas, užsidarysiu nuo įkyraus mamos cypsėjimo, pabėgsiu nuo visų klausinėjimų. Taip pagalvojus kiek ramiau paliko.

Įjungiau televizorių, kad bent kiek prasklaidytų per porą mėnesių, kol manęs nebuvo, susigulėjusią grėsmingą tylą. Įsitaisiau fotelyje. Ištiesiau nuovargio nusmelktas kojas. Girdėjau, kad besilaukiančios moterys greitai nuvargsta. Priverstos judėti už du, ir svorio priauga bene dešimt kilogramų, o žurnale, kuris papuolė po ranka, nieko nerašė apie būsimos mamos bėdas ir džiaugsmus. Vien kaip suliesėti iki gatvės katės standartų, kokių, netgi niekšiškų, gudrybių stvertis, norint pavilioti vyrą. Vedusį, turtingą ir neturinčio žalingų įpročių. Žinoma, jei nelaikysime trūkumu žemų jo instinktų ir ne itin didelio proto. Kitokių vyrų ir nesuviliosi nei gundymais, nei jokiais išsiplikinėjimais.

Nors ką aš žinau, gal ir klystu. Gal tikroji meilė, gimstanti vien nuo žvilgsnio, paslaptingai atveriančio tau giminingą sielą, prieš daugelį metų pasiklydo vakarėjančio miesto gatvėse? Ir dabar jos niekas nebeieško. Visos moterys galvoja tik, kaip rasti madingą drabužį, kokia spalva dažyti plaukus ir kaip turėti stangrius sėdmenis.

Atgijo durų skambutis. Trumpi čirkštelėjimai. Silva, tik ji taip karštakošiškai maigo skambutį.

– Labas, braške!.. – įgriuvo ji, net grindys sudrebėjo. Iškart pasidarė linksmiau. – Na, duokš man į tave pasižiūrėti! O Dieve, kokia tu išvargusi atrodai! Visą naktį turbūt beldeisi iš tos Maskvos?

Skaudokai suėmusi už pečių, ji gręžiojo mane tarsi pasiilgtą žaislą. Pakštelėjo į skruostą.

– Kažko labai liūdna, netgi pasakyčiau – suvargusi.

– Juk žinai, Silva... Nepakenčiu mamos moralų. Todėl ir palikau namus. O dabar ir vėl.

– Kas – vėl?.. Nusiramink, aš ką tik iš ten. Taip taip, buvau pas tavo gimdytojus. Tėvas, žinai, nesikiša, bet ir mama kaip šilkinė. Prašė, kad su tavim pasikalbėčiau, kad tik neišbaidyčiau vėl į gatvę.

– Tu buvai pas maniškius? – negalėjau patikėti.

– Tai aišku! Dvi valandas apie tave šnekėjome. Sakiau, kad tu grįši tik vakare, pati man pranešei. Persigėriau arbatos. Turi kavos?..

Mes nugužėjome į virtuvę. Kavos radome vos kelis šaukštelius, kaip tik Silvai.

– Mama, galima sakyti, spindi iš laimės, – toliau čiauškėjo ji. – Nežinau, gal jaučiasi kalta, bet kad jaudinasi – faktas. Į šuns dienas išdėjo tavo Vitoldą...

– Vitoldą?.. – apstulbau.

– Taip, o kas? Juk susituokė su savo bobute. Bala žino, ko

ten tavo mamai buvo priskiedęs, bet ji tik dūsuoja – toks apgavi-kas!.. Žadėjo, kas ant liežuvio užėjo. Matyt, buvo prisiekęs, kad su tavimi susitaikys, tau atleis.

– Tu irgi! Tą patį giedi!
– Ką?
– Man atleisti? Už ką?
– Aš irgi taip pasakiau – Monikai nereikia tokių niekšelių atleidimo. Ir išvis džiaugtis reikia, kad tokie tipai kaip Vitoldas pasprunka vaiko nepadarę.

– Silva, – kiek patylėjau ir mačiau, kaip draugė sukluso iš nuojautos, kad pasakysiu kai ką reikšmingo. – Silva, aš nėščia.

Ji nustojo knebinėtis prie dujinės viryklės. Metė padėrusį žvilgsnį per petį.

– Tu ką?.. Rimtai?
Linktelėjau.

– Prisiveikei! – šūktelėjo ji ir suplojo rankomis. – Vai tai tau! Kas dabar bus?

– Nieko. Gimdysiu.

Ji išpūtė žandus. Nužiūrinėjo mane tarsi iš dangaus nukritu-sią.

– Galvoje negerai. Vieniša mama... Hmm. O tu bent žinai, kas tėvas?

– Silva!

– Gerai, gerai, tyliu. Papasakok, reikia sugalvoti, kaip tavo mamą paruošti tokiai naujienai. O tai bus bimbt iš koto. Dar galvą persiskels... Kur nukišai cukrų? Kiek pamenu, būdavo vi-sada čia. Na tai klok, ko tyli. Tavo *mamania* netrukus apsi-reikš...

Pradėjau nuo Palangos. Arnoldo vardas, pastebėjau, jai ne-sukėlė jokių blogų prisiminimų. Ypač kai papasakojau, kaip tą vakarą jis mane vienui vieną, nusprendęs nebelaukti Silvos, nusi-vežė kur akys mato.

– Dar vienas niekšas, – be jokio apmaudo konstatavo mano draugė. – O kas kūdikio tėvas? Turbūt ne toks užkietėjęs mergišius kaip Arnoldas?

*

Sunkiausia buvo pasakoti apie Andrių būtuoju laiku. Silva pastėro, kai sužinojo, kad jis žuvo autokatastrofoje. Apie užpuolimą ir šūvius nutylėjau. Nenorėjau, kad ji pagalvotų, jog laukiuosi kūdikio nuo kažkokio tarptautinio mafiozo. Nesileidau į smulkmenas ir apie baltą limuzino sėdynę bei kaštoną, kuris pirma man prisisapnavo, o vėliau aptikau jį ir tikrovėje. Jokios mistikos. Tada Silva iškart pradeda šaipytis. Todėl dabar mane išklausė iš užuojautos grąžydama trumpas putlias rankas.

– Taip... Čia tai bent tau nepasisekė, – padarė išvadą, – juk tas Andrius prie pinigo, kaip ir Arnoldas?

– Tau tik tas terūpi!

– O tau, sakysi, tai jau paskutinėje eilėje?

– Galvočiau kitaip, gal ir nesiryžčiau gimdyti.

Silva žiojosi kažką sakyti, bet užsičiaupė. Nesumojo, kaip atmušti tokį argumentą, ir mažumėlę susinervino. Kava karšta, plikėsi lūpas, bet šliurpčiojo. Vos užsiminiau apie Dambrauską, tiesiog su dėkingumu paminėjau, Silva pradėjo postringauti apie atsarginius variantus, kad esą moteriai būtina apsidrausti ir bent vieno vyro neišleisti iš akių – tada iš bet kokios suknistos situacijos pasilieki galimybę išeiti.

– O tas Dambrauskas, – nelyg patarinėjo ji man, – jei tavimi rūpinasi, tai ko daugiau tau reikia?

– Nusišneki! Tarp mūsų nieko nėra ir būti negali. Jis gi mano tėtušio metų!

– O kas iš tų jaunų? Juk matai – vos prie kurio širdis linksta, likimas savaip pasitvarko. Na ir gimdyk, ir augink kūdikį, džiaukis juo, o tas senis lai ganosi aplinkui, svarbu, kad tau nieko nebetrūks. Kaip princesė su mersedesu sau važinėsi po grožio salonus ir ilgais nagiukais gėrėsiesi. Tu pagalvok, Monika, gerai pagalvok...

Pakilusi Silva atidarė šaldytuvą, pasižiūrėjo į spintutes, kur anksčiau aptikdavo šokolodo plytelę ar šiaip kokį saldumyną.

– Kas čia pasidarė! Niekur nė aguonos grūdo.

Prisiminiau, kad namų ekonomė šį bei tą įdėjo į kelionę. Keli vaisiai ir sumuštiniai pradžiugino Silvą. Prisitraukė arčiau, kaip ji pavadino, lauknešėlį iš dvaro, ir įniko šlamšti. Čepsėjimas. Krutantys žandai. Sotūs atodūsiai. Nusigręžiau, kad nematyčiau, kaip ji pasigardžiuodama doroja vaišes.

Vos ji vėl prakalbo apie Dambrauską, jos vaizduotėje švytintį laimingos ateities simboliu, pakilusi nuo stalo, nusverdėjau prie kriauklės. Blogumas varstė paširdžius, tampė skrandį, tačiau iš burnos plūdo tik drikios lipnios seilės.

– Gal saldumynų persivalgei? – pernelyg nesijaudino Silva. – Žiūriu, anei plytelės šokolado. Bet, girdėjau, nėščias moteris prie sūrymėlio traukia. O žinai, silkė, pavyzdžiui, su grybais, būtų visai nieko.

*

Silva paguldė mane ant sofos svetainėje. Apklojo, apkamšė antklode. Indaujos atbrailą nudėliojo po ranka rastais vaistais, pastatė stiklinę su vandeniu. Sirguliuoju–nesveikuoju. Esą tokios taktikos ji stverdavosi, kai grėsdavo nemalonūs pokalbiai su gimdytojais.

Ir tikra tiesa, kai pasirodė mama, jau nuo tarpdurio garsiai, kad girdėčiau, sušnekusi: „Na ir kurgi ta nevidonė! Visus nervus ištampė...", jos ūmus būdas ištižo pamačius medikamentų kampelį ir mane, tikrai išbalusią nuo pykinimo.

– Sergi, vaikeli? – pripuolė, pridėjo delną prie kaktos: – Šalta. Nieko, gal praeis. Gulėk, Monikute, nesikelk. Dieve, kaip dėl tavęs nervinausi. Ir verkiau, ir į šuns dienas dėjau. Na tu žinai, dukrele, mano nervai ne begaliniai... Visam laikui grįžai, ar tik dėl to, kad apsirgai? Silva sakė, kad tau puikiai Maskvoje sekėsi, direktore patapai ir še, kokia nelaimė...

Direktorė? Na ir priskiedė toji Silva!

Skaistė ilgai bruzdėjo prieškambaryje, kol pasikabino striukę. Paskui kruopščiai nosinaite trynė akinius. Ruošėsi negailestingai atakai? Buvo panaši į vištą, kedenančią savo plunksnas. Tik ji, neaišku kodėl pritvinkusi pagiežos man, galėjo išdarkyti taip lengvai stojančią taiką.

– Tai galvoji vėl važiuoti? – klausė mama.

Man prasižioti neleido Skaistė:

– Maskvoje tokių kaip ji pilni kampai ir pakampės.

Bet Silvai niuktelėjus į pašonę tuoj pat užsičiaupė. Ak, toji Silva, pasiruošusi nagais ir dantimis ginti mane. Kaip senais gerais laikais. O mamos pagailo. Kodėl mūsų santykiai rutuliojasi it katės ir šuns? O juk, po teisybei, jai ne vis vien, kur likimas mane bloškia. Stengiasi savo patirtimi nujausti. Todėl ir reguliuoja mano gyvenimą, jai atrodo, kad jis vis dar neprasidėjęs. Nenoromis šyptelėjau – o, kad ji žinotų, jog aš laukiuosi kūdikio!.. Kol kas neverta apie tai nė užsiminti. Per daug įspūdžių vienai dienai.

– O tas tavo Vitoldas tikras kuilys. Kito žodžio nerandu!

– Jis tavo, mama, o ne mano. Buvo kadaise... Nenoriu nieko apie jį girdėti.

– Ne, bet tu tik paklausyk! Man į akis žiūrėdamas sakė, kad, oi, kaip negerai su tavimi išėjo, gailiuosi ir esu pasiruošęs susitaikyti. Geras toks, nors prie žaizdos dėk, ir prieš savaitę sau pasiėmė į žmonas tą kliunkę, *desėtku* metų vyresnę!..

– Mama!

– Viskas, tyliu, tyliu...

Nemėgstu liestis prie pinigų. Man regis, jie tada įgauna savybę tirpti kaip sniegas. Tačiau, matydama surūgusią ir skeptišką pusseserės miną, kai vėl mama ėmė klausinėti apie darbą Maskvoje, neiškenčiau. Paprašiau Silvos, kad surastų vokelį kelioninio krepšio šoninėje kišenėlėje. Užtruko ilgokai, kol jį aptiko. Sumosavo vokeliu, lyg klausdama, kur dėti, ir iš jo lyg lapai pasipylė standžios dolerių kupiūros.

Pasigirdo aiktelėjimas, stojo mirtina tyla. Silva parklupusi šoko rinkti, o mama ir pusseserė bežadės stebėjo mane. Ne, toks sumanymas pasipuikuoti savo savarankiškumu buvo niekam tikęs. Išskaičiau tuose veiduose sumaištį. Tiek pinigų!.. Iš kur?

– Uždirbau, – tariau sumišusi, – mama, tai mano atlyginimas. Kad negalvotum, jog vis dar nesugebu savimi pasirūpinti.

Skaistė paniekinamai žiūrėjo į pinigus ir į mane. Šįkart aš puikiai suvokiau kodėl. Net nepyktelėjau. Puikybė – viena didžiausių nuodėmių. Visiškai su tuo sutinku.

– Na tai dabar jau išplėš butą! – sukvaksėjo kvapą atgavusi mama. – Jau ir taip kaimynai sakė, kad vakarais kažkokia įtartina mašina sukinėjasi po kiemą, matyt, taikosi – niekaip neprisitaiko. Na dabar tai bus...

– Mama, neišsigalvok nesąmonių. Jei taip, dėl šventos ramybės galiu padėti juos į banką.

Ir kai, atrodytų, pinigais nukloto kilimo vaizdas ėmė blukti, mano pusseserė neiškentė neįterpusi savojo trigrašio. Pasiskonėdama savo nuosekliai plūstelėjusiomis mintimis, prakalbo:

– Išeitų, aukso kasyklos toji Maskva. Ir sekasi gi žmonėms! Tik tiek tereikia – nuvažiuoti ir porą mėnesėlių pakentėti. Geležinkelio stoty arba kokiame restorane.

Silva vėl kumštelėjo, bet Skaistė ketino sumalti mane į šipulius ir beregint gavo šiugždančiu voku per žandą. Ji griebėsi už burnos, vos akiniai nenukrito, kai spygtelėjo. Užvirė barnis, ir, kaip bebūtų, manęs tai nejaudino. Kliuvo Silvai. Skaistė ją pavadino neišauklėta karve, o toji atrėžė, kad ko jau ko, bet jos čia niekas nekvietė. Jei tokias kiaulaitės akis turi, tai vožk į kuprą, kad bent liežuvio nekaišiotų kur nereikia.

– Cit! – ramino mama. – Grumdotės kaip ožkos, kur tai matyta! Kad negirdėčiau nė balso!

*

Buvo jau sutemę, kai mama su pussesere iškurnėjo pro duris, ir joms užsivėrus Silva sąmoksliškai man mirktelėjo. Atsilaikėme – sakė jos sukta, vieną burnos kamputį iškreipianti šypsena.

– O tu galėsi man paskolinti savo kostiumėlį? Jis toks elegantiškas...

– Bet tau švarkelis bus per ankštas.

– O aš jo neužsisegsiu. Lyg turėčiau gėdytis savo krūtinės.

– Daryk kaip išmanai.

Bet Silvai to buvo negana. Užsiminė apie naktinius marškinėlius. Trumpučius ir perregimus.

– Juk ne į pasimatymą eini, o į pobūvį...

– Tas tai taip, – myktelėjo ji, – bet ten bus vienas toks kadras, kuris man kartą net akį pamerkė.

Viskas aišku. Jos krūtinė jau turi gerbėją, išsikovos jį ir vienai nakčiai. Silva išeina į medžioklę. Kada buvo kitaip?

Svarstydama, reikia lyginti kostiumėlį ar ne, Silva apsivilko jį. Ant mano figūros jis gulė it ledas, o Silvos šlaunys braškino siūles. Bet jai tai nė motais.

– Na, visai nieko, ar ne? – kilnojo rankas, čiupinėjo lyg būgną aptemptą užpakaliuką. – Vienas žvilgsnis, ir tas vyrukas kris po kojom kaip rudeninė musė. Kad tik žmonos nesugalvotų atsitempti. Bet gal nebus toks senamadiškas? Kaip manai?.. Sunku nuspėti, tiesa? Bet jei akį moka merkti, tai gal turi truputį proto ir fantazijos. O ką daryti su plaukais?

Patariau susukti į kuodą. Štai mano smeigtukai.

– Tai tu taip Maskvoje vaikščiojai? O gal ir neblogai... Juk jei koks nemokša lįsdavo pasibučiuoti, pamenu, taip sutaršydavo šukuoseną, kad atrodydavau kaip paskutinė kalė.

Silva mikliai susivijo viršugalvyje kriauklę. Tapo lyg aukštesnė ir ne tokia padraika kaip anksčiau. Taip jai ir pasakiau.

– Sakai?.. – staipėsi ji prieš veidrodį prieškambaryje ir staiga sužiuro prisimerkusi. Žingsnis po žingsnio su ta mįslinga mina ji vėl atsirado greta: – Noriu paklausti vieno dalyko. Bet tu neįsižeisi?

– Kokio dalyko? Klausk.

– Bet prašau, tik neįsižeisk. Aš tik pagalvojau, Monika... Na, sunku patikėti, tikrai, kad tie pinigai...

– Ir tu kaip Skaistė!

– Tai ne?..

– Ne, ne, ne. Būk rami, seksualinių paslaugų aš niekam neteikiau.

– Gaila, – atsiduso Silva, – aš tau nuoširdžiai sakau – gaila. Man tas pats, ką tu pagalvosi, bet mielai dumčiau į Maskvą, jei šviestųsi tokie pinigai už paprastą pasidulkinimą.

Fu, ta Silva. Jos vulgarumas beribis, o moralines normas, jei kada tokios buvo, lyg vėjas išpustė mintys apie pinigus. Ir vis vien kažką miglotai įtardama ji murmtelėjo, kad nesinori tikėti, jog sekretorė gali tiek užkalti. Na, jeigu perpus tiek, dar dar...

– Taip ir buvo, – tariau ir kitais žodžiais nubloškiau jos paskutines abejones, – pusę sumos, gal ir daugiau, išlošiau kazino.

– Kazino! Siaubas, kaip įdomu! Kaip ten buvo, pasakok... Nors luktelk, bėgu kavos išsivirti.

275

Ji nuskubėjo į virtuvę. Sutrinksėjo varstomos spintelės. Ieškojo, šnarėjo kaip stambi pelė, ieškanti trupinėlių, bet teko grįžti nieko nepešus.

– Oi, braške, tavo namuose tikras badmetis. Duok pinigų, nubėgsiu iki parduotuvės. Gal vyno kokio nupirkti?.. Ai, tau juk negalima... Bet gal tegu būna kur lentynoje? Vis po taurę įsipilsiu, kai atbėgsiu tavęs aplankyti. Negi tau gaila, Monika?..

Negaila. Jei ne tas pykinimas po krūtine, dievaži, mielai apkabinčiau Silvą, nors ji kartais it netikra draugė ieško vien naudos sau. Bet gal kitokių draugų man ir nelemta sutikti?

*

Apsižiūrėjau, kad vonioje nebelikę šampūno, bet buvo per vėlu – Silva greičiausiai jau zyliojo po parduotuvę. Renkasi vyną ir kavą. Netaupydama centų siaubia konditerijos skyrių. Maklinėja apie lentynas ieškodama man žaliosios arbatos. Patylomis džiūgauja, kad nereikia savęs varžyti ir niekas nedraudžia pirkti tą, kas brangiausia. Tegu, jei nors maža dalele galiu taip atsidėkoti savo užtarėjai, šį vakarą gynusiai net kumščiais.

Po mamos apsilankymo kambariuose padaugėjo jaukumo. Apėjau juos visai rimtai svarstydama, kurioje vietoje stovės vaikiškas vežimėlis. Spėliojau, ką kūdikiams duoda pusryčiams, o ką vakarienei. Košelės, tyrės?.. Ar gyvi vien motinos pienu? O jei mano krūtims toli gražu iki Silvos apvalumų, ar tik neteks maitinti kokiu dirbtiniu pakaitalu? O jei vaikelis susirgs?.. Dieve, toks mažulėlis! Kviesti greitąją pagalbą, bet tie gydytojai kartais taip nugydo...

Taip smarkiai save bauginau, kad neįstengiau liautis. Na kur ta Silva prašapo? Parduotuvė per vieną gatvę, pro langus matyti, o jos kaip nėr, taip nėr. Tikriausiai sutiko kokią pažįstamą ir skuba iškloti paskutines naujienas: Monika parsibraižė į Klaipėdą, bet, braške, neįsivaizduoji iš kur! Maskvoje buvo, aš tau sakau lietuviškai – Maskvoje... Pasakoja, net seilės tyška. Aišku, ir savo vaizduotę pasitelkia į pagalbą. Taip ir prasideda apkalbos. Bet man vis vien. Kad tik vaikas augtų sveikas. Ir bent mažumėlę būtų panašus į Andrių. Kaštoninės akys. Daili lyg antikinės skulptūros nosytė ir graži burna.

Vėl įsisvaičiojau. Vėl būgtelėjau, dingtelėjus, kad kūdikius reikia maudyti.

Prisiminiau, kartą mama parodė vonelę, kurioje mane maudė. Sakė, kad prie jos artindavosi su baime. Pamenu, tada juokiausi iš vonelės dydžio. Tinkama nebent kačiukams maudyti. Bet kūdikiai neką didesni. Ir iš pradžių net galvelės nenulaiko. Kyvuoja bet kaip. Todėl koks čia juokas. Juolab kad mano rankos silpnos, tai ne Silvos, kuri vienu pirščiuku sugeba įstumti kamštį į sausvynio butelį, o aš vos ne vos tą patį šakute padarau.

Bet kur ta Silva?..

Prisėdau prie televizoriaus. Kažkoks serialas. Naujas, bet siužetas tas pats – du viens kitą mylintys žmonės ir pasalose tūnantys kenkėjai, kurie pakaitomis imasi parazitiškų intrigų. Paskutinėje serijoje bus vestuvės, o man savųjų nebelemta sulaukti.

Kaip ir mano meilei atsako.

Bet kad ji gyvuotų, nebūtini du žmonės. Vienas iš jų gali nieko nežinoti, kaip kartais nutinka serialuose. Arba mylimo žmogaus gali nebelikti, tačiau tas stiprus jausmas varžys tave visą likusį gyvenimą. Kas ir vyksta su manimi, be jokių valios pastangų. Tiesiog myli, o tavojo dievaičio jau nebėra. Nepakeliamai sunku.

Suklusau išgirdusi, kaip laiptai sutrinksėjo nuo žingsnių. Kažkas sunkiai, bet greitai kopė aukštyn. Silva? Bet ko ji taip lekia? Ir tarsi patvirtindamos blogą mano nuojautą durys suvirpėjo nuo smarkaus beldimo. Pašokau, žvilgtelėjau pro akutę. Silva! Bet, dievulėliau, kaip atrodo! Išdraikytais plaukais ir pamėlusi lyg skenduolė. Drebančiomis rankomis atrakinau duris. Ji įlėkė siaubo iškreiptu veidu, pečiais užrėmė duris, užšovė užraktą ir be kvapo susmuko šalia batų dėžės.

Mano puikaus kostiumėlio rankovė buvo pradrėksta. Suakmenėjusi spoksojau į boluojantį pamušalą, o Silva padėrusiomis akimis stebeilijosi į duris visai nematydama manęs.

– Jie laukė... ir vos išėjau – čiupo. Rankovę va nuplėšė. Paskui griebė už plaukų. Kumščiu čia, į smakrą, ir į mašiną!

– Kkkas?

– Vyrai du. Juodukai, panašūs į armėnus ar gruzinus, nežinau...

Nelyginant nuožmus šaltis mane sukaustė šiurpas. Kaukaziečiai! Negali būti, kad atsivijo net iki Lietuvos!..

– Jie įgrūdo mane į mašiną ir visu greičiu iš miesto! Nė žodžio nepratarė. Vienas laikė mane už sprando sugrūdęs į sėdynę, kitas vairavo. O už miesto...

Silva pakėlė akis į mane. Sąnarius stingdantis žvilgsnis. Šiurpios grėsmės nuojauta pašėlusiu greičiu vis plėtėsi.

– Na, kas toliau buvo?

– Jie... jie sustojo. Ir tas, kuris laikė mane, uždegė šviesą mašinoje. Abu ėmė rusiškai keiktis ir kalbėjo rusiškai. Jie žiūrėjo tai į nuotrauką, tai į mane. O toje... toje nuotraukoje buvai tu! Jie tave norėjo pagrobti, bet tavo kostiumėlis juos suklaidino. Tu buvai toje nuotraukoje su tuo pačiu kostiumėliu.

Nejausdama kojų nusigavau iki sofos. Silva gaudė kvapą prisėdusi greta, ir jaučiau, kaip dreba lyg epušės lapas.

– Bet ko, ko tie juodukai nori iš tavęs? Monika, girdi? Ko jiems prireikė? Maniakai kažkokie! Su manimi tvarkėsi kaip su vyru. Be gailesčio! Išmetė kaip šliurę ant autostrados... Koks siaubas... Ko jiems reikia iš tavęs?

– Nežinau, Silva, nežinau. Aš negaliu patikėti. Negaliu! Dieve, kas dabar bus?

Tai, kas anksčiau buvo neįsivaizduojama, dabar tapo kraupia realybe. Mane persekioja. Galbūt jiems reikia tik Arnoldo, bet manęs tai neguodžia. Nė kiek.

*

Silva paskambino į policiją. Springdama iš pasipiktinimo papasakojo, kaip ją užpuolė ir prievarta įsitempė į automobilį. Kaip nudangino už miesto ir paliko autostradoje. Tačiau policininkui labiau rūpėjo ne pagrobimo aplinkybės, o kas atsitiko vėliau. Nežagino? Ir nieko neatėmė? Hmm. Tai koks čia nusikaltimas, jei pavėžino ir paleido? Nori su savo draugužiais atsiskaityti? Ar policiją erzini?..

Silva įsiuto, išgirdusi, kad rytoj, jei turi kokių pretenzijų pagrobėjams, tegu pasirodo policijos nuovadoje ir parašo pareiškimą. Žinoma, jei pernakt nepersigalvos.

– Besmegeni tu! – šaukė ji į ragelį. – Už ką jums atlyginimus moka!

Pareigūnas kažką suburbuliavo ir išjungė telefoną. Kitko ir nesitikėjau. Juk Silva negalėjo paaiškinti nei kas per užpuolikai, nei kokiu tikslu ją grobė. Juolab paleido gyvą ir neatėmę nė siūlelio. Šiaip, pagalvojo policininkas, kvailioja, smaginasi mergiotės iš nuobodumo. Būtų mus matęs! Tirtančios iš baimės lyg pamėklės.

Silva pasišovė užgriozdinti duris šaldytuvu, bet aš troškau tik vieno – bėgti. Kuo greičiau palikti namus. Jei naktį kas ims laužtis į butą, numirsiu iš baimės. Man gana Maskvos košmaro. Antrąkart širdis plyš.

Visą tą metą, kol laukėme iškviesto taksi, kieme nieko įtartino nepastebėjome. Žmonės būriavosi prie autobusų stotelės. Gatve nesustodamos lėkė mašinos. Neįtikėtina, kad po nepavykusio pagrobimo tie kaukaziečiai rastų įžūlumo vėl kur tykoti pasaloje. Bet jei iš toli atvykę, tai ko delsti?

Nors ir kaip drąsino Silva, man viskas krito iš rankų. Kas galėjo pagalvoti, kad vėl teks, ir prieš savo valią, be jokio noro, vien baimės vejamai palikti namus!

Vos taksi sustojo prie laiptinės, skubiai nudardėjome laiptais. Silva dėl viso pikto pirma iškišo nosį į vakaro tamsą. Ramu, nieko įtartino. Ir taksistas visai ne pietietiškų bruožų vyrukas. Silva gyveno senamiestyje. Buvo nemažas kelio gabalas, todėl teko stoviniuoti prie šviesoforų. Kai už taksi sustoja ar aplenkia koks automobilis, mano širdis taip ir ritasi į kulnus. Regis, visi nervai tarytum ant vieno netvirto siūlo suverti. Gali pokštelti bet kurią akimirką. Ko tiems juodukams iš manęs reikia? Ko? Dieve, aš juk nėščia! Man tikrai sveikatos negerina įsišaknijusi baimė. Ir kodėl aš paleidau Dambrausko apsauginį? Arba bent būčiau paprašiusi palikti pistoletą. Nors ne, ką aš čia paistau! Bijočiau ir prisiliesti.

Silva liepė taksistui apsukti ratą apie kvartalą, kuriame ji gyveno. Pamelavo, kad kažkokie bernai sekioja paskui. Automobilis išlaviravo siauromis gatvelėmis ir išlindo prie Silvos namo.

– Atsiskaityk, Monika, – tarė ji, – neturiu smulkių.

Ak, ta Silva! Net tokią akimirką galvoja apie savo piniginę.

Mus pasitiko Silvos mama. Tėvas gulėjo ant sofos svetainėje. Skaitė laikraštį. Jaunesnysis draugės brolis tarsi bandė sulįsti į televizoriaus ekraną žaisdamas kažkokius kompiuterinius karus. Su visais pasisveikinau. Silvos mama vėl pačiupo į rankas mezginį. Bute viešpatavo tokia mieguista vakaro ramybė, kad man pasivaideno, jog nieko blogo ir neatsitiko.

Būstas buvo įrengtas per du aukštus, ir mes pakilome į palėpėje įrengtą Silvos kambarį. Slegianti tyla. Netgi įjungus muzikinį centrą ji tarsi išliko kaboti palubėje.

– Dabar tu saugi. Ne jiems suuosti, kur tu dingai. Lova ne per didžiausia, bet kaip nors tilpsime, – kažkodėl pakuždomis kalbėjo Silva. – O gal linksmesnės muzikos paieškoti? Arba galime eiti į apačią. Brolį nuvysiu nuo *teliko*, pačios pasėdėsime?

– Aš nieko nenoriu. Nieko!

Silva pasižiūrėjo nusigandusi. Lyg ieškodama pirmųjų psichozės požymių mano veide. Niekuomet nemokėjau išrėkti ar kaip nors kitaip išlieti susikaupusios baimės. Ji gniuždė mane be garso. Kaip liūnas pasiglemžia žado netekusią auką. Bėgdama iš Maskvos vyliausi, kad ten liks visos mano baimės, bet dabar jaučiausi it taikinyje. JIE čia, mano mieste. Turi mano nuotrauką. JIE ieško manęs. O kas ieško, tas suras. O tada... Ne, nenorėjau nė pagalvoti, kas atsitiktų, jei papulčiau JIEMS į nagus. Paklausinėtų ir paleistų. Kas daugiau jiems beliktų daryti? Juk Arnoldas jokių rimtų paslapčių man nepatikėjo. Bet ar JIE patikės?

Silva atnešė iš virtuvės šio bei to valgomo. Čepsėjo parkritusi ant lovos. Pavydžiu jai. Juk dar neseniai pūtavo iš baimės, o dabar pasimėgaudama šlemščia chalvą ir linguoja į muzikos taktą. Lyg pavojus būtų man vienai prisisapnavęs.

– Ką galvoji, Monika? – klausė ir klausė, kol pačiai pakyrėjo, ir užsiminė žinanti apie vieną vienintelę išeitį.

– Kokią?

– Skambink tam mafiozui. Bijau, kad be jo tau bus šakės.

– Nusišneki...

– Ot ir ne! Kitos išeities nėra, bent jau aš neįsivaizduoju. Juk matai, braške, tuščia vieta iš mūsų policijos. Ji atvyksta, kai nusikaltimas jau padarytas. Iki tol šaiposi. Sakysi – ne?.. O ten, už Vilniaus, tokioje sodyboje, kaip pasakojai: tvoros, ginkluota sargyba – niekas nebaisu...

– Tu manai, kad man reikia ištekėti už jo? Pamišai?

– O kodėl ne? Kodėl? – sukudakavo Silva. – Kas tau dabar svarbiausia? Sėkmingai išnešioti kūdikį! Kai aplink dedasi tokie dalykai, stresas po streso, žiūrėk, ir persileidimas... Netiki? Duoti tau knygutę apie nėštumą paskaityti? Pala, kažkur turėjau...

– Nereikia, šį tą ir pati žinau.

– Tai ko tu dar dvejoji? Meilės nėra? Ojojoi, tragedija... Jos ir nebus. Atsimerk – kiek porų gyvena be meilės. Juk beveik visi mano kadrai *ženoti*. Eina kaip *drigantai*. Perguli ir kitą šeštadienį ateina į barą su kita. Aišku, tas senis neatstos tavojo Andriaus, bet...

– Gana!

Užsidengiau rankomis veidą. Kniūbojau ant lovos krašto. Silva pritykinusi apsikabino mane, krūpčiojančią nuo tylaus verksmo.

– Oi, verki ir verki, braške, – atsiduso draugė. – O ką toliau daryti? Atsakyk? Privalai rūpintis kūdikiu. Pasiauginsi vaiką ir spirsi tam mafiozui į užpakalį. Tavo vietoje tik taip daryčiau.

Paglostė plaukus it našlaitėlei ir vėl nutūpė į fotelį. Sučiaumojo chalvą iki trupinėlio. Užsimanė kavos. Prisiminė taip ir nenupirktą, bet mano pažadėtąjį vyną. Patikino, kad brolis netruks sulakstyti, o kartu visas tarpuvartes išlandžios, apžiūrės, ar nestovi kur koks įtartinas automobilis.

Man buvo vis vien, tegu daro ką nori. Mane erzino draugės ėdrumas. Pykino jos gajumas, kai pati dusau nuo vaikščiojančio už sienų pavojaus. Įsivaizdavau, kaip paslaptingas automobilis, lėkęs autostrada, apsigręžia ir dumia atgal į Klaipėdą. Vos aš iškelsiu koją į gatvę, automobilis kaip čia buvęs. Aptiks mane. Būtinai. Toks blogio dėsnis.

Silva išgėrė porą taurių vyno. Vis kvailino mane, kad prieš tokį turtuolį riečiu nosį, o aš nieko nenorėjau apie tai girdėti. Vos nesusipykome, kol galop palindome po antklode. Silva iškart užsnūdo, o manęs miegas neėmė.

Gulėjau gaudydama kiekvieną krebždesį. Kad taip galėčiau pavirsti neišvaizdžiu naktiniu vabzdžiu ir nuo užuolaidos klostės stebėti nejudančias duris. Nejaugi nuo šiol man lemta būdrauti kasnakt? Mano kūdikis... Jam irgi skirta šita šiurpi tyla. Nenoriu, kad jis prabustų nuo mano krūpčiojimo. Nenoriu, kad baimės nuodas persiduotų kartu su motinos pienu. Ar tik šitie nuogąstavimai savo dydžiu nepranoksta visų iki šiol patirtų baimių? Juk nebūna padėties be išeities, bet aš vengiu apie tai galvoti. Išsisukinėju. Bijau garsiai mintyse ištarti: viena vienintelė išeitis – ištekėti. Dėl kūdikio. Kad jo kūdikiško miego netrikdytų jokie pavojai.

Mane nugąsdino nakties tyloje pasigirdę žingsniai. Kažkas vaikščiojo apačioje, vis už kažko kliūdamas.

– Silva, prabusk! – šokau žadinti draugę. – Kažkas vaikšto...

Ji sunkiai praplėšė akis. Viena ausimi pasiklausė. Murmtelėjo, kad tai brolis patamsiais bando nusigauti į tualetą, ir vėl blinktelėjo ant pagalvės. Tikrai, netrukus pasigirdo tylus vandens šniokštimas.

– Silva?

– Na ko dar?

– Aš apsisprendžiau. Rytoj paskambinsiu tam Dambrauskui.

– Na va, seniai taip reikėjo. Pamatysi, braške, nesigailėsi. Juk nesuės jis tavęs...

Kurį laiką nemirksėdama spoksojau į lubas. Atrodė, kad ne mano lūpos ištarė tą nuosprendį. Paskambinsiu ir būsiu išgelbėta. Dambrausko žmona? O kas man belieka daryti? Tik neapkęsti savęs, kad jaučiuosi tokia sužlugdyta. Gal tada verčiau pačiai patikėti, kad meilė atneša vien nusivylimą. Kad jausmai vyrams nebeišjudins mano sustingusios sielos ir belieka pasiaukoti kūdikio labui.

– Silva, miegi?

– Ne...

– Žinai, kas baisiausia man dabar atrodo? Juk man teks su juo atsidurti vienoje lovoje. Kur aš dingsiu? Vieną kartą gali išsisukti, kitą, bet...

– Apie ką tu čia? – sukiurnėjo Silva. – Apie savo mafiozą? Bijai sekso? Na ir kvailė... Atkentėsi tą kartelį per mėnesį. Daugiau tokio amžiaus vyrams ir nereikia. Patikėk manimi, jie suveikia kaip sekundinė vaizdo kasetė grotuve – *inject, play* ir *stop*. Būta čia ko jaudintis. Na viskas, miegam, braške...

*

Sunku buvo prisiversti skambinti Dambrauskui. Išsigalvojau aibes priežasčių, dėl ko turiu skambinti ne dabar, o po valandos. Ir taip sulaukiau vakaro. O Silva, matydama mano neryžtingumą, visaip drąsino. Pagaliau, kai ji ėmė puoštis firmos pokyliui, tariau sau – gana.

Dambrauskas iškart pakėlė ragelį. Toks įspūdis, kad jis laukė mano skambučio. Situaciją nusakiau trumpai – JIE čia, Maskvos košmaras tęsiasi. Jis nieko daug ir neklausinėjo. Pasiteiravo, ar aš saugioje vietoje, ir vėl priminė, kad saugesnės vietos už jo sodybą nėra visoje Lietuvoje. Dar paklausė, kiek buvo užpuolikų, ir kiek patylėjęs, lyg svarstydamas, ko čia griebtis, liepė nekišti nosies į miestą. Tuoj, po pusvalandžio, prisistatys vyrukai iš vienos Klaipėdos apsaugos firmos ir kaip lėlę atgabens į sodybą, tik koks adresas?..

– Matai, matai, – lindo man akysna Silva, – kaip jis dėl tavęs ardosi, o tu vis atbula, atbula! Oi, kaip aš tau, Monika, pavydžiu!

Bet tai man nė kiek nekėlė nuotaikos. Jos visiškai nebuvo. Vien niūrus įspūdis, kad pradedu naują gyvenimą, kuriame iš godžios meilei merginos liks tik blankus šešėlis. Bet nebuvo nė minties apraudoti savo liūdną dalią. Juk pati neriuosi kilpą, kad nepakliūčiau į persekiotojų nagus.

Kai į duris pasibeldė apsauginis, atsibučiavau su Silva.

Kitas vyrukas stovėjo gatvėje ir mums išėjus iš laiptinės skubiai atidarė automobilio dureles. Dar valandėlę sugaišome mano namuose. Apsaugos tarnybos darbuotojai akmeniniais veidais, neaišku kokį man gresiantį pavojų piešdami mintyse, stebėjo, kaip rašau raštelį mamai, paskui tampau iš kambario į kambarį kelioninį krepšį, nesumodama, koks apdaras man praverstų. Apatinis trikotažas – tai jau ne. Nenoriu netgi vienumoje atrodyti gundomai, nebenoriu patikti pati sau. Niekas man nebesugrąžins to, kas iš tikrųjų negrįžtamai praėjo, vos šiame pasaulyje neliko Andriaus.

– Prašau, paimkite šitą butelį nuo veidrodžio, – paprašiau vieno iš apsauginių, – tik atsargiai neškite. O jūs gal panešite mano krepšį?

Išėjus į kiemą nejučiomis akys užgriebė prie gretimo namo stovintį automobilį. Jame sėdėjo dvi žmogystos ir palenkusios galvas žiūrėjo į mūsų pusę. Tyliai riktelėjau ranka rodydama į paslaptingą mašiną. Jos spalva buvo žalia, tokia kaip ir tvirtino Silva buvus užpuolikų automobilio. Bet apsauginiai akimoju mane įgrūdo į savąjį automobilį ir didžiuliu greičiu išlėkė iš kiemo.

– Bet kodėl?! – piktinausi. – Ten buvo jie! Tie patys niekšai, jie man baigia paskutinį kraują išgerti! Reikėjo juos sulaikyti! Bailiai!

– Nieko mes nežinome, gerbiamoji, – ramiai atitarė vienas iš jų, ir tuoj įsiterpė kitas: – Mums prisakyta jus saugiai pristatyti klientui, o visa kita mums nerūpi.

Klientui! O juk jų teisybė. Jei moteris pasiryžta susieti savo gyvenimą su nemylimu žmogumi, tai tokie šeimyniniai santykiai nedaug skiriasi nuo kliento ir prostitutės. Gal tik tuo, ciniškai pamaniau, kad tik kartą per mėnesį suartėja kūnais, tačiau taip ir lieka svetimi.

＊

Baltijos prospektas, „Statoil" degalinė ir Jakų žiedas už apsaugos automobilio langų apsisuko kaip karuselėje, ir autostrados monotonija atvijo neramias mintis. Juo tolyn nuo namų, juo giliau skverbėsi įsitikinimas, kad nuo šiol man teks gyvenimą leisti taip, kaip dabar, – lydimai nekalbių ginkluotų vyrukų, didžiuliu greičiu kilnojamai iš vienos vietos į kitą arba tūnant už aukštos tvoros, atskirtai nuo viso pasaulio.

Idiotiška būsena. Išgelbėta, bet kartu ir pasmerkta jaunas dienas leisti su nemylimu žmogumi, su dvigubai vyresniu už save vyru, kuris neišvengiamai primes man savo valią. Nesu naivi ir nesitikiu, kad Dambrauskas pamirš savo ketinimus vesti mane. Ne tam, kad padarytų laimingą, o kad tapčiau saugi ir nebepasiekiama gaujai, atkakliai mane medžiojančiai. O štai jam, sulaukusiam solidaus amžiaus ir visa ko pertekusiam, matyt, laimė į namus parsivesti jauną žmoną.

Lėkėme nesustodami. Iš kelio mašinas baidė ant apsaugos automobilio mirksintis švyturėlis.

Vievio degalinėje mūsų laukė žvilgantis Dambrausko mersedesas. Vos jį pastebėję saugos tarnybos vyrukai susižavėję sušneko – šarvuota, bene pusę milijono markių kainuojanti mašinytė. Jie sužiūro į mane su neslepiama pagarba, lyg visą kelią būtų gabenę kokią nykštukinės valstybės princesę ir tik dabar susivokę.

Mano dureles atidarė Nutautas.

– Tai grįžote? O ką sakiau? – murmėjo jis padėdamas išlipti.

– Vadinasi, aš buvau teisus.

– Pasitrauk!

Atstūmiau jo ranką. Niekšas, ir taip bloga ant širdies, dar lenda į akis!

– Kas ten dedasi? – nepatenkintas kėlė koją iš savo šarvuočio Dambrauskas. – Nutautai, gal priminti, kaip su moterimis elgtis? Paimk jos daiktus, ko stovi kaip stulpas!

Dambrauskas nužvelgė mane lyg nepažindamas. Atsukęs nugarą kažką traukė iš savo ištaigingo limuzino, girdėjau vien šnaresį, ir kai jis atsitiesė, jo rankoje buvo lelijos žiedas. Blyškus kaip ir mano veidas. Eidamas artyn pasisveikino maloniai linktelėdamas galva.

– Žinau, Monika, kokia tavo nuotaika, bet nuodėmė be gėlelės tokią merginą pasitikti. Ar ne taip, Nutautai?

Šis tylėdamas nunešė mano daiktus į automobilį. Apsauginiai iš Klaipėdos smalsiai stebėjo šarvuoto mersedeso savininką ir mane su lelijos žiedu nusvirusioje rankoje. Greičiausiai jie įsivaizduoja, kad panašiai turtingi vertelgos pasitinka savo dukrą ar giminaitę, tik ne būsimą žmoną.

Lelijos kvapas pasirodė saldžiai šleikštus. Dambrauskas pakštelėjo man į skruostą. Jo žandas buvo stipriai iškvepintas. Automobilio viduje tvyrojo vanilės aromatas. Apsupta šito kvapų mišinio pasijutau blogai. Ėmė pykinti, ir kiek pavažiavus autostrada paprašiau sustoti. Ir taip kelis kartus, kol visiškai sutemus pasiekėme sodybą.

Laimė, Dambrauskas vos kartą pasidomėjo, kaip jaučiuosi. Įkyrus klausinėjimas būtų mane pribaigęs. Tiesa, neištvėrė neparodęs savo išmanymo. Tave dėl to pykina, kad laukiesi kūdikio, pasakė.

Kai atsidūrėme po sodybos stogu, namų ekonomė baigė dengti stalą, tačiau negalėjau nė pagalvoti apie maistą, bet Dambrauskas primygtinai kvietė prisėsti. Apžiūrėjęs vakarienei paruoštą stalą, pasigedo stipresnio gėrimo. Atsinešė konjako. Taurelę įpylė ir savo asmens sargybiniui, bet vos šis išlenkė, išgrūdo jį pro duris. Tetai Mildai taip pat liepė sėdėti virtuvėje ir nesimaišyti akyse.

Tyliai spragsėjo židinys. Vos vos jaučiama šiluma glostė man veidą. Kitame stalo gale valdovo poza įsitaisė Dambrauskas. Žiūrėjo į mane įdėmiai, lyg netikėdamas savo akimis, kad aš čia, jo namuose. Ilgai laikė įbedęs žvilgsnį, lyg norėdamas užhipnotizuoti.

– Kaip jautiesi, Monika? Geriau bent kiek?

Linktelėjau.

– Na ir puiku!.. Kai buvau mažas, negalėdavau važiuoti mašina. Imdavo pykinti po dešimties minučių, o tu beveik keturias valandas sugaišai, kol atsiradai čia. O pasą turi, nepamiršai?

– Pasą?

– Taip, pasą.

– O kam?

Jis atsiduso. Pažvelgė į mane, tarsi būčiau prašiusi atleidimo už išsiblaškymą, o jis iš visos širdies suteiktų tokią malonę.

– Be paso mes negalėsime susituokti.

Ak, štai kas! Tikrai apie tai nepagalvojau.

– Palikau jį namie.

– Pasiųsiu ką nors iš saviškių, kad atvežtų. Galėsi nupasakoti, kur jis padėtas?

– Taip.

Dambrauskas pastebimai pažvalėjo. Pakilęs iš vietos, ragino mane ragauti bent vaisių, jei rimtesniam valgiui neturinti apetito. Įmetė į židinio ugniakurą kelias beržines pliauskas. Netrukus linksmi liepsnos atšvaitai pakilo iki lubų, bet aš gūžiausi nuo šaltai leptelėto „taip".

Pasas, antspaudas jame, ir aš būsiu saugi? Tik tiek? O negi galiu trokšti ko nors labiau nei ramybės?

Meilės? Tos mažos bangelės didžiuliame vandenyne?..

Ne, ne, net artyn neprisileidžiu tokios minties! Niekas, niekas neįstengs pergalėti mano meilės Andriui. Taip, jo nebėra, bet meilė gyva. Viešpatauja manyje kaip rami taiki liepsna. Nusileido į mano įsčias ir kaupia jėgas naujam gyvenimui, naujam žydėjimui. Ir tai visa mano stiprybė.

*

Atsisakiau bet kokių vestuvių iškilmių, nors Dambrauskas spyrėsi, tvirtindamas, kad tylios apeigos pasės negeras kalbas, neva jis privertęs mane ištekėti. Bet juk panašiai ir yra! Mąsčiau apie tai, bet nieko nesakiau.

Mamai mūsų skubota vestuvių ceremonija metrikacijos rūmuose suteikė neapsakomo džiaugsmo. Didžiavosi, lyg būčiau gavusi prestižinio universiteto diplomą, o ne gerokai pagyvenusį, prieštaringos reputacijos vyrą. Gyrė mane ir slapta klausinėjo, ar tik toks netikėtas mano ištekėjimas nėra kerštas Vitoldui už visas jo kiaulystes. Ne, mama, sakiau, tai joks kerštas. Susirūpinau savo ateitimi, ir tiek. Tačiau ji tuo netikėjo. Ir vėl ištaikiusi progą tai man, tai tėvui vis piešė niūrią Vitoldo ateities viziją: „Vargšelis visą gyvenimą plūksis, bet nei tokios sodybos, nei tokios brangios mašinukės, jau nekalbant, kad Vilniuje ir Maskvoje tokie *palociai* priklauso ponui Dambrauskui, neužgyvens, *nabagas* teisininkėlis, nors kyšius kaip vanagas grobs. Štai kaip pasisekė Monikutei!"

Tėvas buvo santūresnis. Tarsi nujautė, kad mus atskyrė siena, už kurios tampu bejėgė: jo tėviškas kumštis kaip žirnis prieš Dambrausko leteną.

Buvo lapkritis, vis anksčiau temdavo, visur smarkiai prilyta, ir mersedeso padangos čežėjo per nykstantį, pūvantį rudenio apklotą. Paprastutė ceremonija, kai mes apsikeitėme vestuviniais žiedais, išdulko iš mano galvos kaip blogas prisiminimas. Svarbiausia – aš jaučiausi saugi. Nė žingsnio be Nutauto, žmogausroboto, kuris pro akių plyšelius stebi visa, kas juda. Išnyko paslaptingas automobilis, nugrimzdo į praeitį Silvos patirtas siaubas. Su ja susiskambindavau. Mano draugužė vis šniukštinėjo, ką aš naujo nusipirkau, ir stebėdavosi, kad nieko. Kaip tai – nieko! Juk pati tvirtinau, kad pinigai to mafiozo namuose voliojasi kaip šiukšlės. Panašiai jai ir sakiau. Turėjau raktą nuo seifo. Stebuklingo. Jame niekuomet nenykdavo pinigų pakeliai, kaip sakė mano solidusis vyras, skirti smulkioms išlaidoms. Tūkstančių tūkstančiai. Bet tai jokios atgaivos neteikė. Rūpinausi sveikata. Žolelių arbatos, masažai, visokios procedūros grožio salonuose. Silva daugsyk kartodavo – kaip tu fainai gyveni! O man atrodė, kad aš egzistuoju, ir tik vizito pas ginekologą metu pasijusdavau tikra moterimi. Būsima mama!

Aš dievinu tave, kas vakarą sakydavo Dambrauskas. Stigo menkiausio šypsnio, kad jis po tokių žodžių priklauptų ant kelio. Angelo sargo budrumas nuslopo, jautėsi ramus kaip riteris po laimėto mūšio. Griebdavosi malonybinių žodelyčių, kad artėjant vakarui suminkštintų mano širdį, visomis išgalėmis ginančią mano liūdną meilę Andriui. Užsidariusi savo kambaryje, palindusi po antklode, leisdavausi į giliausią vaizduotės dugną, kuriame it smulkios žuvytės nardė malonių prisiminimų nuotrupos. Metas, kai mylėjau, buvau mylima...

Tačiau atsiverdavo durys, ir ant slenksčio išdygdavo šešėlis. Mano teisėtas vyras kasnakt ateidavo palinkėti labos nakties. Prisėsdavo ant lovos krašto ir lyg atsitiktinai uždėdavo ranką ant išsišovusio po antklode mano kelio. Vyriški pirštai suglebdavo ir vėl įgaudavo lytėjimo jėgą. Jis nepastebėdavo, kokį atgrasumą man sukeldavo tas meilus glostymas. Klausdavo, kada gi mes pagaliau praleisime naktį, atvirai sakydavo – noriu su tavimi pasimylėti... Bet aš taip vykusiai skundžiausi bjauria savijauta, kad Dambrauską versdavau vien dūsauti.

– Gal rytoj? – su viltimi sakydavo jis.

– Gal... – atsakydavau aš.

Tada, palinkėjęs labos nakties, išeidavo. Tiesa, prieš tai pabučiuodavo į skruostą, vėlgi vildamasis, kad aš atsakysiu aistringu bučiniu, tačiau vėliau griebiausi gudrybės – ėmiau veidą teptis naktiniu kremu, sakydama, kad tai vaistai nuo alergijos, todėl atėmiau iš jo ir šitą menką intymų malonumą.

Tačiau suvokiau, kad tai ilgai tęstis negali. Naktis, kai jis pasigrobs mano kūną, neišvengiamai artėjo. Vieną rytą, kai nusimaudžiusi po dušu sukinėjausi prieš veidrodį grožėdamasi savo didėjančiu pilvuku, nelauktai atsivėrė durys ir pasirodė Dambrauskas. Net į durų staktą atsirėmė išvydęs mane nuogą.

— Atsiprašau, Monika... bet vandens šniokštimas seniai nutilo, išsigandau, kodėl tylu?.. Ar kas nenutiko...

Jis nenuleido nuo manęs akių, jose trumpai blykstelėjo keista šviesa. Skubiai užsisiaučiau chalatą ir žengiau pro jį, tačiau jo stiprios rankos pagavo mane, nubloškė chalato atlapus šalin nuo krūtinės.

— Kokia tu! Na leisk man, brangute, bent pabučiuoti tave, bent prisiliesti...

Prisilietimais jis vadino karštligiškus stvarstymus. Panašiai medžiotojai taršo švelniakailio žvėrelio kailį grožėdamiesi pūko lengvumu. Delnas nuslysdavo strėnomis, pasiekęs šlaunis šaudavo aukštyn prie krūtinės pusrutulių. Kita ranka glamonėjo nugarą. Vieną akimirką savo burna godžiai nutvėrė mano lūpas. Priešintis? Trenkti antausį? Tokios minties nė nebuvo. Jis juk mano vyras, o aš viso labo jo nuosavybė. Taip jau įprasta nuo seno. Todėl... susmukau jo glėbyje, spėdama suaimanuoti, kad man bloga.

Jis pasodino mane į kėdę. Žvelgė į mane be užuojautos, pilnomis priekaišto akimis, lyg sakydamas: gana man tavo teatrų, prisivaidinai!.. Tačiau jo pagieža išnyko, kai aš parklupau prie klozeto ir iš mano burnos kliūstelėjo šilta masė.

— Atleisk man, Monika. Nepyk, brangioji... Aš dievinu tave, juk žinai, bet... bet viskas klostosi kažkaip nenormaliai. Tokia jauna, o jau be sveikatos. Tas nėštumas tave pribaigs. Mane irgi.

Tą vakarą atvažiavo gydytojas. Jis nenustatė jokių komplikacijų. Negalėjo žinoti, kad šleikštulį man sukėlė gašlus sutuoktinio meilinimasis.

Aš laukiuosi kūdikio, tik jo laukimu ir gyva. Gaila, kad nebeturiu teisės numirti.

Klausiausi, kaip Dambrauskas vestibiulyje kamantinėjo gydytoją, ko reikia griebtis, kad mano savijauta pagerėtų. Kalbėjo apie mane tarytum apie kokį namų augintinį, kuris nei ėda, nei geria. Grynas oras, tas suprantama, murmėjo Dambrauskas ir nustebo išgirdęs, kad man trūksta bendravimo...

– Kokio bendravimo? Mes dar nė karto nesugulėme.

– Kompanijos jai trūksta. Normalių žmonių.

– O aš tau ką? Nenormalus? – ūmai riktelėjo. – Normalių!.. Ką čia šneki, *šmiki!* Nutautai, varyk tą šundaktarį lauk!

Girdėjau, kaip gydytojas atsiprašinėjo, bet namų šeimininkas buvo toks įsiutęs, kad spyrė į medicininį lagaminėlį, stovėjusį po sutrikusio gydytojo kojomis. Sudzingsėjo lyg sudužus langui... Namų ekonomė šoko padėti rinkti instrumentus, o Dambrauskas jau abu tarnus niukino, kad šveistų tokį specialistą pro duris, nes pats nenori teptis rankų. Aprimus bildesiui, aiškino namų ekonomei, kad šiais laikais gydytojai pas turtingus žmones kaip vanagai lekia. Kad tik daugiau pinigų už vizitą nuplėštų. Kiša ir kiša pinigus, bet žmonai kaip blogai, taip blogai, galo krašto nematyti...

Kai viskas nutilo, nusileidau į vestibiulį. Virtuvėje su dideliais langais į sodą triūsė namų ekonomė. Pažvelgė į mane šaltai ir toliau dėliojo vaisius į pintą lėkštę.

– Kur Povilas?

– Nuėjo į savo kabinetą. Bet tu neik. Jis be nuotaikos.

– Jis visada be nuotaikos.

– Kol ponia apsimetinės, visada taip bus. Manote, jį labai pagąsdinsite? Atsibos jam vieną kartą... Greitai atsibos. Aš jį pažįstu, jau penkti metai čia šeimininkauju. Jam patinka jaunos, o dėl tavęs eina iš proto. Kaip sakoma, žilė galvon, velnias uodegon. Nieko nėra baisiau, kai jį kas nors išveda iš kantrybės, o tu vis šokinėji kaip varlė prieš dalgį.

Pasiėmiau obuolį. Suleidau dantukus į jo šoną labiau iš įniršio nei iš noro. Na va, ir namų ekonomė mane ima bauginti. Į tą pačią dūdelę pučia.

– Ne taip, ponia, reikia elgtis. Atrodote protinga, bet baigsis tie vaikiški spyriojimaisi. Nenoriu nieko blogo linkėti, bet man neramu dėl tavęs, vaikeli. Vyrą reikia mokėti valdyti, tik tada galėsi sau gyventi ir švilpauti...

Nutilusi ji nužvelgė mane, lyg stebėdama, kokias mintis sukėlė jos pamokymai. „Turėk durnas akis, bet protingą galvą", – atplaukė primirštas aiškiaregės balsas.

– Ačiū, teta Milda... Aš viską supratau. Ką tik man šovė viena nebloga mintis. Tai kur, sakėte, nuėjo maniškis?..

*

Dambrausko kabinetas, primenantis posėdžių salę, buvo namo gilumoje, tuoj už valgomojo. Storos jo sienos buvo apmuštos oda, kad nepraleistų nė garso, kai kartais iki vėlumos čia buvo aptarinėjami įvairūs neaiškūs reikalai su verslo šulais ir veikėjais, darančiais įtaką aukščiausiems valdžios sluoksniams. Per silpna buvau suvokti galingųjų žaidimus, kai vieną ar kitą „dambrauskinių" lūkesčių nepateisinusį politiką atiduodavo „suėsti" spaudos magnatams. Dambrauskas dosniai finansuodavo vienos politinės grupuotės atėjimą į Seimą, todėl šiame kabinete stumdė tautos išrinktuosius kaip figūrėles šachmatų lentoje.

Kartą jis gardžiai juokėsi prie pusryčių stalo skaitydamas publikaciją spaudoje, kurioje buvo dėstoma, kad Baltarusija grąžino kažkokią energetinę skolą valstybei. Juoko paslaptį nesunkiai įminiau – vadinasi, neatsitiktinai praėjusią savaitę pas mano vyrą lankėsi baltarusių pramonininkai iš kažkokios konfederacijos. Iki ryto derėjosi, kiek į kieno sąskaitą nusės pinigėlių. Kalba sukosi apie milijonus, bet tai vienas iš tų retų mano nugirstų pokalbių.

Nesistengiau smalsauti, tačiau dabar kabineto durys buvo praviros. Pro jas sklido griausmingas Dambrausko balsas. Stabtelėjau, nedrįsau trukdyti, kol jis švaistosi žaibais.

– Tegu kasasi, bene aš bijau tų prokurorų? Nieko jie neturi prieš mane... Esu ramus. Kokie įrodymai? Tai sužinok! Ką reiškia – slapta? Vadinasi, kažkas jiems storai *bašliuoja*. Nenuperkami?.. Nejuokink, gerai... Na ir tegu! Tie prokuratūros arkliai išsikinkys, visus pavalkus suplėšys, kol iki manęs prisikas. Sakau tau – nėra šansų... Gerai jau, būsiu atsargus...

Ūmai pro duris išsmuko Nutautas, laimė, aš spėjau žengti žingsnį, todėl jam susidarė įspūdis, kad užklupo mane beeinančią, o ne gaudančią kiekvieną žodį. „Durnos akys ir protinga galva", – prisiminiau.

Asmens sargybinis užtvėrė man kelią.

– Dabar negalima, ponia Dambrauskiene...

– Dar ko!.. Pas savo vyrą negaliu užeiti?

– Negalite, nes jis užsiėmęs! Palaukite koridoriaus gale...

– Pats ten stovėk ir lauk!

Po ano atmintino pokalbio autostradoje prie Kauno, kai Nutautas išreiškė savo pagarbą man, kad nesusigundžiau sočiu ir turtingu gyvenimu su jo bosu, tarp mūsų netikėčiausiose situacijose įsiplieksdavo priešiškumas. Nemėgome viens kito, galima sakyti, tarnaudami tam pačiam ponui, nekentėme viens kito. Gal kaip tik todėl?..

– Kas ten per triukšmas? – išlėkė valdingas riksmas į koridorių. – Monika, tu? Ar kas atsitiko? Užeik...

Nustūmiau dramblotą asmens sargybinį. Šis tyčia atkišo petį, kad suklupčiau žengdama į kabinetą.

– Jis stumdosi! – piktai pareiškiau.

294

– Nutautai! – pašoko Dambrauskas nuo stalo. – Ar turi proto – nėščią moterį?.. Kitą sykį rankas kojas nukaposiu!

O man to tik ir reikėjo:

– Na matote!.. *Durnynas* kažkoks, o ne namai. Taip aš greitai įsivarysiu depresiją ir dar porą ligų, jeigu ne traumų.

– Taip? – niūriai pro antakius dėbsojo maniškis. – O ką tada daryti? Važiuok į miestą prasiblaškyti. Kavinių, restoranų aplinka padeda. Gal į teatrą, ką aš žinau? Jau ir taip mano galvai užtenka problemų. Juk Nutautas laisvas... Į mašiną – ir pirmyn.

– Su tuo stuobriu? Man gėda kur ir pasirodyti. Tąkart, kai pietavau „Stikliuose", padavėjai žiūrėjo į jį kaip į mano meilužį.

– O ko leidi sėdėti prie vieno stalo? Jo vieta...

– Jis stypsojo prie durų kaip koks duobkasys. Visi galvojo, kad jis iš pavydo seka mane.

– Prakeikimas! Tau neįtiksi!

Palaukiau, kol jo veide išnyks pilkas šešėlis, kol kiek aprims. Tada ir pastebėjau ant stalo nuotraukas. Vyriški veidai, iš mano vietos nelabai įžiūrimi. Todėl priėjau arčiau, bet Dambrauskas šastelėjo iš už stalo, ir mes susitikome vidury kabineto, šone glūdėjo sunkus vokiškas ąžuolinis stalas ir paties kanclerio užpakalio verti prašmatnūs krėslai.

– Na, kuo aš tau, brangioji, galiu padėti. Juk sakiau, be sargybinio nė iš vietos.

– Man draugės reikia... Visi šiuose namuose žiūri į mane kaip į mergšę, ištekėjusią dėl jūsų pinigų.

– Kodėl amžinai kreipiesi „jūs"! Ir tas „ponas Dambrauskas" veda mane į *zlastį*. Demonstruoji abejingumą man. Tai kaip žmonės nedarys tokių išvadų? Povilas mano vardas, kiek kartų prašiau – įsidėmėk, negi vištos smegenėles turi? Retkarčiais bent į savo pasą žvilgtelk – ten įrašyta...

Mano akyse pasirodė ašaros. Nepakenčiu, kai kas su manim

taip šiurkščiai kalba, o be to, šioje situacijoje buvo būtina atrodyti verksmingai.

– Na atleisk, Monika... Atleisk, nenorėjau užgauti.

– Man reikia draugės, – atkakliai pakartojau.

– Dėl Dievo meilės, iš kur aš tau ją paimsiu? – taikiau sušneko Dambrauskas. – Skelbimą į laikraštį duoti ar ką?

– Aš ją turiu Klaipėdoje. Paskambinsiu ir atvažiuos.

– Na ir gerai! – spoksojo į mane. – Kokios problemos, pasakysiu tam apsauginiui prie vartų, sės į mašiną ir atveš.

– Aš noriu, kad ji čia apsigyventų.

– Irgi – jokių problemų. Vietos – velniai kazoką galėtų šokti, rasime kambarį...

Tai ir norėjau išgirsti. Žengiau iš vietos lyg sumaišiusi duris, visai ne į tą pusę, ir to pakako, kad vienoje iš nuotraukų, lyg kortos išdėliotų ant stalo, pažinčiau... Arnoldą. O toji šalia – bene Andrius? Taip, jis!..

Mano staiga persimainęs veidas išdavė Dambrauskui, kad atpažinau žmones nuotraukoje.

– Tai... tai... Arnoldas ir Andrius, tie maskviečiai...

– Taip, brangioji, taip ir yra. Aš aiškinuosi, kas per veikėjai juos medžioja, kad pagaliau tau visiškai niekas nebegrėstų. Tiesa, važiuosiu pas ekstrasensą į Panevėžį, gal liks mažiau painiavos šioje istorijoje. O gal ir tu, brangioji, norėtum kartu?.. Sako, sugeba, kartais visai tiksliai pasako, kas laukia ateityje.

– Ne, nenoriu.

– Kodėl?

– Nėščioms moterims negerai burtis.

– A, taip, taip, žinoma...

Taip kalbantis, jis išlydėjo mane iš kabineto. Paėmęs už alkūnės, lyg atsitiktinai įsmukusį pašalaitį, netikėtai sudrumstusį didelės paslapties įminimą.

– Skundikė, – išgirdau toldama koridoriumi. Tai Nutautas.

Nelyg sulojo. O iki mano pasirodymo šiame dvare buvo tylesnis už žarsteklį prie židinio. Su tokiu bukagalviu tipu tikra kančia žmonėtis mieste.

Jaučiausi kaip pasivaikščioti išleista belaisvė, ir malonumas neskaičiuojant leisti pinigus buvo per menkas, kad pasijusčiau be rūpesčių. Silva, tik ji gali praskaidrinti mano vienatvę. Jos būdas gali apsaugoti mane nuo nemalonių išgyvenimų.

*

Dar tą patį vakarą, kai Dambrauskas išdūmė į Panevėžį nežinomais mafiozo keliais, paskambinau Silvai. Iš pradžių ji mielu noru priėmė kvietimą apsilankyti mano „aukso narvelyje", bet ėmė šiauštis išgirdusi, jog aš norinti, kad ji apsistotų ilgesnį laiką. Mėnesį, o gal net ilgiau.

– Pakvaišai, braške! Man darbas. Dirbu kruvinai, o dar kalba apie etatų mažinimą!..

Bet aš ją įtikinau, kad atseikėsiu dovanų vieną kitą tūkstantį iš savo išlaidoms skirtų pinigų, ir dar pabrėžiau – dolerių. Silva, tik gelbėk mane nuo vienatvės. Pagaliau, kai pasakiau, kad atsiųsiu į Klaipėdą naujausio modelio „audinę" su vairuotoju, kuris it ponią pristatys į sodybą Nemenčinės pakraštyje, ji nustojo priešintis.

Atrodytų, beliko džiaugtis tokia nemenka permaina, kad rytoj mano būtį praskaidrins Silvos tauškėjimas. Ji nori susipažinti su mano vyru.

Tas gerai, netgi labai...

Pone Dambrauskai, štai mano draugė Silva Valiukaitė, prašome gerbti ir mylėti. Ne, taip nedera pristatyti. Dambrauskas... Vėl įtraks. Na, neapsiverčia liežuvis vadinti jį Povilu, juo labiau Poviliuku... Vedę, na ir kas? Gal todėl, kad ceremonija nevyko bažnyčioje ir prie kryžiaus mes neprisiekėme viens kitam meilės iki karsto lentos? Žinau, kaip tai šventvagiškai būtų nuskambėję, ir Dambrauskas, galbūt jausdamas tą patį, šitą ritualą nukėlė į ateitį, kaip jis pats sakė, kol mano širdis nustos būgštauti su juo atsidūrus tamsoje, o šeimyninis gyvenimas pamažėliais įaugs man į kraują.

Kokie naivūs samprotavimai. Juk niekada aš jo negalėsiu vadinti mylimuoju.

Neprisiversiu lovoje kuždėti jam meilius žodžius. Neturiu nė mažiausio noro atsegti bent vieną jo marškinių sagą, o jeigu jis pabandytų savo įnagiu įsiskverbti į mane, bijau ir pagalvoti, koks pasišlykštėjimas apimtų mane. Gal net imčiau jo neapkęsti. Nežinau.

Taigi Silva rytoj bus pristatyta, tiek to džiaugsmo. Tai dėl nuotraukų... Kam Dambrauskui Andriaus ir Arnoldo nuotraukos? Jeigu jam tikrai rūpėtų išsiaiškinti, į ką įsipainiojom aš ir Arnoldas, kieno valia žuvo Andrius, Dambrauskas būtų neiškentęs ir, stengdamasis prisigerinti, jau anksčiau būtų pasigyręs, kad bando sužinoti, kas mane nori pričiupti. Argi anie maskviečiai, tą košmarišką rytą gelbėję nuo grėsmingo džipo, negali surasti persekiotojų? Negi jų jėga ir sugebėjimais Dambrauskas nepasitiki? Nuotraukos, ekstrasensas...

Ne, čia kažkas ne taip.

Išgėriau savo įprastinį vakarinį puodelį žalios arbatos. Namų ekonomė irgi susitaisė arbatos ir gėrė vis stebėdamasi mano skoniu. Netrukus mane ėmė lenkti prie miego ir aš nuėjau į savo kambarį.

Užgesinus šviesą pasirodė, kad naktis kaip niekada tamsi, todėl labai tinkama burtams. Tačiau niekas nebūtų atspėjęs, kaip aš puikiai jaučiuosi, žinodama, kad laiptų nesugirgždins sunkūs žingsniai ir vienas lovos kraštas nenusvirs nuo svorio. Nereiks gulėti įsitempus, nejaučiant jokio švelnumo po antklode lendančioms rankoms, tik šiurpstant odai skaičiuoti laikrodžio tiksėjimus, kada gi baigsis nemalonus blauzdų ir šlaunų glostymas.

Užmigau nesunkiai.

Sapnas stojo staiga. Lėkiau Maskvos metro. Tunelis, peronas, tunelis... Keleiviai lyg tarpais atgyjančios statulos. Lyg versdama knygos ar žurnalo puslapius, aš akyse vartau jų veidus, kabinuosi į kiekvieną ieškodama Andriaus. Jis turi būti čia. Jei metro vagonas lekia tokiu svaiginamu greičiu, vadinasi, aš aplenkiau laiką ir vėl atsidūriau tose dienose, kai Andriui dar nieko nebuvo nutikę. Todėl tikiu – jis čia, kažkur netoliese, belieka tik įdėmiai žvalgytis.

Dieve, jei sutikčiau jį, bučiuočiau neatsitraukdama, kol sapno galia išsektų... Stotelė. Visi keleiviai išlipa, aš su jais. Gatvė. Apsidžiaugiu, kad ji tuščia, – jei jis kur nors netoliese, tą pačią sekundę išvysiu. Šaukiu: „Andriau!..", bet šūksnis, neištrūkdamas pro lūpas ir nevirsdamas garsu, virpa tik mano pačios viduje.

Einu nesiblaškydama, tikra, kad jį sutiksiu. Kaip ilgai aš laukiau tokio sapno, kuriame galiu klaidžioti, žinodama, kad tai sapnas. Vien nerimas it pančiai varžo mano eigastį. Baugu, kad neprabusčiau pačioje lemtingiausioje vietoje.

Pamatau arką. Žiūriu į ją be džiaugsmo. Ji kiek kitokia nei tikrovėje ir ankstesniame regėjime. Apgriuvusi, ir pievelės žolė ūgtelėjusi, siekia blauzdas, trukdo nusigauti iki kaštono, ant kurio šakų nematyti nė vienos žiedų žvakidės. Dailiai susipynusios, susikryžiavusios šakos. Iš jų pilkumos kažin kas nedrąsiai kyšo.

Prisėlinusi arčiau, pažvelgiu aukštyn. Kojos, basos žemėtos pėdos. Suskirdusių kulnų rievėse įžiūriu purvą. Tupintis medyje vilki kažką panašaus į baltą togą, bet ir ji suskretusi nuo purvo.

Ištiesiu ranką bandydama pasiekti fantasmagorišką būtybę, boluojančią nužydėjusiame kaštone, ir tuo metu kažkas šilto ir tamsaus kapteli ant išskėstų pirštų, skruosto, krūtinės. Žvilgteliu ir šiurpas sukausto mane iki panagių – kraujas... Smulkūs lašeliai krinta nuo kaštonų šakų, krinta žemyn, viską aplink nutėkšdami kraujo purpuru.

Suklykiu iš siaubo, girdžiu savo riksmą, girdžiu, kaip sušnara kaštonas ir dvelkteli vėjas... Tai nuo sparnų mosto. Būtybė purvina toga ir pėdomis buvo ne kas kita, kaip angelas. Stipriais akinamų sparnų grybšniais begalvis angelas pranyra pro griūvančią arką ir... aš staiga kniosteliu iš košmaro.

O Dieve, kaip kraupu!

Alsuoju visa krūtine, bet oro trūksta, vis niekaip neatsigaunu nuo patirto šoko. Tarsi negirdimi riksmai, nešami vėjuotos nakties šniokštimo, užpuola klausimai: kodėl kraujas?.. Ką reiškia angelas be galvos? Bet kraujas?.. Manęs laukiančios nelaimės ženklas? O kas gali man dar nutikti, jei ir taip krūpčioju vos gyva?

Stengiausi nebeužmigti. Nenykstant taip mane sukrėtusiam sapno vaizdui, bandžiau perprasti jo pranašingumą, tačiau nieko aiškaus ir paguodžiamo galvoje neužsimezgė. Tos nuotraukos ant stalo, naktinė Dambrausko kelionė pas ekstrasensą ir patirtas košmaras – ar ne per daug sutapimų, kad mano saugumas išgaruotų kaip šmėkla?

Laukiau aušros it išganymo. Nekantravau kuo greičiau leistis į vestibiulį, susirasti virtuvėje triūsiančią namų ekonomę ir pasiteirauti, ką reiškia sapnuoti kraują, krintantį ant rankų, skruostų ir plaukų. Todėl, vos pasigirdus durų varstymams apačioje, šmurkštelėjau į chalatą ir nukurnėjau laiptais į pirmą aukštą.

*

Namų ekonomė, dar kaustoma švelnaus nakties nuovargio, tikrino produktų sąrašą, sudarytą iš vakaro. Kaskart išgirdusi, jog laukiama svečių, ji stengdavosi pagaminti ką nors pikantiška, ir Silvos atvykimo proga buvo užsimojusi pietums patiekti troš-

300

kintą laukinę antį su džiovintais baravykais, nors kiek aš įtikinėjau, kad mano draugė neįvertins tokio įmantraus patiekalo, kad jai ryžių košės būtų gana – tokia ji paprasta, – visi įtikinėjimai kiaurai pro ausis.

– Blogai miegojai, ponia? – iškart pastebėjo vos man įėjus. – Aš irgi neramiai naktį praleidau. Pilnatis, o dar namai be apsaugos. Nutautas su šeimininku į Panevėžį išrūko, o kitas – dar neišaušus išvažiavo tavo draugės iš Klaipėdos parvežti. Kiek sakiau Povilui, kad bent šunų užsiveistų. Šitiek kaulų lieka, ir jei kas, naktį visus ant kojų sukeltų. Kokia sodyba be šuns? Bet argi kas manęs klausys...

– Teta Milda, ką reiškia sapnuoti kraują?

– Kraują? Nu ir susapnuok tu man taip! – namų ekonomė žvelgė su baime. – Kraujas, kiek pamenu, tai neatsargumas ir išgąstis. Juk esi ne iš drąsiųjų, vadinasi, kažkas nugąsdins. Žaibas ar dar bala žino kas.

– O angelą ką reiškia sapnuoti?

– O! Angelas gerai! – net akys jai prašviesėjo. – Jį sapnuoti reiškia, kad tavęs laukia palaima ir geros naujienos...

– Bet jeigu be galvos?...

– *Ajėzus,* ką čia šneki, mano ponia! – čiuptelėjo pirštais kaktą, lyg ketindama persižegnoti. – Iš kur tokios baisybės? Nors taip, pilnatis, ko norėti...

Teta Milda apie begalvį angelą nieko nebuvo skaičiusi sapnininkuose. Galiausiai visas spėliones nubraukė, sakydama, kad per pilnatį susapnuoti košmarai, jos manymu, nesipildo.

Pasigailėjau, kad savo kraupiomis naktinėmis vizijomis pasidalijau su namų ekonome. Kraujas ir angelai jai kėlė pamišimo įtarimą, ir taip atidžiai stebėjo kiekvieną mano žingsnį, lyg bet kada galėčiau stverti nuo stalo aštrų kaip skustuvas peilį ir mestis ant jos, ryšinčios prikyštę, ant kaklo užsimetusios raudoną skarutę tarsi viliojantį ženklą.

Židinyje žarijos dar tebežerplėjo, tad pakako įmesti vieną kitą pliauską, ir pasirodė ugnies liežuvėliai. Jaukus plevenimas. Mėgstu spragsint židiniui ir pakvipus smalkiam dūmui kiurksoti krėsle su žurnalu rankoje. Nėščios moters mityba, mankšta ir higiena, pirmieji kūdikio norai... Vėl prisiminiau pranašystę – turėsiu mergaitę. Gražią, garbiniuotą, kaspinuotą. Vos ūgtels, nuvesiu prie tėvelio kapo. Ir staiga susigriebiau – o kur jo kapas? Vilniuje, kur daugiau. Na ir beširdė, pykau ant savęs, nė karto neaplankiau! Nors... Kada aš tai galėjau padaryti, kai Dambrausko žmogus kaip šešėlis – nė per žingsnį... Ne, kol kas nenoriu nė artintis prie jo kapo. Tai nesuteiks jokios stiprybės, vien į ašaras įvarys...

Pusryčiai – omletas, arbata, pora šviežios duonos riekelių.

Paskambino Silva. Ji jau pakeliui, ką tik pravažiavo Kauną. Ir jau klausia, ar turėsiu kokių normalių „šmutkių" jai persirengti, nes tas kvadratinis apsauginis prisistatė kaip giltinė vos prašvitus ir ji nieko doro nespėjusi susigraibstyti iš savo garderobo. Kaip visada – gudrauja. Su skolintais drabužiais ji kur kas geriau jaučiasi nei su savaisiais.

Pasiskubinau nuraminti, kad užgriūsime Vilniaus parduotuves ir apsipirksime kaip šeichų dukterys, tik atvažiuok. Ji nepatikėjo. Pagalvojo, kad pavydžiu jai kelių brangesnių savo skudurėlių. Na, nieko, bus proga įsitikinti. Silva spirgės iš azarto šluodama, kas jai patinka, o man vis pramoga. Bet kodėl negrįžta Dambrauskas?

– Teta Milda?

– Ką, mano ponia? – pagarbiai sukluso namų ekonomė.

– Na nevadinkite manęs ponia! Mane tai erzina!

– Kaip tai – nevadinti? Šeimininkas duos velnių, jis kitaip nepratęs. O ko jūs, ponia, norėjot paklausti?

– Na tas ekstrasensas iš Panevėžio, pas kurį išvažiavo manasis. Kuo jis užsiima?

Namų ekonomė atsakė nesusimąstydama:

– Suranda dingusius žmones, daugmaž nusako, kur pakasti lavonai.

– O kokio lavono ieško maniškis?

– Negaliu žinoti, ponia. Tik tiek aišku, kad kažkokie nemalonumai ponui Dambrauskui gresia. Ir labai rimti, nes dar niekada nebuvo toks be pusiausvyros. Metai, nervai, viskas į viena kraunasi.

– O ką reikia susapnuoti, kad ateitų laimė?

Namų ekonomė šnairomis dirstelėjo į mane. Ar tik nepradedu jai įgristi?

– Kailius, mano ponia. Ne kailinius, o kailius. Tada ir būsi laiminga.

– Keista, – patraukiau pečiais, – o jūs kada sapnavote?

– Ne. Manau, kad nė viena gyva *dūšelė* šiame *sviete* jų nesapnavo.

＊

Silva į svečius atvažiavo kaip į ekskursiją – dykomis rankomis, lyg valandėlei, o ne mėnesiui, kaip tarėmės. Išlipusi iš automobilio, paklausė apsauginio, ar nėra šunų, ir vaikštinėjo po sodybą apžiūrinėdama kiekvieną išpuoselėtą pašaliuką, kol man nusibodo ją stebėti pro langą. Ištykinau pro duris, o ji, mane pamačiusi, iškėlė putniąsias rankutes:

– O, braške, labas! Kaip jaunas gyvenimėlis? – ir vos pakštelėjusi į skruostą, jau krizeno: – Kokia tu storuliukė! Kaip meškutė, puf puf...

Tai ji apie mano pilvuką, po aptemptu megztuku pūpsantį kaip futbolo kamuolys. Standus, apvalus, miela ir glostyti.

– Eime į vidų, – kviečiau, – ten tavo garbei šeimininkė antį paruošė.

– Tu pati kaip antis. Kryp krypt... Palauk, leisk man geriau viską apžiūrėti! O šitos dvi mašinos irgi jūsų? O su tuo mersu galėsime palakstyti? Oi, kaip noriu!

Aš vis linkčiojau. Dievaži, džiaugiausi ją matydama. Bent dabar teorijomis, kaip būtina šiais laikais ištekėti už turtingo vyro, man nebekvaršins galvos.

Antis buvo puikiai paruošta, tik Silva nuvylė namų ekonomę šakute nukrapščiusi grybus, o vietoj ypatingo padažo pasirinkusi kečupą.

– Ikrų nebus? – nepiktai šmaikštavo ji. – Taip, čia ne Palanga...

Po pietų nusitrenkėme į Vilnių. Užėjome į kailių saloną. Pasakiau Silvai – rinkis, braške, kokius nori. Ji maivydamasi išsirinko karakulinius kailinius. Gražumėlis. Net jos smaila nosis lyg išnyko. Nulieta gražuolė. Net Nutautas spigino į ją akimis lyg į kokį fotomodelį.

– Visai nieko, – apžiūrinėjau, – tau patinka?

– Tu dar klausi! Neskaudink širdies, – jau nusirengdama, tarsi nudeginta kailinių puošnumo sumurmėjo Silva.

– Jei patinka, tada jie tavo.

Ji išplėtė akis. Taip stovėjo, kol aš pardavėjai atskaičiavau tuos keliolika tūkstančių litų. Tik kai pardavėja kuo gražiausiai supakavo pirkinį, ji vos prastenėjo:

– Tu pablūdai, Monika?.. Šitie kailiniai? Nejuokauk!

– O ką? Dabar aš turtinga. Kad negalvotumei atvirkščiai.

– Ne, ne, aš nieko negalvoju!..

Pasakiau: tegu šitas pirkinys primena gerus jaunystės laikus.

Silva apsiašarojo. Virpančiomis rankomis laikė manąsias ir net nedėkojo – tokia buvo sutrikusi. O vėliau išbučiavo net Nutautą. Gatvėje pašėlo iš džiaugsmo. Reikalavo Nutauto, kad duotų iššauti iš savo „patrankos" mano, tokios... na, jau toookios draugės, garbei.

Automobilyje išsitraukusi kailinius, uostė juos ir tvirtino, kad parduotuvėje gerokai prasčiau kvepėjo. Aš kaip tik paklausiau apie kvepalus. Ar nesibaigia atsargos?

– Kokios atsargos! Turiu „Samsara" lašelį, ir viskas.

– Tada, – paliepiau Nutautui, – važiuojam Silvai kvepalų rinkti.

O ji net už burnos griebėsi:

– Oi! Aš nieko nesakiau!

Bet buvo per vėlu. Nutautas neprieštaraudamas veždavo mane ten, kur pageidaudavau. Lygiai taip pat stropiai vėliau atraportuodavo Dambrauskui mūsų maršrutą su visais sustojimais.

Silva išsirinko „Tresor", aš, apimta bendro pirkimo vajaus, – „Carolina Herrera".

– Ar tau neklius, Monika? – baimingai dirsčiojo į mane Silva. – Juk tokius pinigus mėtai!..

Šypsojausi, galbūt net per ciniškai, kad atrodyčiau draugiška. Aš noriu, kad mano draugė atrodytų elegantiškai ir patraukliai, o jos dėkingumas man tik antraeilis dalykas. Kaip ir jai suteikiamas džiaugsmas glaustantis prie karakulinių kailinių rankovės.

Gal nebūtina susapnuoti kailius, kad taptumei laiminga, pagalvojau žvelgdama į švytinčią Silvą, gana juos įsigyti? O širdies vietoje pravartu turėti nedegų seifą, kuriam turtingi gerbėjai bandytų pritaikyti savo finansinius raktelius. *Inject, play, stop...*

Kai mes privažiavome prabangių drabužių parduotuvę greta Rotušės aikštės, Silva netgi ėmė spyriotis, lyg aš siūlyčiau ją apiplėšti, o ne pasinaudoti mano abejingumu, su kuriuo švaisčiau vyro pinigus.

Ištempiau ją iš automobilio, kad šuns klausą turintis Nutautas negirdėtų nė žodžio.

– Neatpažįstu tavęs, braške, – tariau jai, – lyg ne tu tada Palangoje giedojai, kad į vyrus reikia žiūrėti su nauda, o tik paskui sukti makaulę – su meile ar be jos švaistysi jų uždirbtus pinigėlius... O žinai, maniškis koks!.. Kaip mėnuo, taip milijonas į sąskaitą. Milijonierius. Todėl baik man myžčioti. Eime, pasiieškosime padoresnių skudurų. Tau ir maudymuko reikia, nes rytoj nusivešiu tave į vieną tokį grožio centrą. Pamatysi, tau patiks...

Silva atlyžo. Nė neįtariau, kad galiu žmones įtikinėti, nors už bet kokį liežuvį greičiau įtikina stora piniginė. Ją atlapojau iki galo, ir Silva susileido priešais šilkinę suknelę, tačiau aš jai įpiršau pasimatuoti krepo suknelę su didele iškirpte, lyg ant padėklo iškeliančią jos stambias krūtis.

– Raudona ir seksuali, – įvertinau aš, o čia dar pardavėja pridėjo:

– Ai, ai, kaip jums tinka. Laaabai...

Panaršėme po bižuteriją. Širdies formos klipsai su kalnų krištolo akutėmis nukeliavo į raudoną Silvos rankinę, ją prieš tai ilgai nedvejodama įsiūliau jai. O kai iš apatinio trikotažo mano draugei didžiausią susižavėjimą sukėlė juoda raudonomis gėlytėmis siuvinėta liemenėlė ir kelnaitės, jai pritrūko dėkingumo žodžių:

– Tu mane aprengei nuo galvos iki kojų! Tokie rūbai, o kainelės!.. Mirsiu... O tu? Kodėl tu nieko sau neperki?

– Vėliau. Dabar man reikia kitų dydžių.

Silva supratingai linktelėjo.

Ji gražėjo akyse. Po dar kelių apsilankymų moteriškų drabužių parduotuvėse kažkurios iš jų šiukšlių dėžėje ji paliko visus savo gerokai apnešiotus kelioninius apdarus, ir kai grįžome į mersedesą, Nutautas ją vos pažino: puošni dama, tokią ne ant kiekvieno kampo išvysi, nebent Vienos baliuose ar žurnale apie stilingas moteris.

– Ėhė... Gražu tai gražu, – mykė Silva, – bet kiek tu išleidai!..

Atsipirks, mintyse pagalvojau, būtinai atsipirks, jei tik mano akys iš tikro kvailos, o galvoje dar liko protelio.

*

Ant židinio atbrailos spindėjo butelis, pagaliau man pakilo ranka iš jo išlukštenti popieriaus skiautes. Silva stebėjosi: kokia iš jo nauda, jei tuščias ir dar toks gremėzdiškas, lyg nuo karo laikų užsilikusi bomba.

Ant nediduko stalelio šalia vaisių atsirado vietos ir prancūziško vyno buteliui, jį Silva ragavo bandydama įvaldyti aristokratės manieras. Sėdėjo ištempusi kaklą ir lyg feodalė tiesia nugara. Krūtinė, suspausta krepo, tarsi brėžė lanką po jos smakru, ir židinio ugnies mirgėjimas lyg vienas liežuvis plakėsi apie apnuogintus iškilumus.

Kiek nugertas vyno butelis nustebino grįžusį mano vyrą. Tačiau Silva patikino, kad 1968 metų vynu mėgaujasi tik ji. Pristačiau savo draugę. Taip ir pasakiau – draugė iš Klaipėdos. Ir Dambrauskas, nerdamasis iš palto, nužvelgė mus abi, tarsi spėdamas, ką turi bendro ta didžiakrūtė ir aš, amžinai sėdinti sunėrusi rankas ant pilvo, jis kasdien ėjo didyn džiugindamas mane.

Teta Milda pasistengė, kad vakarienė būtų verta iškilmių: patiekė dietišką paryžietišką veršienos pjausnį, kurį mėgo dėl antsvorio kenčiantis sodybos šeimininkas. Aš pasitenkinau šokoladiniu pudingu, o Silva šveitė viską iš eilės, bet jos garbei turiu pasakyti, kad nebuvo panaši į rajūnę ir vaišinosi be jai būdingo ėdrumo, labiau rūpindamasi, ar kas įpils jai vyno.

Dambrauskui atidumo nestigo. Vos Silvos taurėje vyno sumažėdavo perpus, jis dosniai pripildydavo ją iki paauksuotos juostelės. Pamažu įsilingavo šneka. Silva vis gyrė baldus, o namų šeimininkas vis juos peikė, sakydamas, kad yra numatęs modernesnį interjerą, o dabar pas bet kokį Gariūnų „berniuką" – visur odiniai baldai ir židiniai, nusibodo...

Man nusibodo jų klausytis. Pagyros ir liaupsės. Girtėjantys, stiklėjantys žvilgsniai. To ir tikėjausi.

Pasiskundžiau, kad diena buvo šuniškai sunki, pavargau ir alpstu nuo miego. Palikau juos vieną už kitą garsiau besijuokiančius. Silvai patikdavo anekdotai. Nešvankūs – taip pat. Nuo laiptų mačiau, kad vyno butelis tuščias, kaip ir anas, siunčiantis man atsisveikinimo blyksnį nuo židinio.

Kaip norėčiau parašyti raštelį Andriui. Kad jį vis tebemyliu. Kad dar niekas su tokia švelnia aistra, skaidančia kūno ląsteles į garo dulkes, nebuvo manęs užvaldęs kaip tada, po kliokiančiu vandeniu. Kad mano įsčių vandenyse įsikūnijusį švelnumą nešioju visa plakančia širdimi saugodama nuo pavojų.

Vos kiek nusnūdus, prabudau visiškoje tyloje. Keista, kad Dambrauskas nerado reikalo ateiti ir palinkėti labos nakties. Patyliukais atsikėliau, apsigaubiau kuo papuolė ir tyliai išslinkau ant laiptų. Vestibiulis man naktimis atrodydavo pasikeitęs. Lyg išblėsęs židinys būtų užgesinęs visus pažįstamų daiktų kontūrus. Laiptų turėklai, ir tie lyg sukrypę, o paveikslai ant sienų savo brangiuose rėmuose atrodė tuščiaviduriai.

Stengiausi lipti pakopų pakraščiu, kad tik negirgžtelėtų. Nutauto kambarys šalia laukujų durų, neaišku, kada jis miega, kada būdrauja it sarginis šuo.

Iš vestibiulio pasukau tamsiu koridoriumi, čia buvo durys į Silvos kambarį. Jaukus, nors ir be židinio, su mėlyna lova ir tokiais pat pufais prie veidrodžio bei kuklia spinta pasienyje.

Durys buvo susiliejusios su siena. Pro plyšiuką ties grindimis skverbėsi virpanti šviesa. Žvakės, sumojau, Silva uždegiojo ant veidrodžio stirksojusią trišakę žvakidę. Durys name būdavo nerakinamos. Menkai varstomos, todėl negirgždėjo. Be to, man reikėjo tik menkučio plyšelio, kad pamatyčiau, kas dedasi kambaryje, kokie ten duslūs garsai.

Įkvėpiau oro ir žvilgtelėjau.

Silva kinksojo lovoje keturpėsčia. Už jos klūpojo mano vyras. Jo veidas prietemoje buvo skausmingai įtemptas ir raudonas kaip žarija. Pūkštė pro sukąstus dantis lėtai priekiu panirdamas į moteriškų sėdmenų putnumą. Blankiai spingčiojo širdelės formos klipsai. O jau krūtys... Lingavo ir daužėsi, o Silva vis negražiai atstatydavo lūpas, lyg iškvėpdama puolamos liūtės įniršį, lyg norėdama išpūsti muilo burbulą. Ji atsiduodavo silpniems smūgiams su tokia išraiška veide, tarsi neturėtų lovoje sau varžovių.

Atvažiavo, viens du ir apsisuko. Ji moka uždegti ištvirkėlius, sugeba patraukti vyro akį. Neapsirikau, manydama, kad nuotykius ji raško tarsi obuolius nuo šakos.

Nebegalėjau pakęsti to duslaus vaitojimo, tarsi tyčia vienas kitą kankintų.

Neliko jėgų spoksoti į tuos du susirėmusius kūnus.

Koktu. Lyg nuo mėsininko kablio nupuolusi skerdiena būtų atgijusi...

Apsisukau, žengiau mažutį žingsnelį ir atsitrenkiau į kažką minkštą ir nejudantį. Vos nesurikau iš siaubo, bet Nutauto ranka užėmė man burną. Pridėjo pirštą prie savo lūpų – nė garso! Po to patraukė savo šlykščiai lipnias rankas ir davė ženklą eiti paskui. Laiptų viršuje, priešais mano kambarį, sustojo ir tiriamai nužvelgė mano veidą, ieškodamas sukrėtimo požymių, kurie neišvengiamai iškreipia ištekėjusių moterų veidus po neištikimybės įrodymų.

Aš įstengiau nusišypsoti. Jis nelyg sudrebėjo tarsi tapęs pamišimo liudininku.

– Man labai gaila, kad taip atsitiko, – sumurmėjo jis įslinkęs

309

paskui. – Mačiau iš karto, kad tavo draugė ne iš šventųjų, pati kalta, jeigu ja pasitiki. Sušildei gyvatę užantyje.

– Nereikia manęs guosti, – tariau neatsigręždama. – Nesikišk, kur tau nereikia. Supratai?

Išgirdau, kaip už nugaros tyliai užsivėrė durys ir negirdimai, kaip moka vaikščioti tik turtingųjų sapnus saugančios būtybės, Nutautas nulipo laiptais.

*

Grožio centre nuosaikiai, pagal specialistės sudarytą programą besilaukiančioms moterims, mankštindavausi treniruoklių salėje. Paskui valandėlę pakvėpuodavau turkiškoje pirtyje, prisodrintoje gaivaus eukalipto aliejaus kvapo.

Baseiną aplenkdavau, nors plaukiojimas tokioms dailiai pilvotoms kaip aš – tik į sveikatą. Dušas, lengvas makiažas, puodelis kavos bare – ir apsilankymas baigtas.

Silva buvo geros nuotaikos ir pakeliui į grožio centrą vis traukė per dantį Nutautą, o šis piktai atsikirtinėjo. Teko kartą ir man įsikišti, nes Silva, nežinodama tokio asmens sargybinio atžarumo priežasties, vis labiau vėlėsi į apsišaudymą žodžiais, kurie taikliai kliudė tik man ir Dambrausko sargybiniui matomus taikinius.

– Kas jam pasidarė? – stebėjosi Silva. – Vakar žodžio nė su pagaliu neišmuši, o šiandien, prašau, koks *mandras!*.. Matyt, suvalgė kažką, – ir tuoj, regis, pamiršusi nesmagumą, ėmė rąžytis mersedeso sėdynėje, – oi, kaip pasiilgau vandens! Kaip šoksiu į baseiną!..

– Tokioms kaip tu, – metė jai Nutautas, – maudytis būtina.

Silva pikčiurniškai išsišiepė:

– Ką čia šneki?

– Baikite, – irzliai įsikišau, – negadinkite man nuotaikos. Visai nejuokinga.

– Taip, – pritarė Silva, – visai nejuokinga. Arkliškas humoras. Sakysi ne, braške?

Nepaisant vakarykštės scenos Silvos kambaryje, mes likome draugėmis. O ką?.. Neištikimybė... Tik pamanykite! Su nemylimu žmogumi. Vyru, kuriam nieko nejaučiu. Nebent dėkingumą, kad leido savo pečiais pasinaudoti kaip mūru ir ramiai sau laukti kūdikio atėjimo į pasaulį.

Ramiai.

Tikiuosi, kol Silva mano viešnia, turėsiu ramybę. Dambrauskas ja labiau domėsis nei manimi. Tiesiog neatsispirs vyliui kas vakarą. Matydamas ją, krūtingą ir geidulingai virpčiojančiomis blakstienomis. Išsipuošusią kaip katalogų gražuolę. O stojus vakarui ir kompanijoje esant bent vienam vyriškos lyties asmeniui, Silva neiškenčia nesigriebusi koketiškų gudrybių ir dar smarkiau puola mėgautis gyvenimu. Todėl visiškai neaišku, kas vakar tapo avimi, o kas vilku. Nėra aukos, nėra ir nugalėtojo.

– Tau gerai, – lipšniai kalbėjo Silva, kai mes sėdėjome prie baro grožio centre ir mėgavomės šviežiomis vaisių sultimis. – Toks namas!.. O ar tiesa, kad senamiestyje turite keturių kambarių butą, o Palangoje taviškis įsigijo „Rugelio" poilsio namus?

– Iš kur tu viską žinai? Gal tau mano *diedas* pirštis pradėjo?

– Eik tu!.. Pats vakar išsipasakojo, kai tu nuėjai miegoti. Tik vieno tau nepavydžiu...

– Ko?

– Ai, įsivaizduoju, jokio malonumo su tokiu lovoje. Sveria turbūt daugiau nei šimtą, ir šiaip, pasakysiu tau, senis yra senis. Bet gyventi su tokiu galima. Kas iš tų jaunų?..

Silva nutilo, lyg susigriebusi, kad pernelyg įsiplepėjo. Dar žodis kitas – ir geros draugės kaukė lėks šalin.

Toks jos atsargumas mane nuteikė palankiai. Vadinasi, nesiruoša nutraukti naktinių pasimatymų. Galimas daiktas, dar paprašys už juos atlygio. Juk ne jos proteliui suvokti, kad mano pirkiniai jai daugiau nei dovanos. Vienas Dievas težino, ar teisingai pasielgiau, bet kol kas nesigailiu.

Su Silva išsiskyriau. Ji pasuko į baseiną, o manęs laukė treniruoklių salė.

Ten užtrukau gerą pusvalandį, paskui nuslinkau į sauną. Marmurinis krėslas ir iš po jo kylanti kaitra nukėlė mane į erdvų butą Maskvoje, į jo vonią, kurioje užteko vietos dviem įsimylėjėliams, dviem aistros pavergtiems kūnams pasiekti patį svaigiausią orgazmą, kokį kada nors yra pajutusios Žemėje gyvenusios būtybės.

Buvo nekaršta, šiluma tik glostė odą ir lengvino kvėpavimą. Taip galima ir užsnūsti, gal net susapnuoti ką nors erotiško, kai būni taip arti ekstazės, taip arti primityvaus noro pajusti švelniai besiskverbiančią vyrišką jėgą.

Bet vos mano mintys išnykdavo ir pamažėliais imdavo busti vaizduotės galia, mane it gavus smūgį nukrėsdavo skausmas.

Netekties širdgėla.

Smogdavo visa tuose žodžiuose slypinčia jėga. Motinystės rūpestis buvo tik virkštelę siejantis mano sielą su kūnu. Jei ne kūdikis po krūtine, mėginčiau gelbėtis nuo to baisaus suvokimo, kad Andriaus nebėra... Žengti į nežinią, ten, kur ir mano mylimasis.

Atodūsis – ir kas žino, gal mes vėl būtume kartu.

*

Po pirties skubėdavau į dušinę, kad niekas nepastebėtų ašarų latakų po akimis. Stipri vandens rykštė plakdavo mano pečius, ir stebint, kaip sraunios vandens gyvačiukės vinguriuoja standžiu kaip vaikiškas būgnas mano pilvu, išnykdavo verksmingas slogumas ir sumažėdavo širdį spaudę gniaužtai.

*

Nesupratau, kodėl mes sustojome prie kavinės aklinai uždangstytais langais.

– Ji nedirba, – tariau, – va ten, kitoje pusėje, žiūrėk, veikia.

Tačiau Andrius tarsi neišgirdo manęs, o gal tingėjo žvilgtelti per petį. Jis stumtelėjo duris ir jos – kaip bebūtų keista – atsilapojo.

– Veikia, apsirikai, – šypsojosi jis, bet aš spyriojausi:

– Na kur tu mane tempi! Juk tamsu, išprotėjai!

Mes atsidūrėme aklinoje tamsoje. Nematėme, kur statyti kojas, bet apgraibomis yrėmės į priekį. Andrius neleido man sustoti, vis stūmė į priekį ir atidaręs kažkokias duris įvedė į kažin kokią patalpą, ten tvyrojo tokia pat nepermatoma tamsa.

– O ką aš sakiau? Ne, neklausei. Kaip dabar atgal kelią rasime?

Apsisukau eiti, bet jis timptelėjo mane už rankos. Atgręžė veidu į juodą erdvę, iš jos pasigirdo kimus urzgimas. Baimingai prisiglaudžiau prie Andriaus, ir staiga aplink viskas nušvito.

Sublizgėjo stalai, sudulsvavo grindys. Šviesa apakino – užsimerkiau.

Pliūptelėjo juokas, suskardėjo balsai. Žingsniai, linksmas mindžikavimas.

Kažkieno rankos atplėšė mane nuo Andriaus. Spėjau pamatyti, kaip jis sąmokšliškai šypsosi, spindi iš laimės, kad pavyko padaryti man tokią staigmeną.

– Monika!

– Felicija!

– *Mamočka*, kad tu žinotum, kaip tu išgražėjai! Tas tavo pilvukas! Chi chi chi, kaip matrioška...

Vos ėmiau glėbesčiuotis su miela oranžine raganiuke, pripuolė... Arnoldas.

– Monyka! Kaip džiaugiuosi tave matydamas! Buvo vargelio

ar ne? Bet įdomus gyvenimas, tiesa? Bus ką, sesute, prisiminti. O šitą panelę ar prisimeni?

Man apie kojas trynėsi Fišeris, vis taikydamas lyžtelti Arnoldo ranką, rodančią į nedrąsiai prisiartinusią merginą naiviai išpūstomis akimis.

– Nejaugi tai tu – Sveta?

– Aš, Monika, aš!.. Juk sakiau, kad šoksiu tavo vestuvėse. Net tą pačią suknelę kaip ir per anas vestuves atsivežiau. Tik dėl tavęs ir atskridau iš Maskvos.

Kaip puiku! Mes draugiškai it seserys apsikabinome.

– Dukrele...

Nustėrau – ir mama čia!

– Vaikeli, man papasakojo, kiek tu prisikentėjai, – ji suėmė mano iš jaudulio suvirpusias rankas, – viskas gerai, kas gerai baigiasi, bet...

– Mama, na prašau, tik nepradėk.

– Norėjau pasakyti, kad neprapulsi, dukrele, kai turi tokių draugų.

– Luktelk minutėlę, mamyte, – akimis ieškojau Andriaus, jis lindėjo kažkur už svečių nugarų, – aš tave su juo supažindinsiu. Na kur jis? Andriau!

– Mes jau susipažinome, – patenkinta pareiškė ji. – Oi, kaip gražiai prašė tave atiduoti jam į žmonas. Geriau nė neklausk!

– O tu ką?..

– Aišku, sutikau! Juk jis myli tave.

Ak, ta mama. Niekada ant jos rimtai nepykau. Nedaug žmonių, kurie dėl manęs taip jaudintųsi. Sublizgo Skaistės akinukai. Ji sėdėjo nuošalyje, prie staliuko, ir vis žvilgčiojo į mano pusę. Kiek sutriko, kai aš pripuolusi pakštelėjau jai į skruostą.

– Nebūk juokinga, ko sėdi akis nuleidusi, – tariau jai, – juk tu man irgi norėjai tik gero.

Tada pasirodė Tomas. Jis nešė didžiulį šampano butelį, o iš

kažkur išdygęs padavėjas dėliojo ant staliuko blizgančias taures. Ir tada pro balsų lalėjimą išgirdau kimų šūksnį:

– Monika!

– Silva! Kaip smagu, kad tu čia!

Ji susimuistė, kai pačiupau už rankos:

– Eime prie visų, ko tu sėdi kampe susigūžusi, lyg svetima.

– Palauk... Tu tikrai nepyksti ant manęs?

– Žinoma, ne! Tai aš turėčiau tau dėkoti, kad išvadavai mane iš bjaurios padėties. Lįsdavo prie manęs kas naktį, kur aš būčiau dingusi be tavęs? Dėl to tave ir pasikviečiau.

– Tikrai? – Silva pagyvėjo. – Tu tyčia? Pagalvojai, kad aš tokia ir... Na tu duodi, braške! Aš taip ir įtariau, kitaip čia nebūtų manęs Arnoldas pakvietęs. Vakar pas tavo mamą susitikome. Žinai, ko ten buvau nuėjusi?

– Kitą kartą papasakosi.

– Ne! Išklausyk dabar, – ji pagriebė po kojom gulėjusį krepšį ir ištraukė... mano batelius, jų metaliniai kulniukai atrodė lyg moteriški durklai. Tie patys, kuriuos įsiūlė Felicija. – Tai tavo, braške. Tik tu nieko nepagalvok, aš juos per klaidą įsidėjau...

– Bala jų nematė. Jei patinka – dovanoju.

– Ačiū, bet aš visaip matavausi – jie man mažoki.

Gudruolė toji Silva, oi, gudruolė. Padėjo batelius ant grindų ir jau rami atsipūtė – be nuodėmės. Tada tik pamatė Tomą, jis stovėjo pasiruošęs krestelti šampano butelį. Visi baimingai dirsčiojo į jo pusę. Jis nežiūri į Silvą, o toji spirga iš nekantrumo:

– Monika, žiūrėk, tas pats! Pameni, prie baseino su juo kalbėjaisi, o man vardo taip ir nepasakei. Tas pats, kuris grandinėlę nušvilpė.

O pati staiga tik čiupt už kaklo:

– Buvo... – sumurmėjo ūmai sutrikusi, – o gal ir neturėjau.

Bet buvo, juk gerai prisimenu... Žiūrėk! Jis šypsosi! Tai jis nusegė, bet kaip?..

Tomas priėjo sukdamas apie pirštą Silvos grandinėlę, bet kreipėsi į mane:

– Tik dėl to taip padariau, Monika, kad žinotumei – tai buvo paskutinis kartas. Prisiekiu – į moteris pradėsiu kitaip žiūrėti. Tiesa, kuo vardu tavo draugė?..

Arnoldas pasistengė nutildyti kilusį šurmulį:

– Tsss! Šampanas laukia. Bet pirma norėjau pasakyti, – jis įsmeigė žvilgsnį į mane, – kad tikri draugai pažadų neužmiršta ir juos tesi. Dar Maskvoje žadėjau, taigi Monikai ir Andriui vestuvių proga dovanoju povestuvinę kelionę į Kanarus. Bilietai, viešbučiai jau užsakyti. Mes irgi su Sveta, jei nieko prieš, vyksime kartu. Tiesa, mūsų vestuvės tik po mėnesio, bet, jei patiks, mes dar kartą ten nulėksime. Tad kitą savaitę, Monika, kraukis lagaminus. Medaus mėnuo laukia.

– Kaip tai kitą savaitę? – išsižiojau. – Nieko nesuprantu. O tai kada vestuvės?

Visi sužiuro į Andrių. Šis teatrališkai stvėrėsi už galvos:

– Atleisk, Monika, pamiršau pasakyti, kad vestuvės rytoj. Tryliktą nulis nulis pradžia bažnyčioje. Ačiū Skaistei, ji susitarė su klebonu. Todėl prašome svečių nevėluoti.

– Rytoj? – man vėl norėjosi verkti. – Nesąmonė kažkokia!

– Taip, – pritarė Felicija, – ir kodėl tryliktą?..

– Juk aš net suknelės neturiu!

– Dėl to būk rami, aš apie tai pagalvojau ir štai, – ji ištraukė iš pastalės kažin kokį ryšulį, – atvežiau tau vieną tokią... Rankų darbo, balta balta kaip sniegas. Ne Judaškino, bet be galo graži. Išskirtinis modeliukas ir pritaikytas nėščioms nuotakoms. Tuoj parodysiu!

Tada ir prasidėjo linksmybės.

Šampano kamštis bumbtelėjo lyg patrankos sviedinys. Balzgana sidabrinė čiurkšlė apšvirkštė mano mamą nuo galvos iki kojų. Kliuvo visiems, kas nespėjo pasprukti nuo Tomo, padūkusiai kratančio butelį.

Kurtinamas spiegimas ir kvatojimas turbūt aidėjo per visą Palangą. Net tylenė pusseserė kvykė iš pasitenkinimo, nors sausų akinių nepavyko išsaugoti.

O Felicija, nepaisydama, kad jos oranžiniai plaukai putoja nuo šampano, išvilko į šviesą nuostabią baltais perliukais išpuoštą suknelę. Apalpti galima – koks grožis!

Bet užvis garsiausiai Silva užriko ant vargšo šunelio Fišerio, mat šis, pasinaudojęs sumaištimi, nugvelbė mano dailiuosius batelius už 600 dolerių ir urgzdamas iš malonumo suskato graužti, kol niekas neatėmė.

Vaitkevičiūtė, Daiva

Va-122   Monikai reikia meilės: romanas / Daiva Vaitkevičiūtė. – Panevėžys: Magilė, 2008. – 352 p.

ISBN 9986-956-25-0

Romano heroję Moniką palieka mylimasis. Ją slegia vienatvė. Ji „trokšta meilės, apsvaigimo nuo beprotiškų bučinių..." Atsidūrusi Maskvoje, gražuolė Monika ne tik susiduria su jai svetimu naujųjų rusų gyvenimu, bet ir sutinka tikrąją savo gyvenimo meilę...

UDK 888.2-3

Daiva Vaitkevičiūtė

MONIKAI REIKIA MEILĖS

Viršelio dizaineris Jokūbas Jacovskis
Redaktorė Audronė Daugnorienė
Korektorė Violeta Abromavičienė
Fotografas Audrius Zavadskis
Modelis Goda Andriūnaitė
Maketavo Elytė Žirkauskienė

Tiražas 2000

Išleido leidykla „Magilė", Eglyno g. 34, LT-37456 Panevėžys
Spausdino AB „Spauda", Laisvės pr. 60, LT-05120 Vilnius